D1015842

EXIT GEEST

WERK VAN PHILIP ROTH

Vaarwel Columbus. Verhalen
Laat maar gaan. Roman
Een braaf meisje. Roman
Portnoys klacht. Roman
Tricky Dixon en zijn vrienden. Satire
De borst. Novelle
De Grote Amerikaanse Roman. Roman
Mijn leven als man. Roman
Lectuur van mijzelf en anderen. Essays
Professor in de begeerte. Roman
De ghostwriter. Roman
De eenzaamheid van Zuckerman. Roman
Les in anatomie. Roman
De Praagse orgie. Roman
Het contraleven. Roman
De feiten. Autobiografie van een schrijver
Bedrog. Roman
Patrimonium. Een waar verhaal
Operatie Shylock. Een bekentenis
Sabbaths theater. Roman
Amerikaanse pastorale. Roman
Ik was getrouwd met een communist. Roman
De menselijke smet. Roman
Een stervend dier. Roman
Over het vak. Een schrijver, zijn collega's en hun werk
Het complot tegen Amerika. Roman
Alleman. Roman
Exit geest. Roman

Philip Roth

Exit geest

2007
DE BEZIGE BIJ
AMSTERDAM

De vertaler ontving voor het vertalen van dit boek
een werkbeurs van het Fonds voor de Letteren

Oorspronkelijke titel *Exit Ghost*
Oorspronkelijke uitgever Houghton Mifflin Company,
New York
Omslagontwerp Michaela Sullivan
Foto auteur Nancy Crampton
Vormgeving binnenwerk Adriaan de Jonge
Druk Clausen & Bosse, Leck
ISBN 978 90 234 2631 8
NUR 302

www.debezigebij.nl

Voor B.T.

Before death takes you, O take back this.
– Dylan Thomas, 'Find Meat on Bones'

I

Het heden

Ik was elf jaar niet meer in New York geweest. In die elf jaar had ik, behalve voor een operatie in Boston ter verwijdering van een door kanker aangetaste prostaat, nauwelijks mijn landelijke bergweg in de Berkshires verlaten. Bovendien had ik sinds 11 september zelden meer een krant ingekeken of naar een nieuwsuitzending geluisterd, zonder dat als een gemis te voelen – alleen, in het begin, als een soort innerlijke droogte –, en had ik me niet alleen uit de grote wereld maar ook uit het heden teruggetrokken. De drang om erbij te zijn, erbij te horen, had ik lang geleden tot zwijgen gebracht.

Maar nu was ik de tweehonderd kilometer zuidwaarts naar Manhattan gereden om een uroloog in het Mount Sinai-ziekenhuis te raadplegen die zich had gespecialiseerd in een therapie ten behoeve van de tienduizenden mannen zoals ik die door een prostaatoperatie incontinent waren geworden. Door via een in de pisbuis ingebrachte katheter een geleiachtige vorm van collageen om de hals van de blaas te spuiten op het punt waar die in de pisbuis overgaat, wist hij bij zo'n vijftig procent van zijn patiënten een aanzienlijke verbetering te bereiken. Dat hield niet bepaald over, vooral niet omdat de 'aanzienlijke verbetering' niet meer dan een gedeeltelijke verlichting van de symptomen inhield – het terugbrengen van de incontinentie van 'zwaar' tot 'matig', of van 'matig' tot 'licht'. Maar omdat zijn resultaten beter waren dan wat anderen met gebruik van ongeveer dezelfde techniek hadden bereikt (er was niets te doen aan dat andere schadelijke gevolg van radicale prostatectomie dat mij evenmin als die tienduizenden anderen bespaard was gebleven: zenuwbeschadiging met impotentie als gevolg), ging ik naar New York voor een consult toen ik mezelf allang met het praktische ongemak van de incontinentie dacht te hebben verzoend.

In de jaren na de operatie geloofde ik zelfs het beschamende gevoel van het jezelf benatten te hebben overwonnen, de desoriënterende schok die de eerste anderhalf jaar, in de maanden waarin de chirurg me nog hoop had gegeven dat het probleem na verloop van tijd vanzelf zou verdwijnen, zoals bij een klein aantal fortuinlijke patiënten het geval is, bijzonder heftig was geweest. Maar hoezeer de dagelijkse handelingen die nodig waren om mezelf schoon en geurvrij te houden ook tot routine werden, ik bleek evenmin echt te hebben kunnen wennen aan het dragen van de speciale onderkleding en het verschonen van de inlegluiers en het opvangen van de 'ongelukjes' als het me gelukt was de onderliggende vernedering het hoofd te bieden, want daar zat ik, eenenzeventig jaar oud, weer in de Upper East Side van Manhattan, maar een paar straten verwijderd van de plek waar ik eens als een sterke, gezonde jongere man had gewoond – in de wachtruimte van de afdeling Urologie van het Mount Sinai-ziekenhuis, om me te laten vertellen dat er, ingeval het collageen zich blijvend aan de hals van mijn blaas zou hechten, een kans bestond dat ik iets meer controle over mijn urinevloed zou krijgen dan een pasgeboren kind. Terwijl ik daar zat te wachten en me de behandeling voorstelde, bladerend in de stapel oude nummers van *People* en *New York*, dacht ik: dit gaat nergens over. Sta op en ga naar huis.

Elf jaar lang woonde ik al in mijn eentje in een huisje

aan een landweg ver buiten de stad; het besluit om zo afgezonderd te gaan leven was al genomen een jaar of twee voordat de kanker werd vastgesteld. Ik zie weinig mensen. Sinds de dood, een jaar eerder, van mijn buurman en vriend Larry Hollis kunnen er twee, drie dagen verstrijken zonder dat ik iemand anders spreek dan de werkster, die elke week komt schoonmaken, en haar man, die op mijn huis past. Ik ga niet naar etentjes, ik ga niet naar de bioscoop, ik kijk geen televisie, ik bezit geen mobiele telefoon, geen videorecorder of dvd-speler of computer. Ik leef nog in het tijdperk van de schrijfmachine en heb geen idee wat het World Wide Web inhoudt. Ik neem niet meer de moeite om te gaan stemmen. Ik schrijf het grootste deel van de dag en vaak ook nog 's avonds. Ik lees, voornamelijk de boeken die ik als student heb ontdekt en die nu niet minder en in sommige gevallen zelfs meer indruk op mij maken dan tijdens mijn eerste opwindende ontmoeting met de meesterwerken van de romankunst – ik ben nu voor het eerst in vijftig jaar Joseph Conrad aan het herlezen, onlangs nog *De schaduwgrens*, dat ik, omdat het zo'n briljant boek is, had meegenomen naar New York om nogmaals in te kijken, nadat ik het net in één avond had uitgelezen. Ik luister naar muziek, ik wandel in het bos, als het warm is zwem ik in mijn vijver, waarvan de temperatuur ook 's zomers nooit ver boven de twintig graden uitkomt. Daar zwem ik naakt, zonder dat iemand me ziet, zodat ik, als ik in mijn kielzog een dun, uitwaaierend wolkje urine achterlaat dat zichtbaar het omringende vijverwater kleurt, me nauwelijks bezwaard voel en geen last heb van de verpletterende ergernis die me zou overvallen wanneer mijn blaas zich ongewild zou gaan legen terwijl ik baantjes in een openbaar zwembad trok. Er bestaan speciaal voor incontinente zwemmers plastic onderbroeken met sterk elastische randen die als waterdicht worden aangeprezen, maar toen ik na lang aarzelen had besloten er een te bestellen uit een catalogus van zwembadbenodigdheden en hem in de vijver uitprobeerde, constateerde ik dat, hoewel het dragen van deze nog vrij grote witte slip onder een zwembroek het probleem verminderde, dit toch niet zo grondig werd geëlimineerd dat mijn onbehagen verdween. Liever dan het gevaar te lopen mezelf in verlegenheid te brengen en anderen te ergeren, besloot ik het universiteitszwembad waar ik het grootste deel van het jaar regelmatig zwom (met een slip onder mijn zwembroek) eraan te geven en me er voortaan toe te beperken zo af en toe het water van mijn eigen vijver te vergelen tijdens de paar warme maanden in de Berkshires waarin ik bij regen en zonneschijn dagelijks een halfuur mijn baantjes trek.

Een paar keer per week daal ik af naar Athena, dertien kilometer ver, om levensmiddelen in te slaan, mijn kleren te laten reinigen, zo nu en dan buiten de deur te eten, een paar sokken te kopen, een fles wijn te halen, of van de Athena College-bibliotheek gebruik te maken. Tanglewood is niet ver weg, en daar rijd ik elke zomer een keer of tien heen om een concert te bezoeken. Ik geef geen lezingen, ik draag niet voor uit eigen werk, geef geen college en treed niet op voor de tv. Als mijn boeken verschijnen, vertoon ik me niet. Ik schrijf elke dag van de week – verder zwijg ik. Ik speel met de gedachte om helemaal te stoppen met publiceren – aan het werk en het werken heb ik immers genoeg? Wat geeft het dan nog dat ik incontinent en impotent ben?

Larry en Marylynne Hollis waren van West Hartford naar de Berkshires verhuisd toen hij na een levenslang dienstverband als jurist bij een Hartfordse verzekeringsmaatschappij was gepensioneerd. Larry was twee jaar jonger dan ik, een man met een overdreven, pietluttige hang naar precisie, die scheen te geloven dat het leven alleen maar veilig kon zijn als elk onderdeel ervan tot in detail was gepland, en die ik de eerste maanden, toen hij mij in zijn leven wilde betrekken, zo veel mogelijk uit de weg ging. Ik gaf me uiteindelijk gewonnen, niet alleen omdat hij zo hardnekkig zijn best bleef doen om mijn eenzaamheid te verlichten, maar ook omdat ik nog nooit iemand als hij had gekend, een volwassen man wiens troosteloze kinderjaren naar zijn eigen oordeel bepalend waren geweest voor elke keuze die hij gemaakt had sinds zijn moeder toen hij tien was aan kanker was gestorven, amper vier jaar nadat zijn vader, die in Hartford een linoleumwinkel dreef, het al even treurig tegen dezelfde ziekte had moeten afleggen. Als enig kind werd Larry uitbesteed aan familie die aan de rivier de Naugatuck ten zuidwesten van Hartford woonde, even buiten de grauwe industriestad Waterbury in Connecticut, en daar, in een minutieus bijgehouden jongensagenda van 'dingen die ik moet doen', stippelde hij voor zichzelf een toekomstplan uit waar hij zich de rest van zijn leven stap voor stap aan zou houden; vanaf dat moment stond alles wat hij ondernam in dienst van zijn levensdoel. Hij nam geen genoegen met minder dan een tien en riep al als puber elke docent ter verantwoording die zijn prestaties niet op hun juiste waarde had geschat. Hij volgde zomercursussen om eerder eindexamen te kunnen doen en vóór zijn zeventiende aan zijn universitaire studie te kunnen beginnen; hij deed hetzelfde in zijn zomervakanties aan de Universiteit van Connecticut, waar hij een volledige collegegeldbeurs had en het hele jaar in de stookkelder van de bibliotheek werkte om zijn kost en inwoning te betalen, zodat hij zijn studie kon voltooien en zijn naam van Irwin Golub in Larry Hollis kon veranderen (wat hij al vanaf zijn tiende van plan was geweest), om vervolgens dienst te nemen bij de luchtmacht om als Luitenant Hollis straaljagerpiloot te worden en zo in aanmerking te komen voor de G.I. Bill; na zijn afzwaaien ging hij studeren aan de Fordham Universiteit en als dank voor zijn drie jaar bij de luchtmacht betaalde de regering zijn driejarige rechtenstudie. Als luchtmachtpiloot met standplaats Seattle dong hij krachtig naar de hand van een mooi meisje, vers van de middelbare school, dat Collins heette en dat precies beantwoordde aan zijn profiel van een echtgenote, waaronder de eis dat ze van Ierse afkomst moest zijn, met donker krullend haar en ijsblauwe ogen net als hijzelf. 'Ik wilde geen joods meisje trouwen. Ik wilde niet dat mijn kinderen joods werden opgevoed of iets met het jodendom te maken zouden hebben.' 'Waarom?' vroeg ik hem. 'Omdat ik dat niet wilde,' luidde zijn antwoord. Dat hij wilde wat hij wilde en niet wilde wat hij niet wilde, was zijn antwoord op vrijwel elke vraag die ik hem stelde over het door en door conventionele bouwwerk dat hij van zijn leven had gemaakt na al die jaren die hij als jongeman aan de voorbereiding en snelle verwezenlijking ervan had besteed. Toen hij voor het eerst bij mij aanklopte om kennis te maken – maar een paar dagen nadat hij en Marylynne het huis naast het mijne hadden betrokken, een kleine kilometer verderop aan onze landweg – besloot hij onmiddellijk dat hij niet wilde dat ik elke avond alleen at en dat ik dus minstens eens in de week bij hem en zijn vrouw moest komen eten. Ook wilde hij niet dat ik 's zondags alleen was – hij kon de gedachte niet verdragen dat iemand net zo eenzaam zou zijn als hij als ouderloos kind was geweest toen hij op zondag met zijn oom, een zuivelinspecteur van de staat Massachusetts, in de Naugatuck ging vissen –, dus stond hij erop dat we elke zondagochtend samen gingen wandelen of, bij slecht weer, pingpongen, een bezigheid die me tegenstond, maar waartoe ik me toch nog liever door hem liet verleiden dan tot een gesprek over het schrijven van boeken. Hij stelde me dodelijke vragen over het schrijven en rustte niet alvorens ik die tot zijn volle tevredenheid had beantwoord. 'Hoe kom je aan je ideeën?' 'Hoe weet je of een idee goed is of niet?' 'Hoe weet je wanneer je dialoog moet gebruiken en wanneer je gewoon verhalend moet schrijven zonder dialoog?' 'Hoe weet je of een boek af is?' 'Hoe kom je aan een eerste zin?' 'Hoe kom je aan een titel?' 'Hoe kom je aan een laatste zin?' 'Wat is je beste boek?' 'Wat is je slechtste boek?' 'Hou je van je personages?' 'Heb je weleens een personage om zeep gebracht?' 'Ik heb eens een schrijver op de televisie horen zeggen dat de personages het boek overnemen en het zelf gaan schrijven. Is dat zo?' Hij had één zoon en één dochter willen hebben, en pas na de geboorte van de vierde dochter kwam Marylynne in verzet en weigerde ze nog langer te proberen de mannelijke erfgenaam te produceren die al sinds zijn tiende tot zijn planning had behoord. Hij was een zwaargebouwde man met een vierkante kop en zandkleurig haar, en hij had waanzinnige ogen, ijsblauw en waanzinnig, in tegenstelling tot Marylynnes ijsblauwe ogen, die prachtig waren, en de ijsblauwe ogen van de vier knappe dochters, die alle vier aan de Wellesley Vrouwenuniversiteit hadden gestudeerd omdat zijn beste vriend bij de luchtmacht een zuster op Wellesley had die bij hun kennismaking van precies het soort verfijnde beschaving blijk gaf dat hij in zijn eigen dochters wilde zien. Als we naar een restaurant gingen (wat we om de andere zaterdag deden – ook dat moest van hem zo en niet anders) maakte hij het de ober steevast moeilijk. Altijd was er iets mis met het brood. Het was niet vers. Het was niet het soort brood dat hij lekker vond. Er was niet genoeg voor iedereen.

Op een avond na het eten kwam hij onverwacht langs

en gaf hij me twee rode katjes, een langharig en een kortharig, een week of zes oud. Ik had niet om twee katjes gevraagd, of om wat dan ook, en hij had me er van tevoren niets over verteld. Hij zei dat hij, toen hij die ochtend voor controle naar de oogarts was geweest, op het bureau van de assistente een bordje had zien staan met de mededeling dat ze gratis jonge katjes had. Hij was die middag naar haar huis gegaan en had de mooiste twee van de zes voor mij uitgezocht. Hij had, toen hij het bordje zag, meteen aan mij gedacht. Hij zette de katjes op de vloer. 'Jij hebt niet het leven dat je hoort te hebben,' zei hij. 'Wie heeft dat dan wel?' 'Nou, ik, bijvoorbeeld. Ik heb alles wat ik maar wensen kan. Ik wil niet dat jij nog langer het leven moet leiden van een man alleen. Daar ga jij wel verdomde ver in. Jij leeft té extreem, Nathan.' 'Net als jij.' 'Helemaal niet! Ik leef niet van God en de mensen verlaten. Het enige wat ik van je wil is dat je een beetje een normaal bestaan hebt. Zo afgezonderd als jij kan geen mens leven. Twee katjes als gezelschap is toch wel het minste. Ik heb alle spullen voor ze in de auto.'

Hij ging weer naar buiten en kwam terug met twee grote supermarkttassen, waarvan hij de inhoud op de vloer uitstalde: een half dozijn kattenspeeltjes, een dozijn blikken kattenvoer, een grote zak kattenbakvulling en een plastic kattenbak, twee plastic schoteltjes voor voer en twee plastic kommetjes voor water.

'Meer heb je niet nodig,' zei hij. 'Het zijn prachtbeestjes. Moet je ze zien. Daar zul je veel plezier aan beleven.'

Er was geen speld tussen te krijgen, en ik kon niets anders zeggen dan: 'Het is erg attent van je, Larry.'

'Hoe ga je ze noemen?'

'A en B.'

'Nee. Ze moeten namen hebben. Jij leeft al de hele dag met het alfabet. Je kunt de kortharige Shorty noemen en de langharige Longy.'

‘Dat doe ik dan maar.’

In mijn enige sterke relatie was ik vervallen in de rol die Larry voorschreef. Het kwam erop neer dat ik deed wat Larry zei, zoals iedereen in zijn leven dat deed. Stel je voor: vier dochters, van wie er niet eentje zei: ‘Maar ik ga liever naar Barnard, of naar Oberlin.’ Hoewel ik in aanwezigheid van hem en zijn gezin nooit het gevoel had dat hij een gevreesde huistiran was, vond ik het hoogst merkwaardig dat bij mijn weten geen van hen zich ooit verzet had toen haar vader zei dat het Wellesley moest worden en daarmee uit. Maar hun willigheid om als Larry’s gehoorzame kinderen willoos te zijn, kwam me een stuk minder verbazingwekkend voor dan die van mijzelf. Larry’s weg naar de macht was de volstrekte aanvaarding van zijn gezag door wie hem in zijn leven het dierbaarst waren; de mijne was de volstrekte afwezigheid in mijn leven van wie dan ook.

Hij had de katjes op donderdag gebracht. Ik hield ze tot en met zondag. Gedurende die tijd kwam ik vrijwel niet aan schrijven toe. In plaats daarvan bracht ik mijn tijd door met speeltjes naar de katjes gooien of met het aaien van een of twee katjes op mijn schoot, of met gewoon maar toe te kijken terwijl ze aten, of speelden, of zich wasten, of sliepen. Ik zette de kattenbak in een hoek van de keuken en liet ze ’s avonds in de woonkamer, waarna ik de deur van de slaapkamer achter me sloot. Als ik ’s ochtends wakker werd, was het eerste wat ik deed naar de deur rennen om ze te zien. Dan zaten ze achter de deur te wachten tot ik die opendeed.

Op maandagochtend belde ik Larry en zei: ‘Kom alsjeblieft de katjes halen.’

‘Je hebt een hekel aan katten.’

‘Integendeel. Als ik ze hou, schrijf ik nooit meer een woord. Ik kan die katjes onmogelijk bij me in huis hebben.’

'Waarom niet, in godsnaam? Wat mankeer je toch, man?'

'Ze zijn veel te leuk.'

'Oké! Prima! Zo mag ik het horen!'

'Haal ze weg, Larry. Als je wilt, breng ik ze zelf naar de assistente van de oogarts terug. Maar ze moeten hier weg.'

'Wat heb je toch? Is het je trots? Moet je zo nodig iets bewijzen? Het zijn geen mensen, hoor. Ik heb je niet met twee mensen opgescheept, godnogantoe! Het zijn maar twee katten. Jonge katjes.'

'Ik heb ze toch in dank aanvaard? Ik heb het toch met ze geprobeerd? Haal ze alsjeblieft weg.'

'Dat doe ik niet.'

'Ik had er niet om gevraagd, weet je wel.'

'Dat zegt me niks. Jij vraagt nooit ergens om.'

'Geef me het telefoonnummer van die oogartsassistente.'

'Nee.'

'Goed. Dan regel ik het zelf wel.'

'Je bent gek,' zei hij.

'Larry, je kunt geen ander mens van me maken met twee katjes.'

'Maar dat is nu juist wat er gebeurt. Dat is nu juist wat jij niet wilt láten gebeuren. Ik kan er met mijn hoofd niet bij: iemand met jouw intelligentie die van zichzelf zo'n soort mens maakt! Het gaat mijn verstand te boven.'

'Er is zoveel onverklaarbaar in het leven. Ik zou me over dat kleine raadseltje van mij niet zo druk maken.'

'Oké, jij je zin. Ik kom de katjes weer halen. Maar je bent nog niet van me af, Zuckerman.'

'Ik heb geen reden om aan te nemen dat ik van je af ben, of dat ik ooit van je af zal komen. Jij bent ook een beetje gek, weet je.'

'Helemaal niet!'

'Alsjeblieft, Hollis, ik ben te oud om mezelf te veranderen. Haal die katten weg.'

Net voordat de vierde dochter in New York zou trouwen met een jonge Iers-Amerikaanse advocaat die evenals Larry aan de Fordham Universiteit rechten had gestudeerd, werd er bij hem kanker geconstateerd. Op de dag waarop de familie zich in New York verzamelde voor het huwelijksfeest, liet Larry's oncoloog hem opnemen in het academisch ziekenhuis in Farmington, Connecticut. Tijdens zijn eerste nacht in het ziekenhuis, nadat de verpleegster zijn temperatuur, bloeddruk en hartslag had opgenomen en hem een slaappil had gegeven, haalde hij nog een stuk of honderd slaappillen uit zijn scheertasje en nam die met het water in het glas naast zijn bed in de afzondering van zijn donkere kamer in. De volgende ochtend werd Marylynne gebeld door het ziekenhuis met de boodschap dat haar man zelfmoord had gepleegd. Enkele uren later ging de familie op haar aandringen – ze was niet voor niets al die jaren zijn vrouw geweest – door met de bruiloft en zelfs met de bruiloftslunch, om pas daarna naar de Berkshires terug te keren en zijn begrafenis te regelen.

Later hoorde ik dat Larry in het geheim met de dokter was overeengekomen dat hij die dag werd opgenomen in plaats van de maandag van de week daarop, wat gemakkelijk had gekund. Op die manier zou de hele familie op één plek bij elkaar zijn als het bericht van zijn dood hen bereikte; bovendien had hij door zelfmoord te plegen in het ziekenhuis, waar beroepspersoneel voorhanden was om zijn lijk te bezorgen, Marylynne en de kinderen zoveel hij kon gevrijwaard van de ontreddering die met een zelfdoding gepaard gaat.

Hij was achtenzestig jaar oud toen hij stierf en met uitzondering van het voornemen in zijn agenda van 'dingen die ik moet doen' om later een zoon te krijgen die Larry Hollis junior zou heten, was hij er, wonderlijk genoeg, in geslaagd alles te verwezenlijken wat hij zich had voorgenomen toen hij op zijn tiende wees werd. Het was hem zelfs gelukt nog zo lang te wachten dat hij zijn jongste dochter getrouwd en aan het begin van een nieuw leven kon zien en toch kon vermijden wat hij niet wilde en het meest van al vreesde: dat zijn kinderen getuige zouden zijn van het ondraaglijke lijden van een stervende ouder, zoals hijzelf toen zijn vader en moeder langzaam aan kanker bezweken. Hij had zelfs een boodschap voor mij achtergelaten. Zelfs aan mijn welzijn had hij nog gedacht. De maandag na de zondag waarop we het nieuws van zijn dood vernamen, ontving ik een brief: 'Nathan, jongen, zo kan ik je niet achterlaten. In deze grote wijde wereld mag je niet alleen zijn. Je kunt niet van alle contact verstoken zijn. Je moet me beloven dat je niet zo blijft leven als toen ik je voor het eerst zag. Je trouwe vriend, Larry.'

Was ik daarom in de wachtkamer van de uroloog blijven zitten – omdat Larry me een jaar geleden, bijna op de dag af, dat briefje had gestuurd alvorens zich van het leven te beroven? Ik weet het niet, en het zou ook geen verschil hebben gemaakt als ik het wel had geweten. Ik zat daar omdat ik daar zat, bladerend in tijdschriften van het soort dat ik in geen jaren had gezien, kijkend naar foto's van beroemde acteurs, beroemde modellen, beroemde modeontwerpers, beroemde koks en zakenlui, lezend waar ik moest zijn voor het duurste, het goedkoopste, het hipste, het strakste, het zachtste, het leukste, het chicste en het ordinairste van zo ongeveer alles wat er voor de Amerikaanse consument wordt geproduceerd, terwijl ik wachtte op mijn beurt.

Ik was de avond tevoren gearriveerd. Ik had een kamer geboekt in het Hilton, en nadat ik mijn koffer had uitgepakt liep ik Sixth Avenue op om de stad te zien. Maar waar moest ik beginnen? Moest ik teruggaan naar de straten waar ik vroeger had gewoond? De buurtcafés waar ik tussen de middag at? De kiosk waar ik mijn krant kocht en de boekwinkels waar ik altijd grasduinde? Moest ik de lange wandelingen overdoen die ik vroeger na mijn werkdag door de stad maakte? Of moest ik, omdat ik er niet zoveel meer zie, andere leden van mijn soort gaan opzoeken? In de jaren dat ik weg was, waren er telefoontjes en brieven geweest, maar mijn huis in de Berkshires is maar klein en ik had bezoek altijd zo veel mogelijk afgehouden, zodat persoonlijke contacten langzamerhand sporadisch waren geworden. Redacteuren met wie ik in de loop der jaren had gewerkt, waren van uitgeverij veranderd of gepensioneerd. Veel schrijvers die ik had gekend, waren net als ik uit de stad vertrokken. Vrouwen die ik gekend had, waren van baan veranderd of getrouwd of naar elders verhuisd. De eerste twee bekenden bij wie ik langs had willen gaan, waren gestorven; ik wist dat ze gestorven waren, dat hun karakteristieke gezichten en bekende stemmen niet meer bestonden – en toch, daar op straat voor het hotel, terwijl ik moest besluiten hoe en waar ik gedurende een uur of twee het leven dat ik achter me gelaten had weer zou binnentreden, zinnend op de eenvoudigste manier om er weer een voet in te zetten, ervoer ik iets soortgelijks als Rip Van Winkle, die na twintig jaar te hebben geslapen uit de bergen kwam en naar zijn dorp terugliep in de veronderstelling dat hij maar één nacht was weg geweest. Pas toen hij onverwacht de lange, grijze baard voelde die aan zijn kin was gegroeid, drong het tot hem door hoeveel tijd er verstreken was. En vervolgens vernam hij dat hij niet langer een koloniaal onderdaan was van de Britse Kroon, maar een burger van de pasgestichte Verenigde Staten van Amerika. Zelf had ik me niet wereldvreemder kunnen voelen als ik op de hoek van Sixth Avenue en West Fifty-fourth Street was opgedoken met Rips roestige geweer in mijn hand en zijn antieke kleren aan mijn lijf en een leger van nieuwsgierige toeschouwers om me heen, een relikwie uit vroeger tijden te midden van het lawaai en de gebouwen en de werklui en het verkeer.

Ik wilde eerst met de subway naar het centrum, om een bezoek te brengen aan Ground Zero. Om daar te beginnen waar het belangrijkste was gebeurd; maar omdat ik me als getuige en deelnemer had teruggetrokken, bereikte ik nooit het subwaystation. Dat zou volkomen atypisch zijn geweest voor het type dat ik geworden was. In plaats daarvan betrad ik na het park te zijn doorgestoken de vertrouwde zalen van het Metropolitan Museum, waar ik de middag zoekbracht als iemand die helemaal niets in te halen had.

Toen ik de volgende dag de spreekkamer van de dokter verliet, had ik een afspraak om de ochtend daarop terug te komen voor de injectie met collageen. Er had iemand afgezegd, zodat hij me direct kon helpen. De dokter zou graag zien, zei zijn assistente, dat ik na de behandeling in het ziekenhuis niet meteen naar de Berkshires terug zou gaan, maar nog een nacht in mijn New Yorkse hotel zou blijven – er traden na de behandeling zelden complicaties op, maar het kon toch geen kwaad om nog een nachtje in de buurt te blijven. Als alles goed ging, kon ik dan de ochtend daarop naar huis vertrekken en mijn gewone werkzaamheden hervatten. De dokter verwachtte zelf een aanzienlijke verbetering; hij sloot zelfs de mogelijkheid niet uit dat ik na de injectie mijn blaas weer vrijwel volledig zou kunnen beheersen. Het gebeurde weleens dat het collageen ging 'wandelen', legde hij uit, en dan moesten ze een tweede of zelfs derde keer injecteren voordat het zich blijvend aan de hals van de blaas wilde hechten; maar het was ook mogelijk dat het al na één injectie in orde was. Mooi, zei ik, en in plaats van pas een besluit te nemen nadat ik thuis alles nog eens rustig had kunnen overdenken, verraste ik mezelf door snel gebruik te maken van het gaatje in zijn agenda, en zelfs toen ik de stimulerende ambiance van zijn spreekkamer had verlaten en in de lift onderweg was naar de begane grond, was ik nog niet in staat het gevoel van verjonging dat zich van me meester maakte met een greintje wantrouwen te beteugelen. Ik deed in de lift mijn ogen dicht en zag mezelf aan het eind van de dag in het universiteitsbad zwemmen, onbekommerd, zonder angst mezelf in verlegenheid te zullen brengen.

Het was belachelijk, de jubelstemming waarin ik verkeerde, die misschien wel minder een gevolg was van de beloofde transformatie dan van de tol die de discipline van afzondering had geëist en van de beslissing uit mijn leven alles te verbannen wat tussen mij en mijn taak stond – de tol waarvoor ik tot dan toe ongevoelig was geweest (een opzettelijke ongevoeligheid die een hoofdbestanddeel van de discipline vormde). Buiten de stad was er niets wat mijn hoop op de proef stelde. Ik had vrede gesloten met mijn hoop. Maar toen ik in New York kwam, deed New York in een paar uur wat New York met mensen doet: verwachtingen wekken. De hoop leeft op.

De lift stopte een verdieping onder de afdeling Urologie en er stapte een bejaarde vrouw in met een tenger postuur. Met haar wandelstok en haar verschoten, diep over haar hoofd getrokken rode regenhoedje maakte ze een excentrieke, wereldvreemde indruk, maar toen ik haar zachtjes hoorde praten met de dokter die samen met haar in de lift was gestapt – een man van midden veertig die haar voorzichtig bij de arm leidde –, toen ik het vleugje buitenlandse tongval in haar Engels hoorde, keek ik nog eens goed naar haar en vroeg ik me af of ik haar misschien ooit had gekend. De stem was al even karakteristiek als de tongval, vooral doordat het geen stem was die bij haar spookachtige verschijning paste, maar de stem van een jonge vrouw, ongerijmd meisjesachtig en niet door het leven geraakt. Ik ken die stem, dacht ik. Ik ken die tongval. Ik ken die vrouw. Toen ik op de begane grond vlak achter hen door de hal van het ziekenhuis naar de uitgang liep, hoorde ik de dokter de naam van de oude vrouw uitspreken. Daarom volgde ik haar naar buiten en naar een lunchroom een paar blokken verderop aan Madison Avenue. Ik kende haar inderdaad.

Het was halfelf en er zaten nog maar een stuk of vijf klanten te ontbijten. Ze ging in een nis zitten en ik zocht zelf een leeg tafeltje op. Ze leek zich niet bewust van het feit dat ik haar was gevolgd, of zelfs maar van mijn aanwezigheid, een paar meter bij haar vandaan. Ze heette Amy Bellette. Ik had haar maar één keer ontmoet en ik had haar nooit meer vergeten.

Amy Bellette droeg geen jas, alleen maar het rode regenhoedje en een verschoten wollen vest over wat ik voor een dunne katoenen zomerjurk hield, maar dat bij nadere beschouwing een lichtblauw ziekenhuisschort bleek te zijn waarvan de haakjes op de rug waren vervangen door knopen en waarvan ze om het middel een touwachtig ceintuurtje droeg. Ze is ofwel straatarm, of gek, dacht ik.

Een kelner nam haar bestelling op en toen hij vertrokken was opende ze haar handtas, haalde er een boek uit en begon te lezen, waarbij ze met een achteloos gebaar haar hoedje afnam en naast zich neerzette. De kant van haar hoofd die naar mij was toegekeerd, was kaalgeschoren of

nog maar kort geleden kaal geweest – er groeide nu donshaar op – en er kronkelde een grillig operatielitteken over haar schedel, een rauw, scherpomlijnd litteken dat met een boog vanachter haar oor naar de rand van haar voorhoofd liep. Al het enigszins normale haar dat ze bezat, bevond zich aan de andere kant van haar hoofd, grijzend haar dat losjes bijeen werd gehouden in een vlecht, die ze afwezig streelde met de vingers van haar rechterhand – luchtig spelend met het haar, zoals een kind dat een boek leest zou doen. Haar leeftijd? Vijfenzeventig. Toen we elkaar in 1956 ontmoetten, was ze zevenentwintig.

Ik bestelde een kop koffie, dronk die met kleine teugjes langzaam leeg, stond op zonder ook maar haar kant uit te kijken en verliet de lunchroom en de onthutsende herverschijning en deerniswekkende metamorfose van Amy Bellette, iemand met wier leven – zo vol, toen ik haar leerde kennen, van belofte en grote verwachtingen – het kennelijk grondig was misgegaan.

De ingreep, de volgende morgen, duurde een kwartiertje. Hoe simpel! Een wonder! Een medische tovertruc! Ik zag mezelf alweer baantjes trekken in het universiteitszwembad, met alleen een gewone zwembroek aan en zonder een spoor van urine achter te laten. Ik zag mezelf weer opgewekt door het leven gaan zonder een voorraad van de absorberende wegwerpluiers die ik nu al negen jaar lang dag en nacht in het kruis van mijn plastic onderbroek had gedragen. Een pijnloze ingreep van een kwartier en het leven leek weer geen grenzen te kennen. Ik was een man die niet langer de macht over zoiets elementairs als het pissen in een pot kwijt was. Het vermogen je plas op te houden – welk gezond mens is zich ooit bewust van de vrijheid die het bezit ervan betekent of van de angstige kwetsbaarheid die het verlies ervan zelfs bij de meest zelfverzekerden onder ons teweegbrengt? Ik die nooit eerder in deze trant gedacht had, die vanaf mijn tiende levensjaar alleen maar bijzonder had willen zijn en alles koesterde wat ongebruikelijk in mij was – ik kon nu weer net zo zijn als alle anderen!

Alsof het niet de altijd dreigende schaduw der vernedering is die ons in werkelijkheid aan alle anderen *bindt*.

Ruim voor het middaguur was ik weer terug in mijn hotel. Ik had genoeg te doen om de rest van de dag voor mijn terugkeer te vullen. De middag ervoor was ik – na mijn besluit om Amy Bellette met rust te laten – naar Strand gegaan, de eerbiedwaardige tweedehandsboekenwinkel ten zuiden van Union Square, en was het me gelukt voor nog geen honderd dollar de eerste edities van de zes delen van E.I. Lonoffs korte verhalen aan te schaffen. Ik had die boeken weliswaar ook thuis in mijn bibliotheek, maar ik had ze gekocht en meegenomen naar mijn hotel om in de uren die ik nog in New York moest doorbrengen nog eens chronologisch alle delen door te nemen.

Als je een dergelijk experiment onderneemt nadat je je een jaar of twintig, dertig, niet met het werk van een schrijver hebt beziggehouden, weet je niet wat je zult ontdekken: hoe gedateerd de eens zo bewonderde schrijver is, of hoe naïef de enthousiasteling die je eens was. Maar rond middernacht was ik er niet minder dan in de jaren vijftig van overtuigd dat het smalle spectrum van Lonoffs proza, de beperkte sfeer van zijn belangstelling en de onverbiddelijke tucht die hij zichzelf oplegde, in plaats van de strekking van een verhaal te laten imploderen en de werking ervan te beperken, de raadselachtige galm produceerden van een gong, die galm waarbij je je verbaasd afvroeg hoe zo veel ernst en zo veel luchthartigheid binnen een zo klein bestek met een zo verstrekkende scepsis konden worden verenigd. Het was juist deze beperking van middelen die van elk verhaaltje in plaats van iets triviaals iets wonderbaarlijks maakte, alsof een volksverhaal of een sprookje of een rijmpje van Moeder de Gans inwendig verlicht werd door het brein van Pascal.

Hij was zo goed als ik gedacht had. Hij was beter dan dat. Het was alsof er aan ons literaire spectrum een kleur had ontbroken of was onthouden die alleen Lonoff bezat. Lonoff wás die kleur, een twintigste-eeuwse Amerikaanse schrijver zoals er geen tweede bestond, en hij werd al tientallen jaren niet meer herdrukt. Ik vroeg me af of zijn werk ook zo totaal in de vergetelheid zou zijn geraakt als hij zijn roman zou hebben voltooid en die nog bij zijn leven zou zijn uitgegeven. Ik vroeg me af of hij aan het eind van zijn leven echt aan een roman had gewerkt. Zo niet, hoe moest je dan de stilte verklaren die aan zijn dood voorafging, de vijf jaar die samenvielen met zijn scheiding van Hope en het nieuwe leven waaraan hij met Amy Bellette was begonnen? Ik herinnerde me nog de sarcastische, gelaten manier waarop hij mij, een eerbiedige, jonge beginneling die niets liever wilde dan worden zoals hij, beschreef hoe eentonig een bestaan was dat bestond uit het overdag nauwgezet optekenen van zijn verhalen, het 's avonds in boeken studeren met een aantekenschrift bij de hand, en, vrijwel sprakeloos van geestelijke uitputting, zijn maaltijden en bed delen met een wanhopig eenzame echtgenote die hem al vijfendertig jaar trouw was gebleven. (Want discipline leg je niet alleen jezelf, maar ook je omgeving op.) Je had je een herleving van intensiteit – en daarmee van productiviteit – kunnen voorstellen bij een originele schrijver die over een zo indrukwekkende wilskracht beschikte en nog geen zestig jaar oud was toen hij er eindelijk in was geslaagd dit knellende patroon te doorbreken (of wiens vrouw hem daartoe gedwongen had door woedend haar biezen te pakken) en zich als levensgezel een bekoorlijke, intelligente, liefdevolle jonge vrouw te kiezen die half zo oud was als hij. Je had je kunnen voorstellen dat E.I. Lonoff, na zich te hebben losgerukt uit de landelijke omgeving en het huwelijksleven waarin hij gevangenzat en die voor hem de toewijding aan zijn kunst tot een zo meedogenloos allesomvattend offer maakten, niet zo ongenadig streng voor zijn eigenzinnigheid had moeten worden gestraft, niet tot een zo vernietigend zwijgen had moeten worden veroordeeld, alleen maar omdat hij het gewaagd had te denken dat hij vijftigmaal zijn ene alinea per dag zou mogen herschrijven zonder zijn leven te hoeven slijten in een kooi.

Wat was er in die vijf jaar gebeurd? Want er was iets gebeurd met die bezadigde, teruggetrokken schrijver, die zich – geholpen door de troosteloze ironie waarvan zijn wereldbeeld doortrokken was – er moedig bij had neergelegd dat er in zijn leven nooit iets gebeuren zou, maar wat? Amy Bellette zou het moeten weten – zíj was wat er met hem was gebeurd. En als ergens het manuscript van een roman van Lonoff te vinden was, al of niet voltooid, dan wist zij dat ook. Tenzij de hele nalatenschap naar Hope en de drie kinderen was gegaan, moest het manuscript in haar bezit zijn. En mocht de roman het rechtmatige bezit zijn van de directe nabestaanden van de auteur en niet van haar, dan zou Amy, die tijdens het schrijven van het boek aan zijn zijde verkeerde, elke bladzijde van elke versie hebben gelezen en weten hoe goed of hoe slecht die nieuwe onderneming was verlopen. Zelfs als zijn dood de voltooiing ervan onmogelijk had gemaakt, dan hadden er toch voltooide stukken van verschenen kunnen zijn in de literaire tijdschriften die vroeger altijd zijn verhalen publiceerden? Of was de roman zo slecht dat niemand hem had willen uitgeven? En zo ja, was die mislukking dan het gevolg van zijn besluit alles achter te laten wat hem aan zijn talent had vastgeketend, van het feit dat hij ten langen leste de vrijheid had verworven en het genot gevonden waarvoor zijn gevangenschap hem had moeten behoeden? Of had hij nooit de schaamte kunnen overwinnen over zijn vlucht uit het lijden ten koste van Hope? Maar was het niet Hope die hem had *helpen* vluchten – door bij hem weg te gaan? Hoe was het mogelijk dat een zo vastberaden en ervaren schrijver – een schrijver voor wie het realiseren van zijn eigen bondige vorm van volkse welsprekendheid een niet-aflatende krachttoer was geweest die slechts met het grootst mogelijke geduld en de grootst mogelijke wilskracht kon worden volbracht – vijf jaar lang geen letter meer op papier had gekregen? Waarom zou een zo gewone verandering van omstandigheden – een nieuw begin op middelbare leeftijd, iets wat meestal wordt beschouwd als een bron van nieuwe inspiratie en energie, waarbij een nieuwe levenspartner wordt gekozen en een nieuw huishouden in een nieuwe omgeving wordt gesticht – een man met het incasseringsvermogen van een Lonoff verlammen?

Als dat tenminste de oorzaak was.

Tegen de tijd dat ik wilde gaan slapen, besefte ik hoe weinig deze vragen waarschijnlijk te maken hadden met de ware oorzaak van Lonoffs stilzwijgen tijdens zijn laatste levensjaren. Als het hem van zijn zesenvijftigste tot zijn eenenzestigste jaar niet gelukt was een roman te schrijven, kwam dat waarschijnlijk simpelweg doordat (zoals hij misschien altijd al had vermoed) de passie voor uitweiden die eigen is aan de romancier tot de vormen van overdaad behoorde die indruisten tegen zijn eigen bijzondere gave voor comprimeren en reduceren. Die passie voor uitweiden van de romancier verklaarde waarschijnlijk ook waarom ik de hele dag bezig was geweest met het stellen van deze vragen.

Wat er niet door verklaard werd, was dat ik mezelf in die lunchroom niet aan Amy Bellette had voorgesteld en geprobeerd had om van haar alles te weten te komen wat er te weten viel, of althans alles wat ze bereid was te vertellen.

Toen ik Lonoff en Hope in 1956 leerde kennen, waren de drie kinderen al volwassen en het huis uit, en hoewel de onverbiddelijke discipline van zijn dagelijkse schrijversleven door hun vertrek geen enkele wijziging onderging – evenmin als door het verdwijnen van de hartstocht waaronder het huwelijksleven lijdt – werd Hopes reactie op haar isolement tijdens de enkele uren die ik er was levendig gedemonstreerd. Nadat ze de avond van mijn komst dapper had geprobeerd om onder het eten kalm en gezellig te zijn, was ze ten slotte ingestort en, na een wijnglas tegen de muur te hebben gesmeten, huilend van tafel gelopen, het aan Lonoff overlatend mij uit te leggen – of, zoals het geval was, zich niet verplicht te voelen mij uit te leggen – wat er aan de hand was. De volgende ochtend aan het ontbijt, waarbij zowel Amy als ik aanwezig was en waarbij het omstreden logeetje met haar bekoorlijk serene, beheerste manier van doen – met haar helderheid van geest, haar toneelspel, haar raadselachtigheid, haar sprankelende humor – extra betoverend was, had Hopes stoïcijnse façade het opnieuw begeven, maar ditmaal liep ze niet alleen van tafel maar pakte ze ook haar koffer, trok ze haar jas aan en stapte ze, hoewel het buiten vroor en had gesneeuwd, de deur uit met de mededeling dat ze de betrekking van verwaarloosde vrouw van de grote schrijver overdeed aan niemand anders dan Lonoffs oud-studente en (als de tekenen niet bedrogen) minnares. 'Dit is nu officieel jouw huis!' had ze de jonge overwinnares toegevoegd, voordat ze naar Boston vertrok. 'Nu ben jij degene met wie hij niet samenleeft!'

Ik vertrok al een uur later en had geen van drieën ooit weergezien. Het was louter toeval dat ik daar was toen de bom barstte. Vanuit een schrijverskolonie in de buurt waar ik toen verbleef, had ik Lonoff een pakketje met mijn eerste gepubliceerde korte verhalen gestuurd, vergezeld van een vurige inleidende brief, en op die manier was ik erin geslaagd de uitnodiging voor het avondeten los te peuteren die op een overnachting was uitgedraaid doordat ik vanwege het slechte weer pas de volgende dag kon vertrekken. In de late jaren veertig, de jaren vijftig en tot zijn dood ten gevolge van leukemie in 1961 was Lonoff waarschijnlijk Amerika's meest gerespecteerde schrijver van korte verhalen – zo niet in het hele land, dan toch volgens veel toonaangevende intellectuelen en academici –, de auteur van zes bundels die met hun mengeling van humor en tragiek de gebruikelijke pechvogelsage van de joodse immigrant van alle sentimentaliteit had gezuiverd; zijn verhalen lazen als een openbaring van onsamenhangende dromen, maar zonder de feitelijkheid van tijd en plaats op te offeren aan surreële kitsch of magisch-realistische trucages. Zijn jaarlijkse productie was nooit groot geweest, en in zijn laatste vijf levensjaren, toen hij geacht werd aan een roman te werken, zijn eerste, en het boek dat hem volgens zijn bewonderaars internationale erkenning en de Nobelprijs zou opleveren die hij al zo lang had verdiend, publiceerde hij geen enkel verhaal meer. Het waren de jaren waarin hij met Amy in Cambridge woonde en met Harvard nog maar losse banden onderhield. Hij was nooit met Amy getrouwd; het scheen dat hij in die vijf jaar nooit wettelijk vrij was geweest om te hertrouwen. En toen was hij dood.

De avond voor ik weer naar huis zou vertrekken, ging ik eten in een klein Italiaans restaurant niet ver van het hotel. Het was sinds ik er in de vroege jaren negentig voor het laatst had gegeten niet van eigenaar veranderd en tot mijn verrassing werd ik verwelkomd door de jongste van het gezin, Tony, die me het tafeltje in de hoek gaf waaraan ik altijd de voorkeur had gegeven omdat ik daar het rustigst zat.

Je vertrekt terwijl anderen, wonderbaarlijk genoeg, achterblijven en blijven doen wat ze altijd hebben gedaan – en als je terugkomt, ben je verrast en heel even ontroerd als je ziet dat ze er nog steeds zijn, en bovendien gerustgesteld door de gedachte dat er nog iemand is die zijn hele leven op hetzelfde plekje doorbrengt en geen drang heeft om weg te gaan.

'U bent verhuisd, meneer Zuckerman,' zei Tony. 'We zien u nooit meer.'

'Ik ben naar het noorden verhuisd. Ik woon nu in de bergen.'

'Het is daar vast heel mooi. Lekker rustig om te schrijven.'

'Dat is het zeker,' zei ik. 'Hoe is het met de familie?'

'We maken het allemaal goed. Alleen Celia, die is overleden. Weet u nog wel, mijn tante? Die achter de kassa zat?'

'Jazeker weet ik dat nog. Het spijt me dat Celia er niet meer is. Ze was toch nog niet oud?'

'Nee, helemaal niet. Maar vorig jaar werd ze ziek en toen was het opeens afgelopen. Maar u ziet er goed uit,' zei hij. 'Wilt u iets drinken? Chianti, zeker?'

Hoewel Tony's haar dezelfde staalgrijze tint had aangenomen als dat van zijn grootvader Pierluigi – de eerstegeneratie-immigrant die het restaurant was begonnen – zoals te zien was op het olieverfportret dat nog steeds naast de garderobe hing, waarop hij, knap als een acteur, in zijn koksvoorschoot stond afgebeeld, en hoewel Tony's postuur dik en mollig was geworden sinds ik hem het laatst had gezien, toen hij even in de dertig was en nog het enige magere, knokige lid van de weldoorvoede restaurantclan was, zo'n honderdduizend kommen pasta geleden, was het menu zelf niet veranderd, evenmin als de dagschotels en het brood in de broodmand, en toen de ober het dessertwagentje langs mijn tafeltje manoeuvreerde, zag ik dat ook de ober en de desserts onveranderd waren. Je zou denken dat mijn relatie tot dit alles nog precies hetzelfde had moeten zijn, dat ik, toen ik eenmaal met mijn glas in de hand zat te kauwen op een stuk Italiaans brood van het soort dat ik hier al tientallen keren eerder had gegeten, me weer aangenaam thuis moest voelen, maar dat was niet zo. Ik voelde me een bedrieger, iemand die zich voordeed als de man die Tony eens gekend had en die hij opeens dolgraag wilde zijn. Maar doordat ik elf jaar lang voornamelijk alleen had geleefd, had ik me van die man ontdaan. Ik was weggegaan om een reëel gevaar te ontlopen; uiteindelijk was ik weggebleven om af te zijn van wat niet meer van belang was en, zoals iedereen wel graag zou willen, af te zijn van de blijvende gevolgen van een leven vol fouten (in mijn geval meerdere mislukte huwelijken, heimelijk overspel, de emotionele boemerang van erotische relaties). Waarschijnlijk had ik, door het werkelijk te doen in plaats van er alleen maar van te dromen, mij en passant van mezelf ontdaan.

Ik had iets te lezen meegenomen, net als vroeger wanneer ik in mijn eentje bij Pierluigi at. Doordat ik op mezelf woonde, was ik gewend onder het eten te lezen, maar deze avond legde ik de krant op tafel en keek ik in plaats daarvan om me heen naar de mensen die op de avond van de 28ste oktober 2004 in New York hun maaltijd gebruikten. Een van 's levens belangrijke genoegens: vreemden die samen het droombeeld van menselijke eendracht voeden door samen in een goed restaurantje te zitten eten.

En ik was een van hen. Nogal laat om aan zoiets gewoons zo veel belang te hechten, maar dat deed ik.

Pas bij mijn koffie vouwde ik mijn krant open, het laatste nummer van *The New York Review of Books*. Die had ik sinds mijn vertrek uit New York niet meer gezien. Ik had er geen behoefte aan gehad, ook al was ik er vanaf de introductie in de vroege jaren zestig op geabonneerd geweest en had ik er in die eerste jaren zo nu en dan voor geschreven. Toen ik onderweg naar Pierluigi een kiosk passeerde, ving ik een glimp van de bovenkant van de voorpagina op, waarop boven een stel karikaturen van de presidentskandidaten van David Levine een bandelier prijkte waarop in gele letters SPECIAAL VERKIEZINGSNUMMER stond gedrukt – en eronder, boven een lijst van een tiental medewerkers, de woorden: 'De verkiezingen en de toekomst van Amerika' – en ik had de krantenverkoper vier dollar vijftig betaald en het blad meegenomen naar het restaurant. Maar nu had ik spijt dat ik het gekocht had, en toen ik het toch niet kon laten het in te kijken, begon ik niet met de inhoudsopgave en de eerste bladzijden van het verkiezingskatern, maar sloop ik als het ware op mijn tenen door de achterdeur naar binnen, via een kijkje in de kleine annonces. 'BEELDSCHONE fotografe/kunstdocente, lieve moeder...' 'COMPLEXE, ZORGZAME, BEGERIGE en begeerlijke vrouw, wettig getrouwd...' 'ENERGIEKE, VROLIJKE, GEZONDE, gesettelde man met brede interesse...' 'GROENOGIGE, geinige, prettig gestoorde, welgevormde...' Ik ging naar 'Onroerend goed' en in de korte kolom 'Verhuur' – boven de veel langere kolom 'Verhuur buitenland', waar de aangeboden woonruimte voornamelijk in Parijs en Londen was gesitueerd – trof ik een annonce die zo duidelijk aan mij gericht was dat ik me als met een zweep aangespoord voelde door het toeval, het loutere toeval, dat schijnbaar overliep van bedoeling.

BETROUWBAAR schrijversechtpaar, begin dertig, wil gezellige driekamerflat stampvol boeken in Upper West Side ruilen voor stille landelijke woning op honderdvijftig kilometer van New York. Bij voorkeur New England. M.i.v. direct, liefst voor een jaar...

Zonder te wachten – even plompverloren als ik besloten had de collageeninjectie te nemen waarvan ik me voorgenomen had er thuis nog eens goed over na te denken alvorens me vast te leggen, even plompverloren als ik de *The New York Review of Books* had gekocht – liep ik de trap naast de keuken af naar de plek waar ik me herinnerde een munttelefoon te hebben gezien aan de muur tegenover het herentoilet. Ik had het nummer op een stukje kladpapier genoteerd waarop ik de naam 'Amy Bellette' had geschreven. Snel belde ik en zei tegen de man die opnam dat ik reflecteerde op zijn annonce inzake een woningruil voor een jaar. Ik bezat een klein huis in het landelijke westen van de staat Massachusetts, gelegen aan een onverharde weg op een berg en tegenover een groot moerasland dat als vogel- en wildreservaat fungeerde. New York was tweehonderd kilometer ver, mijn naaste buren woonden achthonderd meter van mij vandaan en dertien kilometer bergafwaarts lag een universiteitsstadje waar je een supermarkt kon vinden, een boekwinkel, een slijter, een goede universiteitsbibliotheek en een gezellig café waar je ook behoorlijk kon eten. Als dat leek op wat hij zocht, zei ik, wilde ik graag even langskomen om de flat te zien en over een ruil te praten. Ik zat maar een paar straten bij de Upper West Side vandaan; als het niet ongelegen kwam, kon ik er in een paar minuutjes zijn.

De man lachte. 'Zo te horen zou u er het liefst vanavond nog intrekken.'

'Als u er vanavond nog uittrekt,' antwoordde ik, en ik meende het echt.

Alvorens naar mijn tafeltje terug te keren ging ik naar het toilet en dook ik het wc-hokje in, waar ik mijn broek liet zakken om te zien of de behandeling al resultaat had. Om uit te wissen wat ik zag, sloot ik mijn ogen, en om uit te wissen wat ik voelde, vloekte ik hardop. 'Dat had je verdomme gedroomd!' Ik bedoelde: gedroomd dat ik opeens weer zo was als iedereen.

Ik haalde het absorberende katoenen luiertje uit mijn plastic onderbroek en verving het door een nieuw exemplaar uit een pakje dat ik in mijn binnenzak droeg. Ik wikkelde het vuile luiertje in toiletpapier, gooide het in een overdekte afvalbak naast de wastafel, waste en droogde mijn handen en ging, vechtend tegen een gevoel van wanhoop, naar boven om mijn rekening te betalen.

Ik liep naar West Seventy-first Street en zag bij Columbus Circle tot mijn verbazing dat het omvangrijke fort van het Coliseum veranderd was in twee glazen wolkenkrabbers die aan de heup met elkaar waren verbonden en op straatniveau door chique winkels werden omzoomd. Ik wandelde de galerij in en weer uit en toen ik op Broadway in noordelijke richting liep, voelde ik niet zozeer dat ik in een vreemd land was als wel dat er een optisch foefje met me werd uitgehaald, dat het was alsof ik in een lachspiegel keek waarin alles tegelijkertijd vertrouwd en onherkenbaar werd. Niet zonder slag of stoot had ik, zoals ik al zei, mij het leven van een kluizenaar eigen gemaakt; ik kende er de beproevingen en voldoeningen van en had in de loop der jaren het scala van mijn behoeften aan de beperkingen ervan aangepast, doordat ik lang geleden opwinding, intimiteit, avontuur en vijandschap had afgezworen ten gunste van een rustig, stabiel, voorspelbaar contact met de natuur, de literatuur en mijn werk. Waarom jezelf blootstellen aan het onverwachte, waarom solliciteren naar nog meer schokken en verrassingen dan de ouderdom zonder enige aanmoediging mijnerzijds al voor mij in petto had? Toch vervolgde ik mijn weg op Broadway – langs de menigte voor het Lincoln Center waar ik niet bij wilde staan, de bioscoopcomplexen met films waaraan ik geen behoefte had, de lederwarenwinkels en de delicatessenzaken met koopwaar waarin ik niet geïnteresseerd was – niet bereid weerstand te bieden aan de macht van de dwaze hoop op verjonging die mijn hele doen en laten beïnvloedde, de dwaze hoop dat de behandeling het ergste aspect van mijn aftakeling zou kunnen keren, en mij bewust van de fout die ik maakte, een teruggekeerde, iemand die zich had afgesneden van langdurig menselijk contact en de mogelijkheden daarvan, en nu toegaf aan de illusie dat hij opnieuw kon beginnen. En niet vanwege mijn eigen bijzondere geestelijke kwaliteiten, maar vanwege het vernieuwde lichaam, waardoor het leven weer zonder beperkingen leek. Natuurlijk is het fout wat ik doe, natuurlijk is het waanzinnig, maar laat dat waar zijn, dacht ik, wat is dan goed, wat is dan zinnig, en wie ben ik dat ik zou beweren dat ik dat ooit zou kunnen weten? Ik deed wat ik deed – dat is alles wat je er achteraf van kunt zeggen. Ik schiep de beproeving die de mijne was vanuit de inspiratie en de dwaasheid die de mijne waren – mijn inspiratie wás mijn dwaasheid – en hoogstwaarschijnlijk doe ik dat nu weer. En met deze onzinnige snelheid bovendien, alsof ik bang ben dat mijn waanzin elk ogenblik kan oplossen in het niets en ik dan niet meer in staat zal zijn om door te gaan met alles wat ik aan het doen ben en waarvan ik heel goed weet dat ik het niet moet doen.

De lift van het kleine, zes verdiepingen hoge witte bakstenen flatgebouw bracht me naar de bovenste verdieping, waar ik bij de deur van appartement 6B werd begroet door een mollige jongeman met een zachtaardige, prettige manier van doen, die onmiddellijk zei: 'U bent de schrijver.' 'Inderdaad. En u?' 'Een schrijver,' zei hij met een glimlach. Hij ging me voor naar binnen en stelde me voor aan zijn vrouw. 'Schrijver nummer drie,' zei hij. Ze was een lange, slanke jonge vrouw die in tegenstelling tot haar echtgenoot geen spoortje van speelse kinderlijkheid meer vertoonde, althans niet die avond. Haar lange, smalle gezicht werd omlijst door fijn, sluik zwart haar dat tot op en iets onder haar schouders viel, een coupe die bedoeld leek om de een of andere ontsierende onvolkomenheid te maskeren, hoewel die onmogelijk van fysieke aard kon zijn – ze bezat een smetteloze, roomzachte buitenkant, wat ze verder ook mocht verbergen. Dat ze zich in de grenzeloze liefde van haar man mocht verheugen en de bodem onder zijn bestaan was, bleek uit de onverholen tederheid waarmee hij haar in elke blik en elk gebaar omringde, ook als wat ze zei niet bepaald naar zijn zin was. Het was duidelijk dat ze beiden haar als de briljantste van hen tweeën beschouwden en dat zijn persoonlijkheid in de hare zat ingebakerd. Ze heette Jamie Logan, hij Billy Davidoff, en terwijl ze me het appartement lieten zien, scheen hij er een genoegen in te scheppen mij eerbiedig meneer Zuckerman te noemen.

Het was een aantrekkelijke flat met drie ruime kamers, gemeubileerd met prijzige moderne meubels van Europees ontwerp en met oosterse kleden en een prachtig Perzisch tapijt in de woonkamer. In de slaapkamer was een grote werkplek ingericht met uitzicht op een hoge plataan in de achtertuin, en in de woonkamer een tweede werkplek die uitkeek op een kerk aan de overkant van de straat. Overal stonden stapels boeken en waar de muren niet schuilgingen achter volle boekenplanken hingen ingelijste foto's van beeldhouwwerken in Italiaanse steden, genomen door Billy. Wie financierde de bescheiden weelde van deze twee dertigers? Ik vermoedde dat het geld van hem kwam, dat ze elkaar op Amherst of Williams of Brown hadden ontmoet, een wat saaie, rijke, goedaardige joodse jongen en een pittig arm meisje, Iers, misschien half Italiaans, dat vanaf de lagere school alleen maar uitgeblonken had, op eigen kracht, misschien zelfs een beetje een strebertje...

Ik had het mis. Het geld was van haar en het kwam uit Texas. Haar vader was een oliemagnaat uit Houston met een stamboom die zo Amerikaans was als een Amerikaanse stamboom maar kon zijn. Billy's joodse familie bezat een winkel in koffers en paraplu's in Philadelphia. Ze hadden elkaar leren kennen tijdens een postdoctorale schrijfcursus aan de Columbia Universiteit. Geen van beiden had nog een boek gepubliceerd, hoewel er van haar vijf jaar eerder een kort verhaal in *The New Yorker* was geplaatst, waarna er door agenten en uitgevers was geïnformeerd naar een mogelijke roman. Ik zou niet onmiddellijk geraden hebben dat de creatieve aanleg in haar het meest ontwikkeld was.

Nadat ik was rondgeleid gingen we in de rustige woonkamer zitten, waar de ramen van dubbel glas waren voorzien. De kleine lutherse kerk aan de overkant, een charmant gebouwtje met smalle vensters, spitsbogen en een ruwstenen gevel, leek, hoewel het kort na 1900 was gebouwd, ontworpen te zijn om zijn congregatie uit de Upper West Side zo'n vijf-, zeshonderd jaar terug te voeren naar een dorpje ergens in Noord-Europa. Vlak buiten het raam begonnen de waaiervormige blaadjes van een welvarende ginkgo net hun zomerse groene kleur te verliezen. Een opname van Richard Strauss' *Vier Letzte Lieder* speelde zachtjes op de achtergrond toen ik de flat binnenkwam en toen Billy de cd-speler af ging zetten, vroeg ik me af of hij en Jamie voor mijn komst toevallig naar de *Vier Letzte Lieder* hadden zitten luisteren, of dat mijn komst haar of hem ertoe had aangezet deze dramatisch elegische, betoverend emotionele muziek te spelen die door een stokoude man aan het eind van zijn leven was gecomponeerd.

'Zijn lievelingsinstrument is de vrouwelijke stem,' zei ik.

'Of twee,' zei Billy. 'Zijn lievelingscombinatie was twee vrouwen die samen zingen. Aan het slot van *Der Rosenkavalier*. Aan het slot van *Arabella*. En in *Die Ägyptische Helena*.'

'U kent Strauss,' zei ik tegen hem.

'De vrouwelijke stem is ook mijn lievelingsinstrument.'

Hij zei het met de bedoeling zijn vrouw te vleien, maar ik deed alsof ik dat niet begreep. 'Componeert u ook?' vroeg ik.

'Nee, nee,' zei Billy, 'ik vind schrijven al moeilijk genoeg.'

'Tja,' zei ik, 'mijn huis in het bos is niet rustiger dan deze flat.'

'We gaan maar voor een jaartje weg,' zei Billy.

'Mag ik vragen waarom?'

''t Is Jamies idee,' antwoordde hij, minder tam dan ik had verwacht.

Omdat ik niet de schijn wilde wekken dat ik haar aan een verhoor onderwierp, keek ik alleen maar haar kant uit. Haar sensuele aanwezigheid was sterk – mogelijk hield ze zichzelf aan de magere kant om die minder sterk te maken. Of misschien juist sterker, want haar borsten waren niet die van een ondervoede vrouw. Ze droeg een spijkerbroek en een laag uitgesneden zijden bloesje met kant dat veel van een lingerietopje weg had – dat het een lingerietopje wás, besefte ik toen ik nogmaals keek – en haar bovenlijf was gehuld in een lange sweater met een dikke zoom van brede ribbels en een ceintuur van hetzelfde materiaal die losjes om haar slanke taille was gewikkeld. Het was een kledingstuk dat zich aan het andere eind van het spectrum van vrouwelijke lichaamsbedekking bevond ten opzichte van het ziekenhuisschort dat door Amy Bellette tot een jurk was vermaakt, lichter en zachter van kleur dan taan en geweven van dikke, zachte kasjmierwol. Die sweater kon gemakkelijk duizend dollar hebben gekost, en hij gaf haar iets languissants, iets languissants en verleidelijk ontspannens, alsof ze een kimono droeg. Ze sprak snel maar zacht, zoals gecompliceerde mensen dat doen, vooral onder druk.

'Waarom bent u naar New York gekomen?' was Jamies reactie op mijn blik.

'Ik heb hier een vriendin die ziek is,' zei ik.

Ik had nog steeds geen duidelijk idee wat ik in hun flat te zoeken had, wat ik eigenlijk wilde. Een andere werkomgeving? In welk opzicht? Een victoriaanse replica van een middeleeuwse kerk om al werkend naar te kijken in plaats van mijn reuzenesdoorns en ruwe stenen muren? Auto's beneden op straat in plaats van de herten en kraaien en wilde kalkoenen die mijn bos bevolkten?

'Ze heeft een hersentumor,' legde ik uit, louter uit een behoefte om te praten. Te praten tegen haar.

'Nou, eh... wij willen hier weg,' zei Jamie, 'omdat ik geen zin heb om in de naam van Allah te worden opgeblazen.'

'Is dat niet wat onwaarschijnlijk,' vroeg ik, 'in West Seventy-first?'

'Deze stad vormt de kern van hun ziekteleer. Bin Laden droomt uitsluitend van het kwaad, en hij noemt dat kwaad "New York".'

'Ik zou het niet weten,' zei ik. 'Ik lees geen kranten. Dat doe ik al jaren niet meer. Ik heb een *New York Review* gekocht voor de advertenties. Ik heb geen idee wat er gaande is.'

'U weet toch wel iets van de verkiezingen,' zei Billy.

'Praktisch niets,' zei ik. 'In het boerengat waar ik woon wordt niet openlijk over politiek gepraat, en zeker niet met een buitenstaander zoals ik. Ik zet niet vaak de tv aan. Nee, ik weet van niks.'

'Hebt u de oorlog niet gevolgd?'

'Nee.'

'Hebt u de leugens van Bush niet gevolgd?'

'Nee.'

'Dat is moeilijk te geloven,' zei Billy, 'als ik aan uw boeken denk.'

'Ik heb als getergde linkse kiezer en verontwaardigde burger mijn plicht gedaan,' zei ik, schijnbaar tegen hem pratend maar weer pratend voor haar, en met een beweegreden waarvan ik me aanvankelijk niet eens bewust was, gedreven door een verlangen waarvan ik had gehoopt dat het op sterven na dood was. Welke kracht mij ook op mijn eenenzeventigste weer aan het openbreken was – welke kracht mij überhaupt had bewogen naar de uroloog in New York te gaan –, die kracht was bezig zich snel te herstellen in aanwezigheid van Jamie Logan in haar sweater van duizend dollar met wijde hals die losjes over een laag uitgesneden topje hing. 'Ik wil geen mening verkondigen, ik wil me niet uitspreken over "de grote kwesties" – ik wil niet eens weten wat de grote kwesties zijn. Het schikt me niet meer dat te weten, en wat me niet schikt, schaf ik af. Daarom woon ik waar ik woon. En daarom willen jullie wonen waar ik woon.'

'Daarom wil Jamie dat,' zei Billy.

'Ja, dat is zo. Ik ben altijd bang,' zei ze. 'Misschien is het goed om eens wat afstand te nemen.' Ze zweeg abrupt, maar niet omdat ze bedacht dat ze maar beter niet haar angst kon bekennen aan iemand die misschien bereid was zijn veilige, verre huis in de heuvels te verruilen voor een potentieel bedreigd appartement in New York, maar omdat Billy haar aankeek alsof ze moedwillig probeerde hem in mijn bijzijn te tarten. Het mocht dan zo zijn dat hij haar aanbad, maar dat was niet uitsluitend zo. Tenslotte was dit een huwelijk, en kon zijn lieve vrouwtje het hem behoorlijk moeilijk maken.

'Gaan er nog meer mensen weg,' vroeg ik haar, 'omdat ze bang zijn voor een terreuraanslag?'

'Ik heb mensen er wel over horen praten,' gaf Billy toe.

'Er zijn mensen vertrokken,' zei Jamie.

'Mensen die u kent?'vroeg ik.

'Nee,' zei Billy gedecideerd, 'als we gaan zijn wij de eersten.'

Met een wat zuinig lachje, en met wat ik, door haar gebiologeerd (en even snel voor haar gevallen als ik me voorstelde dat Billy dat had gedaan, al had dat te maken met het feit dat ik mezelf vergeleken met hem aan het andere eind van de ervaring bevond, aan de rand die grenst aan de vergetelheid), voor het air van een verleidster hield – een tergend afstandelijke verleidster – voegde Jamie eraan toe: 'Ik ben graag de eerste.'

'Nou, als u mijn huis wilt hebben,' zei ik, 'dan kunt u het krijgen. Kijk, ik teken even een plattegrondje.'

Terug in mijn hotel belde ik Rob Massey, de plaatselijke timmerman die al tien jaar mijn huisbewaarder is, en Belinda, zijn vrouw, die gedurende die tijd wekelijks mijn huis heeft schoongemaakt en die de boodschappen voor me doet als ik geen zin heb de dertien kilometer naar Athena te rijden. Ik las hun een lijstje voor van wat ik ingepakt en naar New York verstuurd wilde hebben en vertelde hun van het jonge stel dat de volgende week in mijn huis zou trekken en er een jaar zou blijven wonen.

'Ik hoop dat dit niets met uw gezondheid te maken heeft,' zei Rob. Rob was degene die me naar Boston had gebracht en daarna uit het ziekenhuis weer naar huis, toen ik negen jaar geleden mijn prostaatoperatie had ondergaan, en Belinda had voor me gekookt en me tijdens de moeilijke weken van mijn herstel bijgestaan. Ik had sindsdien niet meer in een ziekenhuis gelegen en was, afgezien van een verkoudheid, niet meer ziek geweest, maar het was een vriendelijk, kinderloos, middelbaar echtpaar – hij een pezige, schrandere, prettige kerel; zij een mollige, gezellige, hyperefficiënte huisvrouw – en sinds de operatie hadden ze in mijn geringste behoeften voorzien alsof die van het allerhoogste belang waren. Ik had het niet beter kunnen treffen als ik zelf kinderen had gehad die mij oud zagen worden, en misschien wel veel slechter. Geen van beiden had een woord gelezen van wat ik geschreven had, maar als ze ergens in een krant of tijdschrift mijn naam ontdekten, knipte Belinda steevast het artikel uit om het aan mij te geven. Dan bedankte ik haar, bekende dat ik het nog niet had gezien, en later, om er zeker van te zijn dat ik niet onbedoeld deze warme, gulhartige vrouw, die geloofde dat ik die knipsels in wat ze mijn 'plakboek' noemde bewaarde, voor het hoofd stootte, scheurde ik het in de kleinst mogelijke, onherkenbare stukjes alvorens het ongelezen in de vuilnisbak te gooien. Ook die onzin had ik lang geleden afgeschaft.

Voor mijn zeventigste verjaardag had Belinda voor ons drieën een maaltijd van hertenbiefstuk met rode kool bereid om bij mij thuis te gebruiken. Het vlees – door Rob in het bos achter mijn huis geschoten – was fantastisch, net als de opgewekte hartelijkheid en warme genegenheid van mijn twee vrienden. Ze toostten op me met champagne en gaven me een kastanjebruine trui van lamswol die ze in Athena voor me hadden gekocht; daarna vroegen ze me een toespraak te houden over hoe het voelde om zeventig te zijn. Nadat ik hun trui had aangetrokken, stond ik op van mijn stoel aan het hoofd van de tafel en zei: 'Het wordt een korte toespraak. Denk aan het jaar 4000.' Ze lachten, alsof ik een mop ging vertellen, en daarom ging ik verder: 'Nee, nee. Denk serieus aan 4000. Stel het je voor. In al zijn dimensies, in al zijn aspecten. Het jaar 4000. Neem rustig de tijd.' Na een minuut van bedremmelde stilte zei ik zacht: 'Zo voelt het nu om zeventig te zijn,' en ging weer zitten.

Rob Massey was de ideale huisbewaarder, de huisbewaarder die iedereen zich wenst, en Belinda de ideale schoonmaakster, de schoonmaakster die iedereen zich wenst, en hoewel ik geen Larry Hollis meer had die over mijn welzijn waakte, had ik nog steeds hen beiden, en was al de tijd die ik aan mijn schrijfwerk kon besteden, en ook het werk zelf, voor een deel te danken aan hun goede zorgen voor al het andere. En nu gaf ik ze hun congé.

'Met mijn gezondheid gaat het goed. Ik heb hier nog wat werk te doen, dus heb ik met ze van woning geruild. Ik houd contact met jullie, en als er iets is wat ik moet weten, bel me dan maar collect.'

Goedig als hij was, antwoordde Rob: 'Nathan, geen mens heeft de laatste twintig jaar collect gebeld.'

'O, nee? Oké, je weet wat ik bedoel. Ik zal ze zeggen dat ze Belinda voor één keer per week moeten aanhouden en zich tot jou moeten wenden als er iets mis mocht gaan. Ik betaal je direct, tenzij Jamie Logan of Billy Davidoff je vraagt om iets speciaal voor hen te doen, dan kunnen jullie dat onderling regelen.' Tot mijn verrassing ervoer ik een schok toen ik Jamies naam uitsprak en tegelijk bedacht dat ik niet alleen haar, evenals Rob en Belinda, ging verliezen, maar dat ik dat verlies zelf aan het regelen was. Het was alsof ik dat wat mij het dierbaarste ter wereld was, kwijt ging raken.

Ik sprak met hen af dat we, als ik de flat aan West Seventy-first Street had betrokken, het zo zouden regelen dat zij met mijn spullen naar de stad kwamen rijden en een van hen mijn auto terug zou brengen en dat ze die tijdens mijn afwezigheid in hun garage zouden stallen en er van tijd tot tijd de weg mee op te gaan. Ik had twee maanden geleden een boek voltooid en was nog niet aan een nieuw begonnen, dus hoefden er geen manuscripten of aantekenschriften te worden vervoerd. Als er een nieuw boek op stapel had gestaan, zou ik waarschijnlijk nooit aan de ruil zijn begonnen; in dat geval zou ik het manuscript aan niemand anders hebben toevertrouwd. Sterker nog: als ik om wat voor reden dan ook naar mijn huis in het bos moest terugkeren, dan zou ik nooit meer naar New York zijn teruggegaan, hoewel niet om Jamies redenen, niet uit angst voor terroristisch gevaar, maar omdat ik er alles had wat onmisbaar voor me was: de ononderbroken perioden van rustige tijd die ik nodig had om te schrijven, de boeken om mijn belangstelling te bevredigen, en een omgeving waarin ik het best mijn evenwicht kon bewaren en mezelf in conditie kon houden om zo lang mogelijk te kunnen blijven werken. Wat de stad daaraan kon toevoegen was alles waarvan ik had vastgesteld dat ik het niet langer nodig had: hier en nu.

Hier en nu.

Toen en nu.

Het begin en het einde van nu.

Dat waren de regels die ik op een blaadje papier krabbelde waarop ik eerder Amy's naam en het telefoonnummer van mijn nieuwe flat in New York had geschreven. Titels voor iets. Misschien wel dit. Of zou ik het maar gewoon bij de naam noemen – *Een man met een luier*. Een boek over weten waar je moet zijn om je ellendig te voelen en er dan heen gaan.

De volgende morgen werd ik door de praktijk van de uroloog gebeld met de vraag of het goed met me ging en of er in mijn gezondheidstoestand misschien een verandering was opgetreden – koorts, pijn, iets abnormaals. Ik antwoordde dat ik me goed voelde, maar meldde dat de incontinentie voorzover ik wist niet was verminderd. De kalme, meelevende doktersassistente raadde me aan nog wat meer geduld te hebben en af te wachten of er toch geen verbetering optrad, wat niet onwaarschijnlijk was, in sommige gevallen zelfs nog weken na de behandeling, en ze wees me erop dat er een tweede en soms zelfs een derde behandeling nodig was om het vereiste resultaat te bereiken en dat je de behandeling zonder bezwaar drie maanden lang eens per maand kon ondergaan. 'Doordat we u een nauwere opening hebben gegeven, is de kans groot dat we het druppelen hebben verminderd of onder controle hebben gebracht. Houdt u alstublieft contact met ons en laat u de dokter precies weten wat er gebeurt. In elk geval willen we graag dat u ons hier binnen een week belt. Doet u dat alstublieft voor ons, meneer Zuckerman.'

Ik voelde nu een overweldigende drang me te ontdoen van de lichtvaardige, halfzachte fantasie van herstel, mijn auto uit de garage om de hoek te halen en spoorslags naar mijn huis in het noorden terug te rijden, waar ik mijn gedachten snel weer in het gareel kon dwingen waar ze thuishoorden, in de transformerende discipline van de romanschrijfkunst, waar voor schone dromen geen plaats is. Wat je niet hebt, daar moet je van afzien – je bent eenenzeventig, het is niet anders. De tijd van ijdele geldingsdrang was voorbij. Ik hoefde niets meer over Amy Bellette of Jamie Logan te weten te komen, en al evenmin nog iets over mezelf. Ook dat was een belachelijke gedachte. Het drama van de zelfontdekking was sinds lang voorbij. Ik had al die jaren niet als een kind geleefd en wist van het onderwerp al meer dan noodzakelijk was. Ik had niet de andere kant op gekeken, was niet afgedwaald, had me niet omgekeerd, had mijn best gedaan geen angst te tonen, maar wat er verder nog te doen mocht zijn, kon worden voltooid zonder nog meer te weten of horen van Al Qaida, terrorisme, de oorlog in Irak of de mogelijke herverkiezing van Bush. Het was niet raadzaam om met al dat verontwaardigde, hevig emotionele crisisgepieker in aanvaring te komen – ik was in de Vietnamjaren meer dan ontvankelijk voor mijn eigen obsessieve versie daarvan geweest – en als ik weer naar de stad verhuisde, zou het niet lang duren voor ik er weer met huid en haar door werd opgeslokt, evenals door de niet per se verhelderende praatziekte die met dat gepieker gepaard ging en die je, na een nacht lang in de leegte ervan ondergedompeld te zijn geweest, ziedend als een waanzinnige, uitgeput en versuft achterliet, en die ongetwijfeld had bijgedragen aan Jamie Logans besluit om de stad te ontvluchten.

Of waren de gebeurtenissen van de laatste paar jaar op zichzelf al voldoende geweest om haar een tweede gruwelijke aanslag van Al Qaida te doen verwachten die haar en Billy en duizenden anderen het leven zou kosten? Ik kon niet beoordelen of haar verwachting juist was, of dat ze halfgek was door de situatie (zoals de rationele, geduldige jonge echtgenoot misschien geloofde), of dat haar voorgevoel bevestigd zou worden door Bin Laden, of dat ik door te blijven mezelf een nog verwoestender slag zou toebrengen dan de ontreddering waaraan Rip Van Winkle ten prooi viel. Als iemand die vroeger intens ontvankelijk was geweest maar zich in de afgelopen tien jaar tot een ingehouden solitair had verstrakt, had ik mezelf afgeleerd om toe te geven aan elke prikkel die door mijn zenuwen werd geregistreerd, maar toch stond ik, in de paar dagen die ik terug was, op het punt van het ene moment op het andere de beslissing te nemen die weleens de meest ondoordachte van mijn leven kon blijken te zijn.

De hoteltelefoon ging. Een man die zich voorstelde als een vriend van Jamie Logan en Billy Davidoff. Kende Jamie van Harvard, waar ze twee jaar boven hem zat. Een freelance journalist, Richard Kliman. Schreef over literaire en culturele onderwerpen. Artikelen in de zondagsbijlage van de *Times*, *Vanity Fair*, *New York* en *Esquire*. Was ik vandaag vrij? Wilde ik met hem gaan lunchen?

'Wat is je bedoeling?' vroeg ik.

'Ik schrijf iets over een oude kennis van u.'

Ik was het toegeven aan journalisten verleerd, als ik het al ooit gekund had, en ik was al evenmin blij met het feit dat ik zo gemakkelijk kon worden opgespoord, omdat dit verband hield met dat wat de directe aanleiding tot mijn vrijwillige ballingschap uit New York was geweest.

Zonder uitleg hing ik op. Een paar seconden later belde Kliman weer op. 'Ons gesprek werd verbroken,' zei hij.

'Ja, door mij.'

'Meneer Zuckerman, ik schrijf een biografie van E.I. Lonoff. Ik heb aan Jamie uw telefoonnummer gevraagd omdat ik weet dat u in de jaren vijftig Lonoff hebt ontmoet en met hem hebt gecorrespondeerd. Ik weet dat u als jonge schrijver zijn grote bewonderaar was. Ik ben maar een paar jaar ouder dan u toen was. Ik ben geen wonderkind zoals u – dit is mijn eerste boek, en het is geen fictie. Maar ik probeer niet meer of minder te doen dan u. Ik weet wat ik niet ben, maar ik weet ook wat ik wel ben. Ik probeer het zo goed te doen als ik kan. Als u Jamie wilt bellen en haar wilt vragen mijn persoonsgegevens te verifiëren...'

Nee, ik wilde Jamie bellen en haar vragen waarom ze de heer Kliman had verteld waar ik te vinden was.

'Als Lonoff ergens geen behoefte aan had, was het een biograaf,' zei ik. 'Hij had niet de ambitie om onderwerp van gesprek te zijn. Of onderwerp van een boek. Hij wilde anoniem zijn, een redelijk ongevaarlijk streven waarin de meeste mensen slagen en een wens die redelijk gemakkelijk kan worden gerespecteerd. Luister, hij is al meer dan veertig jaar dood. Niemand leest hem meer. Niemand weet meer wie hij was. Er is vrijwel niets over hem bekend. Elke biografische verhandeling zou grotendeels verzonnen moeten zijn – met andere woorden, een vertekening van de werkelijkheid.'

'Maar ú hebt hem toch gelezen,' antwoordde Kliman. 'U hebt ons zelfs over zijn werk verteld toen u met een stel studenten bij de Signet Society kwam lunchen toen ik tweedejaars was. U vertelde ons welke verhalen van hem we moesten lezen. Ik was erbij. Jamie was lid en zij had me uitgenodigd. Herinnert u zich nog de Signet Society, de letterkundige vereniging waar u aan een grote gemeenschappelijke tafel hebt geluncht, waarna we naar de zitkamer gingen – weet u nog? De avond ervoor had u uit eigen werk voorgelezen in de Memorial Hall, waarna u door een student werd uitgenodigd en u toezegde te komen lunchen voordat u de volgende dag weer vertrok.'

'Nee, dat weet ik niet meer,' zei ik, hoewel ik het nog goed wist – de voorlezing – omdat het de laatste was die ik voor mijn prostaatoperatie gehouden had en de laatste ooit, en zelfs de lunch herinnerde ik me weer, toen Kliman erover begon, vanwege het donkerharige meisje dat me aan de overkant van de tafel zat aan te kijken. Dat moest

Jamie Logan zijn geweest toen ze twintig was. Ze had in West Seventy-first Street net gedaan of we elkaar nooit hadden ontmoet, maar dat hadden we wel, en ik had haar toen opgemerkt. Wat was me aan haar opgevallen? Alleen maar dat ze de mooiste was van het hele stel? Dat was mogelijk, natuurlijk – dat en de zelfverzekerde gereserveerdheid die leek te spreken uit een sereen stilzwijgen dat evengoed een teken kon zijn dat ze destijds te verlegen was om haar mond open te doen, hoewel niet te verlegen om me aan te staren en er als het ware om te vragen op haar beurt te worden aangestaard.

'En u bent nog steeds in hem geïnteresseerd,' zei Kliman. 'Dat weet ik, omdat u pas nog de gebonden editie van de verhalen hebt gekocht. Bij Strand. Ik heb een vriendin die daar werkt en die heeft het me verteld. Ze was blij verrast u daar te zien.'

'Een bijzonder ontactische opmerking tegen een kluizenaar, Kliman.'

'Ik ben geen tacticus. Ik ben een fan.'

'Hoe oud ben je?'

'Achtentwintig,' zei hij.

'Waar doe je het voor?' vroeg ik.

'Wat me motiveert? Ik zou zeggen: mijn onderzoeksgeest. Ik word gedreven door mijn nieuwsgierigheid, meneer Zuckerman. Daarmee maak ik mezelf niet per se geliefd. Het heeft me al niet geliefd gemaakt bij u. Maar om uw vraag te beantwoorden: dat is de sterkste drijfveer.'

Was hij naïef irritant of irritant naïef of alleen maar jong of alleen maar sluw? 'Sterker dan de drijfveer om een carrière te lanceren?' vroeg ik. 'Om een klapper te maken?'

'Ja, meneer. Lonoff is een raadsel voor mij. Ik probeer hem uit te pluizen. Ik wil hem recht doen. Ik dacht dat u me daarbij kon helpen. Het is belangrijk om met mensen te praten die hem hebben gekend. Sommigen daarvan zijn gelukkig nog in leven. Ik heb mensen nodig die hem hebben gekend om mijn beeld van hem te bevestigen of, als ze daar kans toe zien, aan te vechten. Lonoff was een onderduiker, niet alleen als mens, maar ook als schrijver. Het onderduiken was de katalysator van zijn talent. De wond en de boog. Lonoff heeft vanaf zijn jeugd een groot geheim gekoesterd. Het is niet meer dan toevallig dat hij in het land van Hawthorne woonde, maar er wordt beweerd dat ook Nathaniel Hawthorne met een groot geheim leefde, en een geheim dat niet zoveel verschilde van dat van Lonoff. U weet wat ik bedoel.'

'Ik heb geen idee.'

'Hawthornes zoon schreef dat Melville er in zijn latere jaren van overtuigd was geweest dat Hawthorne zijn hele leven "een groot geheim had gekoesterd". Ik ben er meer dan zeker van dat dit ook voor E.I. Lonoff geldt. Het verklaart een hele hoop dingen. Waaronder zijn werk.'

'Waarom moet zijn werk worden verklaard?'

'U zei zelf dat niemand hem leest.'

'Niemand leest iemand, welbeschouwd. Aan de andere kant hoef ik u niet te vertellen dat geheimen bij het grote publiek enorm in trek zijn. Wat de biografische "verklaring" betreft, die maakt de zaak meestal nog erger door er componenten aan toe te voegen die niet bestaan en die esthetisch gezien geen verschil zouden maken als ze wel bestonden.'

'Ik weet wat u wilt zeggen,' zei hij, duidelijk van plan om wat ik wilde zeggen naast zich neer te leggen, 'maar met die cynische instelling kan ik geen behoorlijk werk leveren. Het verdwijnen van Lonoffs werk is een cultureel schandaal. Een van de vele, maar hier kan ik proberen wat aan te doen.'

'Zo, zo,' zei ik, 'dus je hebt het op je genomen om het

schandaal ongedaan te maken door het grote geheim uit zijn vroege periode te onthullen dat alles verklaart. Ik neem aan dat het grote geheim van seksuele aard is.'

'Dat is bijzonder scherpzinnig van u,' zei hij droogjes.

Ik had weer willen ophangen, maar nu was ik zelf nieuwsgierig geworden, nieuwsgierig om te zien hoe vasthoudend en zelfvoldaan hij van plan was te zijn. Zonder ooit echt agressief te worden, maakte de gestage opmars van de stem duidelijk dat hij bereid was om slag te leveren. Het was, onverwacht, een redelijk geslaagde vertolking van mijzelf in dat stadium, alsof Kliman een imitatie (of, wat nu aannemelijker leek: een opzettelijke persiflage) gaf van mijn manier van aanvallen toen ík pas begon. Daar had je het: de tactloze strengheid van de vitale mannelijke jeugd, geen enkele twijfel aan zijn logica, blind van zelfvertrouwen en de verdienste van weten wat het belangrijkste is. Het meedogenloze besef van noodzakelijkheid. De vernietigingsdrang bij het ontmoeten van een hindernis. Die grootse tijd van grootse daden waarin je nergens voor terugschrikt en je de wijsheid in pacht hebt. Alles is een doelwit; je bent in de aanval en jij, jij alleen, hebt gelijk.

De onkwetsbare jongen die zich een man waant en popelt om een grote rol te spelen. Goed, die mag hij spelen. Dan komt hij er wel achter.

'Ik wou dat u niet zo ontzettend vijandig reageerde,' zei hij, hoewel het niet meer klonk alsof het hem iets kon schelen. 'Ik wou dat u mij de kans gaf uit te leggen wat de betekenis is van zijn verhaal zoals ik die zie en hoe die verklaart wat er met zijn schrijven is gebeurd toen hij Hope verliet en er met Amy Bellette vandoor ging.'

Dat 'toen hij Hope verliet' maakte me razend. Ik begreep hem – de compromisloze vasthoudendheid, de botheid, het onbedwingbare virus van de superioriteit (hij was zo goed om het mij uit te leggen) –, maar dat betekende niet dat ik hem moest vertrouwen. Want wat kon hij – afgezien van geruchten en achterklap – weten van 'toen hij Hope verliet'?

'Dat behoeft ook geen uitleg,' zei ik.

'Een grondig gedocumenteerde kritische biografie zou veel kunnen bijdragen aan een herwaardering van Lonoff, zodat hij in de literatuur van de twintigste eeuw de plaats krijgt die hij verdient. Maar zijn kinderen willen me niet te woord staan, zijn vrouw is de oudste alzheimerpatiënt van Amerika en kan me niet te woord staan, en Amy Bellette neemt niet meer de moeite mijn brieven te beantwoorden. Ik heb ook brieven aan u gestuurd die u niet hebt beantwoord.'

'Daar weet ik niets van.'

'Ik heb ze gestuurd per adres uw uitgever, de correcte manier, dacht ik, om iemand te benaderen van wie bekend is dat hij zo teruggetrokken leeft als u. De enveloppen kwamen terug met een sticker erop: "Retour afzender. Ongevraagde post wordt niet langer geaccepteerd".'

'Dat is een service die elke uitgever verleent. Lonoff heeft me er nog op attent gemaakt. Toen ik zo oud was als jij.'

'De tekst op die sticker die u gebruikt, is die van Lonoff – zijn dat zijn woorden?'

Het wáren Lonoffs woorden – ik had het zelf niet beter kunnen formuleren –, maar ik antwoordde niet.

'Ik heb een hoop dingen ontdekt over juffrouw Bellette. Die wil ik graag verifiëren. Ik zoek een betrouwbare bron. Dat bent u beslist. Hebt u contact met haar?'

'Nee.'

'Ze woont in Manhattan. Ze werkt als vertaalster. Ze heeft een hersentumor. Als die zich uitbreidt voordat ik haar weer kan spreken, gaat alles wat ze weet verloren. Zij zou me meer kunnen vertellen dan wie ook.'

'En wat zou u daarmee willen doen?'

'Kijk, oude mannen haten jonge mannen. Dat behoeft geen betoog.'

Zo ineens, voor de vuist weg, komt hij met dit stukje cryptische wijsheid op de proppen. Is dit generatieconflict iets waarover hij gelezen heeft, of waarover iemand hem heeft verteld, of wat hij uit eigen ervaring weet, of is het hem zomaar aan komen waaien? 'Ik probeer alleen maar verantwoordelijk te zijn,' ging Kliman verder, en nu was het de term 'verantwoordelijk' die me razend maakte.

'Is Amy Bellette niet de reden van uw komst naar New York?' vroeg hij. 'Dat hebt u tenminste aan Billy en Jamie verteld, dat u hier was om een kennis met kanker te bezoeken.'

'Als het gesprek nu verbroken wordt,' zei ik, 'bel dan niet meer terug.'

Een kwartier later belde Billy op om zich te verontschuldigen voor het geval hij of Jamie te loslippig was geweest. Hij had niet geweten dat ons gesprek als vertrouwelijk moest worden behandeld en het speet hem dat hij mij mogelijk in verlegenheid had gebracht. Kliman, die hem zojuist had opgebeld om te vertellen hoe slecht het hem bij mij was vergaan, was een studiegenoot van Jamie met wie ze nog steeds bevriend was, en ze was zich van geen kwaad bewust geweest toen ze hem verteld had wie er op hun annonce had gereflecteerd. Billy zei dat – ten onrechte, besefte hij nu – noch hij noch Jamie had voorzien dat ik zou weigeren te praten met de biograaf van E.I. Lonoff, een schrijver die ik, zoals zij allemaal wisten, bewonderde. Hij verzekerde me dat ze niet nog eens de fout zouden maken te praten over de regeling die we hadden afgesproken, al moest ik wel beseffen dat als ik eenmaal in hun flat was getrokken, het niet lang zou duren voor hun netwerk van vrienden en kennissen wist wie er was, en omgekeerd: als zij eenmaal in mijn huis zaten...

Hij was beleefd en zorgvuldig, hij zei zinnige dingen, en daarom zei ik: 'Geen man overboord.' Natuurlijk was Kliman een vriendje van Jamie geweest. Nog een reden waarom ik hem niet kon uitstaan. Dé reden.

'Richard kan nogal vasthoudend zijn,' zei Billy. 'Maar,' zei hij weer, 'het spijt ons echt dat we hem hebben verteld waar u logeert. Dat was onnadenkend.'

'Geen man overboord,' herhaalde ik, en weer zei ik tegen mezelf dat ik in mijn auto moest stappen en naar huis rijden. In New York wemelde het van de mensen die bezeten waren van de 'onderzoeksgeest', en niet allemaal ethisch van het vereiste gehalte. Als ik de flat in Seventy-first Street – en de telefoon daar – zou overnemen, zou ik mezelf onvermijdelijk in het soort omstandigheden bevinden waaraan ik niet de minste behoefte had en waarmee ik, zoals daarnet was gebleken, niet langer met de nodige tact wist om te gaan. Niet dat mijn nieuwsgierigheid niet was gewekt door wat Kliman met betrekking tot Lonoff suggereerde. Niet dat ik niet verrast was door het onwaarschijnlijke toeval dat ik Lonoffs Amy hier voor het eerst in bijna vijftig jaar weer tegen het lijf was gelopen en haar vanuit het ziekenhuis naar die lunchroom was gevolgd, en dat Kliman me vervolgens had gebeld om me te vertellen dat Amy een hersentumor had en te proberen me lekker te maken met zijn inside-kennis van Lonoffs Hawthorne-achtige 'geheim'. Voor iemand die de afzondering had gecultiveerd, die zichzelf tot herhaling had gedwongen, die zich had geschikt in eentonigheid, die alles uit zijn leven had verbannen wat hij niet strikt noodzakelijk achtte (zogenaamd in het belang van zijn werk, maar eerder als gevolg van een tekortkoming), was het alsof hij door een zeldzame astronomische gebeurtenis werd overweldigd, alsof er een zonsverduistering had plaatsgehad zoals zonsverduisteringen plaatshadden in de talloze eeuwen voor er een wetenschap bestond: zonder dat de toenmalige aardbewoners die hadden verwacht.

Door overhaast een nieuwe toekomst in te stappen, was ik zonder het te weten naar het verleden teruggekeerd – een achterwaartse koers die niet zo ongebruikelijk was, maar daarom niet minder angstaanjagend.

'Wij willen u uitnodigen om de verkiezingsavond bij ons door te brengen,' zei Billy. 'Alleen met Jamie en mij. Wij gaan thuis naar de uitslag kijken. We kunnen hier eten. En blijf daarna zo lang als u wilt. Komt u?'

'Dinsdagavond?'

Hij lachte. 'Nog steeds de eerste dinsdag na de eerste maandag in november.'

'Ik zal er zijn,' zei ik, 'ik neem de uitnodiging aan,' niet denkend aan de verkiezingen, maar aan Billy's echtgenote en Klimans vroegere vriendin en aan het genot dat ik een vrouw niet meer kon geven, zelfs als de gelegenheid zich zou voordoen. Haten oude mannen jonge mannen? Vervullen jonge mannen hen met afgunst en haat? En waarom niet? De absurditeit kwam nu snel van alle kanten naar binnen sijpelen en mijn hart bonsde met krankzinnige gretigheid, alsof de medische behandeling tegen incontinentie iets te maken had met het verhelpen van impotentie, wat uiteraard niet zo was – alsof, hoe seksueel gehandicapt, hoe seksueel ontwend ik na elf jaar afwezigheid ook mocht zijn, de drift die door mijn ontmoeting met Jamie was gewekt zich op een krankzinnige manier opnieuw deed gelden als de bezielende kracht. Alsof er in aanwezigheid van deze jonge vrouw hoop voor mij was.

Als gevolg van één korte ontmoeting met Billy en Jamie viel ik niet alleen terug in een wereld van jeugdige literaire ambitie die voor mij geen belang meer had, maar stelde ik mezelf bovendien bloot aan de ergernissen, prikkels, verleidingen en gevaren van het heden. In mijn geval kwam het specifieke gevaar dat me destijds bedreigde toen ik besloot de stad voorgoed te verlaten – het gevaar van een moordaanslag – niet uit de hoek van de islamitische terreur, maar van doodsbedreigingen aan mijn adres die volgens de FBI van een en dezelfde afzender afkomstig waren. Ze waren allemaal geschreven op een ansichtkaart die ergens in het noorden van New Jersey was afgestempeld, de streek waar ik was opgegroeid. De plaats van afstempeling was telkens een andere, maar het personage dat aan de voorkant was afgebeeld, was altijd de toenmalige paus, Johannes Paulus II, die ofwel de menigte op het plein van de Sint-Pieter zegende, ofwel geknield zat te bidden, ofwel in vol ornaat in zijn witbrokaten gewaad op zijn troon zetelde. De tekst op de eerste ansichtkaart luidde:

> Geachte Kankerjood, Wij horen tot een nieuwe internationale organisatie die de groei wil tegengaan van de racistische, vieze vuile leer van het ZIONISME.
> Als een van de vele joden die parasiteren op 'goj'-landen en hun inwoners, ben jij op de lijst van doelwitten gezet. Vanwege de ligging van jouw flat in New York, ben jij een 'doelwit' van onze 'afdeling'. Deze kennisgeving is het begin.

De tweede kaart met de beeltenis van de paus bevatte dezelfde aanhef en boodschap, met dit verschil dat die eindigde met: 'TWEEDE KENNISGEVING, JOOD!'

Nu had ik in het verleden boodschappen ontvangen die niet minder walgelijk en bedreigend waren, maar nooit meer dan één of twee per jaar en de meeste jaren geen. Ook kon het gebeuren dat er in New York op straat een onbekende naar mij toe graviteerde die een wat moeizaam gesprek aanknoopte naar aanleiding van iets in mijn werk waarvan hij gecharmeerd was of wat hem woedend had gemaakt, of waarvan hij gecharmeerd was omdat het hem woedend had gemaakt of wat hem woedend had gemaakt omdat hij ervan gecharmeerd was. Meer dan eens was mijn gemoedsrust door zo'n enerverende aanvaring verstoord als gevolg van het beeld van de auteur dat mijn boeken hadden doen ontstaan in hoofden die door het lezen van romans licht tot fantaseren werden verleid. Maar hier was ik tot *doelwit* bestemd: niet alleen vielen deze ansichtkaarten maandenlang elke week in mijn bus, maar in diezelfde periode ontving een recensent in het Midwesten die ooit een lovende kritiek op een boek van mij had geschreven in *The New York Times Book Review* eveneens een dreigkaart met beeltenis van de paus, de zijne aan hem gericht per adres de universiteit waaraan hij doceerde, 'Vakgroep Hielenlikkerij en Engels'. Geen aanhef. Alleen dit, in een peuterig handschrift:

> Alleen een goedkoop kontenkruiperig flutprofessortje Engels zou zich hebben kunnen verlagen om de nieuwste hoop hondenstront van deze kankerjood 'zijn rijkste en meest bevredigende' te noemen. Treurig, dat tuig als jij maar ongestraft de geesten van jonge mensen kan verzieken. Kalasjnikovsalvo. Daarmee zouden we het Amerikaanse hoger onderwijs terug kunnen brengen op het peil van vroeger. Of daaraan bij kunnen dragen.

Het was mijn New Yorkse advocaat die me in contact bracht met de FBI. Als gevolg daarvan kreeg ik in mijn flat in East Ninety-first Street bezoek van een agent die M.J. Sweeney heette, een kwiek vrouwtje van even in de veertig uit de zuidelijke staten, dat alle kaarten meenam (die ze, samen met die van de recensent, opstuurde naar Washington voor onderzoek en analyse) en dat me adviseerde welke voorzorgsmaatregelen ik in acht moest nemen, alsof ze me de basisregels bijbracht van een sport of spel waarin ik een nieuweling was. Ik mocht geen gebouw verlaten zonder eerst de straat in beide richtingen en aan de overkant te hebben afgespeurd naar verdacht uitziende personen. Als ik op straat door mensen werd benaderd die ik niet kende, moest ik naar hun handen kijken in plaats van hun gezicht, om er zeker van te zijn dat ze niet naar een wapen grepen. Ze had nog meer van dit soort tips, en ik volgde ze onmiddellijk op, maar zonder veel vertrouwen dat ze mij echt veel bescherming konden bieden tegen iemand die vastbesloten was mij neer te knallen. De term 'Kalasjnikovsalvo' die voor het eerst op de briefkaart van de recensent was gebruikt, verscheen nu ook in de boodschappen die aan mij waren gericht. In sommige weken vormde 'KALASJNIKOVSALVO', met een zwarte viltstift geschreven in letters van vijf centimeter hoog, de hele boodschap.

M.J. en ik spraken elkaar telkens als er een nieuwe kaart arriveerde, waarvan ik de voor- en achterkant kopieerde alvorens het origineel in een envelop te doen en naar haar op te sturen. Toen ik haar op een dag belde om te zeggen dat mijn nieuwste boek was genomineerd voor een prijs en ik geacht werd de prijsuitreiking in een hotel in het centrum van Manhattan bij te wonen, vroeg ze: 'Wat voor beveiliging hebben ze daar?' 'Weinig of geen.' 'Is het vrij toegankelijk?' 'Het is niet *níet* vrij toegankelijk,' zei ik, 'maar ik kan me niet voorstellen dat iemand die echt naar binnen wil veel problemen ontmoet. Ik schat dat er rond de duizend mensen zullen zijn.' 'Nou, ik zou maar goed uitkijken,' zei ze. 'Zo te horen vindt u niet dat ik daarheen moet.' 'Ik kan niet voor de FBI spreken,' zei M.J. 'De FBI kan u hier niet in adviseren.' 'Stel dat ik die prijs win en ik op het podium moet verschijnen om hem in ontvangst te

nemen, dan zou ik een makkelijk doelwit zijn, nietwaar?'
'Als ik als vriend zou spreken, dan zou ik zeggen van wel.'
'En als u als vriend zou spreken, wat raadt u me dan aan om te doen?' 'Betekent het veel voor u, om daar aanwezig te zijn?' 'Het maakt me niets uit.' 'Nou, als ik degene was die het niets uitmaakte,' zei M.J., 'en ik had net meer dan twintig doodsbedreigingen in mijn brievenbus gehad, dan zou ik er mooi uit de buurt blijven.'

De volgende morgen huurde ik een auto en reed ik naar West-Massachusetts, en ik had nog geen achtenveertig uur later mijn huisje gekocht, twee ruime kamers met een grote natuurstenen open haard in de ene en een houtkachel in de andere en ertussenin een kleine keuken met een raam dat aan de achterkant uitkeek op een boomgaard van knoestige oude appelbomen, een vrij grote ovale zwemvijver en een grote, door stormen gehavende wilg. De vijf hectare terrein om het huis lagen tegenover een schilderachtig moeras waar het wemelde van de watervogels en een meter of vijftig van een onverharde weg die je een kilometer of vijf moest volgen voor je de asfaltweg bereikte die nog acht kilometer verder bergafwaarts slingerde naar Athena. Athena was de plaats waar E.I. Lonoff docent was toen ik hem in 1956 leerde kennen, samen met zijn vrouw en Amy Bellette. Huize Lonoff, in 1790 gebouwd en van geslacht op geslacht overgegaan in de familie van zijn vrouw, lag op tien minuten rijden van het huis dat ik zojuist had gekocht. Het kwam doordat deze streek Lonoffs toevluchtsoord was geweest dat ik hem intuïtief tot de mijne had verkozen – daardoor en doordat ik drieëntwintig was toen ik hem ontmoette, en het nooit had kunnen vergeten.

Ik had in militaire dienst geleerd met een geweer om te gaan, dus kocht ik bij een plaatselijke wapenwinkel een kaliber .22 jachtgeweer en ging ik een paar middagen in mijn eentje schieten in het bos tot ik de slag weer te pakken had. Ik bewaarde het geweer in een diepe kast naast mijn bed met een doos patronen erbij. Ik liet een alarmsysteem in mijn huis installeren dat in verbinding stond met de plaatselijke staatspolitiekazerne, en buitenschijnwerpers aanbrengen aan de hoeken van mijn dak, zodat het terrein niet aardedonker was als ik 's avonds thuiskwam. Daarna belde ik M.J. en vertelde haar wat ik had gedaan. 'Misschien ben ik hier in het bos slechter af, maar tot nu toe voel ik me minder kwetsbaar en angstig dan in de stad. Ik houd voorlopig mijn flat aan, maar ik ga nu een poosje hier wonen, tot ik geen doodsbedreigingen meer in mijn bus krijg.' 'Weet iemand waar u bent?' 'Tot dusver alleen u. Ik laat mijn post doorsturen naar een ander adres.' 'Goed,' zei M.J., 'het zou niet mijn eerste aanbeveling zijn geweest, maar u moet doen waar u zich het veiligst bij voelt.' 'Ik kom geregeld in de stad, maar ik woon voortaan hier.' 'Veel geluk,' zei ze, en ze vertelde me vervolgens dat ze mijn dossier nu moest overdragen aan het bureau in Boston. Toen ze afscheid had genomen en opgehangen, bleef ik de hele nacht piekeren over wat ik had gedaan, in de overtuiging dat het al die tijd dat ik die doodsbedreigingen had ontvangen M.J. Sweeney was geweest die tussen mij en de kalasjnikov van mijn kaartschrijver had gestaan.

Toen de doodsbedreigingen ten slotte uitbleven, gaf ik het huisje niet op. Inmiddels was het een thuis geworden, en daar woonde ik die elf jaar en schreef ik boeken, hield ik mijn conditie op peil, kreeg ik kanker, koos ik de radicale remedie, en daar in mijn eentje werd ik, eigenlijk zonder het te weten of bij te houden, met de dag ouder. De gewoonte van het alleen-zijn – het alleen-zijn zonder angst – had bezit van mij genomen, en daarmee de genoegens van het onaansprakelijk zijn en het vrij zijn – paradoxaal genoeg bovenal vrij van mezelf. Dagen achtereen waarop ik alleen maar werkte, smaakte ik de zoete weelde van de tevredenheid. Eenzaamheid, gekmakende eenzaamheid, kwam zelden voor en liet zich methodisch beteugelen: mocht die me overdag overvallen, dan stond ik op van mijn bureau en ging ik een uur of twee door de bossen wandelen of langs de rivier, en als ik er 's avonds last van kreeg, legde ik het boek dat ik aan het lezen was een poosje weg en luisterde ik naar iets waar ik al mijn aandacht bij nodig had – iets als een kwartet van Bartók. Aldus herstelde ik het evenwicht en maakte ik de eenzaamheid draaglijk. Al met al was het leven zonder enige noodzaak een rol te spelen te verkiezen boven de wrijving en de opwinding en het conflict en de futiliteit en de weerzin die, als een mens ouder wordt, de veelvoudige relaties die voor een rijk, compleet leven zorgen, minder dan wenselijk kunnen maken. Ik bleef weg omdat ik in de loop der jaren een manier van leven veroverd had die ik (en niet alleen ik) voor onmogelijk had gehouden, en dat zeg ik niet zonder trots. Ik mocht dan New York verlaten hebben omdat ik bang was, maar door alsmaar te snoeien en te snoeien had ik in mijn eenzaamheid een soort vrijheid gevonden die me doorgaans uitstekend beviel. Ik ontdeed me van de dictatuur van de concentratie – of misschien had ik, door meer dan tien jaar in afzondering te leven, in de strengste vorm ervan mijn geluk gevonden.

Het gebeurde op de laatste dag van juni 2004 dat het woord kalasjnikov me opnieuw angst aanjoeg. Ik weet dat het de 30ste juni was omdat dat de dag is waarop de vrouwtjes-bijtschildpadden vanuit hun waterrijke woongebied hun jaarlijkse trektocht ondernemen op zoek naar een open stuk zandgrond waarin ze een kuil kunnen graven om hun eieren in te leggen. Het zijn sterke, traag bewegende dieren, grote schildpadden met achterwaarts getande schilden van dertig centimeter of meer in doorsnee en lange, zwaar geschubde staarten. Ze komen in grote aantallen aan de zuidkant van Athena voor, waar ze in troepen de tweebaans macadamweg oversteken die naar de stad voert. Automobilisten wachten minutenlang geduldig om ze niet te overrijden als ze uit de dichte bossen tevoorschijn komen waarin ze de moerassen en vijvers bewonen, en het is de jaarlijkse gewoonte van veel streekbewoners zoals ik om niet alleen te stoppen, maar ook de auto aan de kant te zetten en uit te stappen om in de berm de parade van deze zelden geziene amfibieën gade te slaan, zoals ze langzaam voortschuifelen op hun krachtige, korte geschubde poten die eindigen in prehistorisch aandoende reptielenklauwen.

Elk jaar hoor je zo'n beetje dezelfde grappen, hetzelfde gelach en dezelfde verbazing bij de toeschouwers, en van de pedagogische ouders die hun kinderen hebben meegenomen om het schouwspel te zien leer je weer opnieuw hoeveel de schildpadden wegen, hoe lang hun halzen zijn, hoe hard ze kunnen bijten, hoeveel eieren ze leggen en hoe lang ze leven. Daarna stap je weer in je auto en rijd je het stadje in om je boodschappen te doen, zoals ik dat deed op die zonnige dag precies vier maanden voordat ik naar New York reisde om me te laten informeren over de behandeling met collageen.

Na schuin naast de brink te hebben geparkeerd, ontmoette ik een paar mij bekende plaatselijke winkeliers, die uit hun winkels waren gekomen om een ogenblik van de zon te genieten. Ik bleef even staan om een praatje te maken – over weinig of niets, waarbij we allemaal de minzame houding aannamen van mannen die van alles alleen maar het beste vinden; een verkoper van herenmodeartikelen, een drankhandelaar en een schrijver die gedrieën de tevredenheid uitstraalden van Amerikanen die veilig buiten het bereik van de zenuwslopende wereld woonden.

Ik was net de straat overgestoken en onderweg naar de ijzerwinkel toen ik opeens 'kalasjnikov' in mijn oor hoorde mompelen door de man die me zojuist was tegemoetgekomen en gepasseerd. Ik draaide me snel om en herkende hem meteen aan de vorm van zijn rug en zijn manier van lopen met naar binnen gerichte tenen. Het was de schilder die ik de zomer daarvoor had ingehuurd om de buitenkant van mijn huis te doen en die ik, omdat hij zo ongeveer om de dag verstek liet gaan – en als hij al op kwam dagen na een uur of twee, drie weer vertrok – had moeten ontslaan toen het karwei nog niet voor de helft klaar was. Daarop stuurde hij me een rekening die zo exorbitant was dat ik die, liever dan met hem in discussie te gaan – en omdat we telefonisch of persoonlijk al vrijwel dagelijks hooglopende woordenwisselingen hadden gehad over ofwel zijn werktijden, ofwel zijn afwezigheid –, aan mijn plaatselijke advocaat had overgedragen. De huisschilder heette Buddy Barnes en helaas te laat hoorde ik dat hij een van de grootste dronkaards van Athena was. Ik had nooit veel waardering gehad voor de bumpersticker op zijn auto die luidde: CHARLTON HESTON IS MIJN PRESIDENT, maar had er weinig aandacht aan geschonken omdat de legendarische filmster, hoewel hij grote bekendheid genoot als boegbeeld van de roekeloos onverantwoordelijke vereniging van wapenbezitters, de National Rifle Association, tegen de tijd dat ik Buddy inhuurde al flink aan het dementeren was, zodat die bumpersticker me nogal dwaas en ongevaarlijk leek.

Ik was natuurlijk verbluft door wat ik op straat had gehoord, zo verbluft dat ik in plaats van mezelf een ogenblik de tijd te gunnen om te overdenken hoe ik het best kon reageren, als ik al zou besluiten te reageren, de straat over sprintte naar de brink, waar hij juist in zijn pick-up was gestapt. Ik riep zijn naam en sloeg met mijn vuist op zijn spatbord tot hij zijn raam omlaagdraaide. 'Wat zei je daarnet tegen mij, Barnes?' Buddy had een bijna engelachtig roze uiterlijk voor een norse, onbehouwen man van in de veertig, engelachtig ondanks de spaarzame blonde haren onder zijn neus en op zijn kin. 'Ik heb je niks te zeggen,' antwoordde hij op zijn gebruikelijke hoge jankerige toon. 'Wat zei je tegen mij, Barnes?' 'Jézus,' antwoordde hij, met rollende ogen. 'Geef antwoord. Geef antwoord, Barnes. Waarom zei je dat tegen mij?' 'Je hoort dingen die er niet zijn, mafkees,' zei hij. Daarop gooide hij de pick-up in de achteruit en verdween met een puberaal gegil van banden uit het zicht.

Uiteindelijk besloot ik dat het incident lang niet de dramatische betekenis had die ik er aanvankelijk achter had gezocht. Ja, hij had 'kalasjnikov' gezegd, en ja, ik wist het zo zeker dat ik bij mijn thuiskomst het New Yorkse bureau van de FBI belde en naar M.J. Sweeney vroeg, om te vernemen dat ze twee jaar eerder de dienst had verlaten. Ik hield mezelf voor dat die briefkaarten maanden voordat ik hier was komen wonen naar mij waren verstuurd en voordat iemand als Buddy Barnes weet had van mijn bestaan. Barnes kon ze onmogelijk hebben verstuurd, vooral omdat ze het poststempel droegen van steden en dorpen in Noord-Jersey, meer dan honderdvijftig kilometer ten zuiden van Athena, Massachusetts. Dat hij mij bang wilde maken met hetzelfde woord waarmee ik elf jaar eerder via de post was bang gemaakt, was niet meer dan een uiterst bizarre samenloop van omstandigheden.

Desondanks maakte ik, voor het eerst sinds ik het kaliber .22 geweer had gekocht, de doos met patronen open en in plaats van het wapen net als al die jaren ongeladen achter in de diepe kast in mijn slaapkamer te laten staan, ging ik nu slapen met het geladen geweer op de vloer naast mijn bed. En dat bleef ik doen tot ik naar New York vertrok, zelfs nadat ik me had afgevraagd óf Buddy wel iets tegen me had gezegd, zelfs nadat ik tot de slotsom was gekomen dat ik op die prachtige vroege zomerochtend, nadat ik had genoten van het schouwspel van de vrouwelijke bijtschildpadden die moeizaam de weg overstaken om hun voortplantingsfunctie te gaan vervullen, aan een uiterst levensechte auditieve hallucinatie ten prooi was geweest, een hallucinatie waarvan de oorzaak onverklaarbaar was, althans voor mij.

De incontinentie bleef door de collageenbehandeling volkomen onveranderd, en toen ik dat op de ochtend van de verkiezingsdag meldde, kreeg ik van de dokterspraktijk het advies om een afspraak te maken voor een tweede behandeling de volgende maand. Als er tussentijds een verbetering optrad, kon ik altijd nog afzeggen; zo niet, dan werd de behandeling herhaald. 'En als dat geen resultaat heeft?' 'Dan doen we het nog een keer. De derde keer gaan we niet naar binnen via de pisbuis,' legde de verpleegster uit, 'maar via de littekens van de prostaatoperatie. Alleen maar een punctie. Plaatselijke verdoving. Geen pijn.' 'En als een derde behandeling ook niet helpt?' vroeg ik. 'Ach, zover zijn we nog lang niet, meneer Zuckerman. We doen één stapje tegelijk. U moet niet de moed verliezen, hoor. Dit levert heus wel iets op.'

Alsof incontinentie nog niet vernederend genoeg is, werd je ook nog toegesproken als een onhandelbaar jochie van acht dat zijn levertraan niet wil slikken. Maar zo gaat het als een bejaarde patiënt weigert zich te onderwerpen aan de onvermijdelijke martelgang en zonder morren naar het graf te strompelen: dokters en verpleegsters ontfermen zich over een kind dat met zachte hand moet worden overgehaald om moedig vol te houden in het belang van zijn eigen verloren zaak. Dat was in elk geval wat ik dacht toen ik de hoorn op de haak legde, beroofd van trots en alle beperkingen van mijn kracht voelend, de man op het punt waar hij faalt, of hij zich nu verzet of berust in zijn lot.

Wat verbaasde mij het meest die eerste paar dagen dat ik rondliep in de stad? Wat het meest in het oog liep: de mobiele telefoons. We hadden op mijn berg nog geen ontvangst, en in Athena, waar ze die wel hebben, had ik zelden mensen lopend op straat ongegeneerd in hun mobieltjes zien praten. Ik herinnerde me nog een New York waar de enige mensen die op Broadway schijnbaar tegen zichzelf liepen te praten de gestoorden waren. Wat was er in die tien jaar gebeurd waardoor er plotseling zoveel te zeggen viel – en zo dringend dat het niet later kon worden gezegd? Overal waar ik liep kwam er iemand al pratend in een telefoon op me toe en liep er achter me iemand in een telefoon te praten. In de auto's zaten de bestuurders te telefoneren. Toen ik een taxi nam, zat de taxichauffeur te bellen. Omdat ik zelf dikwijls dagenlang met niemand een woord wisselde, vroeg ik me af wat het was dat vroeger de mensen overeind had gehouden maar dat het nu begeven had zodat ze aan het onafgebroken praten in een telefoon de voorkeur gaven boven het onbewaakt rondlopen, even alleen met jezelf, de straten zintuiglijk in je opnemen en de talloze gedachten denkend die de bedrijvigheid van een stad in je wekt. Mij kwamen de straten nu komisch voor en de mensen lachwekkend. En toch leek het ook op een echte tragedie. Het afschaffen van de ervaring van de afzondering heeft ongetwijfeld dramatische gevolgen. Waar zal dit toe leiden? Je weet dat je de ander altijd kunt bereiken, en als het niet kan, word je ongeduldig, ongeduldig en boos als een klein, dom godje. Ik begreep dat stilte op de achtergrond in restaurants, liften en honkbalstadions al lang geleden was afgeschaft, maar dat de onmetelijke eenzaamheid van de mens dit grenzeloze verlangen zou voortbrengen om te worden gehoord – en het bijbehorende gebrek aan gêne om te worden afgeluisterd –, tja, ik die hoofdzakelijk in het tijdperk van de telefooncel had geleefd, waarvan je de zware vouwdeuren stevig kon dichttrekken, ik was onder de indruk van de zichtbaarheid van dit alles en kreeg het idee voor een verhaal waarin Manhattan is veranderd in een sinistere gemeenschap waarin iedereen iedereen bespioneert, waarin ieders gangen worden nagegaan door de persoon aan het andere eind van zijn of haar mobiel, ook al denken de telefonisten, die elkaar vanaf elke plek in de wijde wereld onophoudelijk bellen, zelf dat ze de grootst mogelijke vrijheid ervaren. Ik wist dat ik me, alleen al door zo'n scenario te bedenken, schaarde in de rijen van de zonderlingen die vanaf het begin van de industrialisatie van mening waren geweest dat de machine de vijand van het leven was. Maar ik kon er niets aan doen: ik zag niet hoe iemand kon geloven dat hij een menswaardig bestaan kon blijven leiden door de helft van zijn wakende leven te lopen praten in een telefoon. Nee, voor de bevordering van het gedachteleven van het grote publiek beloofden die mobieltjes weinig goeds.

Wat me ook opviel, waren de jonge vrouwen. Ik kon er niet omheen. De dagen waren nog warm in New York en de vrouwen waren gekleed op een manier waarvoor ik mijn ogen niet sluiten kon, hoezeer ik ook niet geprikkeld wilde worden door dezelfde verlangens die ik bewust de kop in had gedrukt door in afzondering tegenover een natuurreservaat te gaan wonen. Ik wist door mijn bezoeken aan Athena hoeveel de meisjesstudentes nu zonder angst of schaamte van zichzelf blootgaven, maar dit verschijnsel had me nooit overrompeld tot ik in de stad kwam, waar de aantallen zeer veel groter waren en de leeftijden gevarieerder, en ik bedacht met afgunst in het hart dat vrouwen die zich zo kleedden er niet alleen waren om bekeken te worden en dat de uitdagende parade slechts de eerste onthulling was. Of misschien betekende het dat voor iemand als ik. Misschien zag ik het helemaal verkeerd en was dit gewoon hoe ze zich nu kleedden, hoe T-shirts nu werden gesneden, hoe kleren nu voor vrouwen werden ontworpen, en al liepen ze nu rond in strakke shirtjes en laaggesneden shortjes en verleidelijke bh's en met hun buik bloot alsof dat wilde zeggen dat ze allemaal beschikbaar waren, waren ze dat niet – en niet alleen niet voor mij.

Maar het was de verschijning van Jamie Logan die me het meest van mijn stuk bracht. Ik had in geen jaren zo dicht bij een zo onweerstaanbare jonge vrouw gezeten, misschien niet meer sinds ik voor het laatst tegenover Jamie zelf had gezeten in de eetzaal van een culturele sociëteit op Harvard. Evenmin had ik begrepen hoezeer ik door haar uit mijn evenwicht was gebracht, totdat we allemaal met de woningruil akkoord waren gegaan en ik op de terugweg naar mijn hotel bedacht hoe plezierig het zou zijn als de ruil niet doorging – als Billy Davidoff bleef waar hij graag wilde blijven, dus thuis, tegenover het lutherse kerkje in West Seventy-first Street, terwijl Jamie aan haar angst voor een terreuraanslag ontkwam door met mij naar de vredige Berkshires terug te gaan. Ze oefende een enorme aantrekkingskracht op me uit, een enorme aantrekkingskracht op de schim van mijn begeerte. Deze vrouw zat al in me voordat ze in mijn leven verscheen.

De uroloog die de kanker had vastgesteld toen ik tweeënzestig was, had na afloop meelevend gezegd: 'Ik weet dat het geen troost is, maar u bent niet de enige – deze ziekte heeft in Amerika epidemische proporties aangenomen. Uw strijd wordt door vele anderen gedeeld. In uw geval is het jammer dat ik de diagnose niet pas over tien jaar heb kunnen stellen,' daarmee suggererend dat de impotentie die volgt op de verwijdering van de prostaat tegen die tijd een minder pijnlijk verlies zou zijn. En dus probeerde ik het verlies te minimaliseren door mezelf wijs te maken dat de begeerte op natuurlijke wijze was afgenomen, totdat ik binnen nog geen uur tijd in contact kwam met een beeldschone, geprivilegieerde, intelligente, zelfbewuste, languissant ogende vrouw van dertig, die verleidelijk kwetsbaar was gemaakt door haar angst, en ik de bittere hulpeloosheid ervoer van een gekwelde oude man die wanhopig verlangde weer gezond te zijn van lijf en leden.

2

De bekoring

Onderweg van mijn hotel naar West Seventy-first Street stapte ik een slijterij binnen om twee flessen wijn voor mijn gastheer en gastvrouw te kopen, waarna ik snel mijn weg vervolgde om de uitslag te gaan zien van een verkiezingscampagne waarvan ik, voor het eerst sinds ik me bewust werd van verkiezingspolitiek – toen Roosevelt in 1940 Willkie versloeg – vrijwel niets wist.

Ik was mijn hele leven een gretige kiezer geweest, een die nooit op een Republikein had gestemd voor enig ambt bij welke verkiezing dan ook. Ik had als student campagne gevoerd voor Stevenson en mijn jeugdige hoop zien vervliegen toen Eisenhower hem versloeg, eerst in 1952 en nog eens in 1956, en ik geloofde mijn ogen niet toen een zo diep in zijn meedogenloze pathologie geworteld en zo evident frauduleus en boosaardig wezen als Nixon het in 1968 won van Humphrey, en toen in de jaren tachtig een zelfverzekerde oen wiens weergaloze holheid en geijkte standpunten en totale blindheid voor elke historische complexiteit het voorwerp werden van nationale verering en die, hooggeacht als niets minder dan een 'grote communicator', voor zijn beide ambtstermijnen met een overweldigende meerderheid werd gekozen. En was er ooit een verkiezingsstrijd geweest als die van Gore tegen Bush, die op een zo bedrieglijke manier werd beslist, zo volmaakt berekend om het laatste schuchtere restje naïviteit van de gezagsgetrouwe burger de nek om te draaien?

Ik kon onmogelijk zeggen dat ik mezelf verre had gehouden van partijpolitieke twisten, maar nu, na bijna driekwart eeuw als Amerikaans onderdaan te hebben geleefd, had ik besloten me niet meer elke vier jaar te laten overvallen door de emoties van een kind – de emoties van een kind en de pijn van een volwassene. Althans niet zolang ik me schuilhield in mijn huisje, waar het me lukte in Amerika te blijven zonder dat Amerika ooit weer bezit van mij nam. Afgezien van het schrijven van boeken en het opnieuw, voor een laatste rondgang, bestuderen van de eerste grote schrijvers die ik gelezen had, was al het andere wat ooit het belangrijkst was nu totaal niet belangrijk meer, en ik maakte korte metten met ruim de helft, zo niet meer, van de loyaliteiten en activiteiten van een heel leven. Na 11 september hield ik op met polemiseren. Anders, zo hield ik mezelf voor, word je het prototype van de ingezonden-brievengek, de dorpsmopperkont, die het ziektebeeld in al zijn schuimbekkende lachwekkendheid vertoont: razen en tieren als je de krant leest, en 's avonds met vrienden bellen en verontwaardigd tekeergaan tegen het verderfelijke winstbejag waarvoor de authentieke vaderlandsliefde van een gewonde natie door een imbeciele koning zou worden uitgebuit, en dat nog wel in een republiek, een koning in een vrij land met alle vrijheidsslogans waarmee Amerikaanse kinderen worden grootgebracht. Het niet-aflatende verachten dat een gewetensvol burger onder het bewind van George W. Bush kenmerkt, was niets voor iemand voor wie het bewaren van een redelijke mate van gemoedsrust van levensbelang was geworden – en daarom begon ik me te ontdoen van mijn hardnekkige zucht om het naadje van de kous te weten. Ik zegde mijn abonnementen op tijdschriften op, stopte met het lezen van de *Times* en zelfs met het kopen van losse nummers van *The Boston Globe* als ik boodschappen ging doen.

De enige krant die ik nog regelmatig inkeek was de *Berkshire Eagle*, een plaatselijk weekblaadje. Ik gebruikte de tv om naar honkbal te kijken en de radio om naar muziek te luisteren, meer niet.

Verrassend genoeg had ik maar een paar weken nodig om de ingesleten gewoonte waarmee ik grotendeels mijn niet-beroepsgebonden gedachtewereld van informatie voorzag af te leren en me volledig op mijn gemak te gaan voelen als iemand die van niets wist. Ik had mijn land buitengesloten, was zelf buitengesloten van erotisch contact met vrouwen, en was door oorlogsmoeheid voor de wereld der liefde verloren. Ik had een waarschuwing afgegeven. Ik was onder mijn leven en tijd uitgekomen. Of misschien alleen maar tot de kern geraakt. Mijn huisje had evengoed in volle zee kunnen dobberen in plaats van vierhonderd meter hoog aan een landweg in Massachusetts te staan op nog geen drie uur rijden van de stad Boston in het oosten en ongeveer dezelfde afstand van New York in het zuiden.

De televisie stond aan toen ik arriveerde, en Billy verzekerde me dat de verkiezingen al gewonnen waren – hij had contact met een vriend op het landelijk hoofdkwartier van de Democratische Partij en uit hun exitpollprognoses bleek dat Kerry in alle staten die hij nodig had op kop lag. Billy nam de wijn met een hoffelijk bedankje in ontvangst en vertelde me dat Jamie even de deur uit was om eten te kopen en elk moment terug kon zijn. Hij toonde zich ook nu een gezellige prater en straalde een joviale zachtheid uit, alsof hij er nog niet aan toe was om gezag uit te oefenen en dat waarschijnlijk wel nooit zou zijn. Is hij een atavisme, vroeg ik me af, of bestaan ze nog steeds, die joodse jongens uit de gegoede middenklasse die het stempel dragen van de familie-empathie die, de onovertroffen bevrediging van koesterende sentimenten ten spijt, iemand niet voorbereidt op de boosaardigheid van minder welwillende zielen? Juist in het literaire milieu van Manhattan zou ik iets anders hebben verwacht dan de bruine ogen, zwaar van tederheid, en de volle, engelachtige wangen die hem het voorkomen gaven, zo niet van een beschermd jongetje, dan toch van de genereuze jongeman die absoluut niet bij machte was om iemand te kwetsen, of uit te lachen, of ook maar de minste verantwoordelijkheid uit de weg te gaan. Ik vermoedde dat Jamie heel wat meer was dan in de hand gehouden kon worden door de lieve onzelfzuchtigheid van iemand van wie elk woord en elk gebaar doortrokken was van zijn fatsoen. De argeloze onschuld, de mildheid, het begripvolle medeleven – wat een buitenkans voor de ploert die eropuit was de vrouw te stelen wier ontrouw zijn voorstellingsvermogen te boven zou gaan.

Net toen Billy aanstalten maakte een van de flessen wijn open te maken, ging de telefoon. Hij gaf mij de fles en de kurkentrekker, greep de telefoon en zei: 'Hoe gaat het?' Even later keek hij op en zei: 'New Hampshire is binnen. En D.C.?' vroeg Billy aan de vriend die belde. Tegen mij zei hij: 'In D.C. staat het acht-één voor Kerry. Daar draait het om: de zwarten gaan massaal naar de stembus. Oké, geweldig,' zei Billy in de telefoon en nadat hij had opgehangen zei hij vrolijk tegen mij: 'We leven dus toch in een liberale democratie,' en om te toosten op de goede afloop schonk hij voor ons beiden een groot glas wijn in. 'Die lui zouden het land in de vernieling hebben geholpen,' zei hij, 'als ze een tweede termijn hadden gewonnen. We hebben slechte presidenten gehad en het overleefd, maar deze is het bittere einde. Ernstige cognitieve gebreken. Dogmatisch. Een uiterst beperkte onbenul die iets heel groots te gronde wil richten. Er staat een beschrijving in *Macbeth* die precies op hem van toepassing is. We lezen samen hardop, Jamie en ik. We doen nu de treurspelen. Het staat in de scène in het derde bedrijf met Hecate en de heksen. "Een nukkige zoon," zegt Hecate, "vol wrevel en wrok." George Bush in zeven woorden. Het is gewoon een ramp. Als je voor je kinderen bent en voor God, dan ben je een Republikein – en ondertussen moet hij het hebben van de mensen die het ergst worden genaaid. Het is een wonder dat het ze is gelukt, al is het maar voor één termijn. Je moet er niet aan denken wat ze met een tweede termijn zouden hebben gedaan. Die mensen zijn door en door slecht. Maar voor hun arrogantie en hun leugens krijgen ze nu hun trekken thuis.'

Omdat ik met mijn gedachten nog ergens anders was, liet ik hem nog een paar minuten langer naar de eerste uitslagen kijken voordat ik vroeg: 'Hoe heb je Jamie leren kennen?'

'Als door een wonder.'

'Jullie hebben samen gestudeerd.'

Hij schonk me een warme glimlach, terwijl hij, gezien mijn gedachten, er beter aan gedaan zou hebben de dolk te trekken waarmee Duncan van kant was gemaakt. 'Toch blijft het een wonder,' zei hij.

Ik zag in dat ik mezelf niet hoefde in te tomen uit angst te worden doorzien. Er was duidelijk geen haar op Billy's hoofd die kon bevroeden dat iemand van mijn jaren naar zijn jonge vrouw informeerde omdat zijn jonge vrouw nu het enige was waaraan ik kon denken. Hij werd misleid door mijn leeftijd, en ook door mijn status. Hoe kon hij nu het ergste denken van een schrijver die hij al op de middelbare school had gelezen? Hij had net zo goed Henry Wadsworth Longfellow voor zich kunnen hebben. Hoe kon de schrijver van *Het lied van Hiawatha* nu een wellustige belangstelling voor Jamie aan den dag leggen?'

Voorzichtigheidshalve informeerde ik eerst naar hemzelf.

'Vertel eens iets over je familie,' zei ik.

'O, ik ben de enige in mijn familie die boeken leest, maar dat is niet erg; het zijn beste mensen. Al vier generaties in Philadelphia. Mijn overgrootvader heeft het familiebedrijf gesticht. Hij kwam uit Odessa en hij heette Sam. Zijn klanten noemden hem oom Sam de Parapluman. Hij vervaardigde en repareerde paraplu's. Mijn grootvader ging ook koffers verkopen. In de jaren tien en twintig nam het reizen per trein een hoge vlucht en had iedereen een koffer nodig. En men reisde per schip, per oceaanstomer. Het was de tijd van de garderobekoffer – u weet wel, die grote, zware koffers die mensen op lange reizen meenamen en die je verticaal opendeed, met kleerhangers en laden erin.'

'Jazeker weet ik dat,' zei ik. 'En die andere, die kleinere zwarte die horizontaal openging als een zeeroverskist. Zo'n koffer had ik toen ik ging studeren. Bijna iedereen had er een. Hij was van hout en de hoeken waren met metaal versterkt en de luxe kisten waren beslagen met banden van bewerkt metaal en ze hadden koperen sloten en waren tegen een aardbeving bestand. Je verstuurde je koffer per spoor. Je bracht hem naar het station en leverde hem af bij het loket van de Railway Express. De loketbediende van het Penn Station in Newark had toen nog zo'n groene zonneklep op en een potlood achter zijn oor. Hij woog de koffer en je betaalde per pond, en daar gingen je sokken en je ondergoed dan.'

'Ja, elke stad, groot of klein, had een kofferwinkel, en de grote warenhuizen hadden allemaal een eigen kofferafdeling,' vertelde Billy. 'Het waren de stewardessen van de luchtvaartmaatschappijen die in de jaren vijftig een revolutie teweegbrachten in het Amerikaanse denken over reisgoed – men ontdekte dat het ook licht en chic kon zijn. Dat was zo'n beetje de tijd dat mijn vader in de zaak kwam en de winkel moderniseerde en de naam veranderde in Davidoffs Tassen- en Koffermode. Tot dan toe gold nog de oorspronkelijke naam: Samuel Davidoff en Zonen. Omstreeks die tijd deden de koffers op wieltjes hun intrede – en dat is, drastisch verkort, de geschiedenis van de reisgoederenhandel. De onverkorte versie telt duizend pagina's.'

'Schrijf je een boek over het familiebedrijf?'

Hij knikte, haalde zijn schouders op en slaakte een zucht. 'Én over de familie. Dat probeer ik althans. Ik ben zo'n beetje in de winkel opgegroeid. Ik heb van mijn grootvader wel duizend verhalen gehoord. Elke keer dat ik hem bezoek, schrijf ik weer een notitieboekje vol. Ik heb genoeg verhalen voor een heel leven. Maar het komt erop aan hoe, nietwaar? Hoe je ze vertelt, bedoel ik.'

'En Jamie? Hoe is zij opgegroeid?'

En dus begon hij te vertellen, breed uitweidend over haar vaardigheden: over Kinkaid, de exclusieve particuliere school in Houston waar ze als best geslaagde eindexamenkandidate de afscheidsrede mocht houden; over haar glansrijke studie aan Harvard, waar ze summa cum laude afstudeerde; over River Oaks, de villawijk van Houston waar haar familie woonde; over de country club van Houston, waar ze tenniste en zwom en tegen haar zin debuteerde tijdens een societybal; over de conventionele moeder aan wier wensen ze zo ijverig probeerde te voldoen en de lastige vader wie ze het nooit naar de zin kon maken; over de geliefde plekjes waar ze Billy mee naartoe nam toen ze voor het eerst samen naar Houston gingen met de kerst; over de plaatsen waar ze als kind had gespeeld en die hij haar vroeg hem te laten zien, en de dreigende schoonheid van Houstons lelijke *bayous* bij zonsopgang en het smerige water waarin Jamie toch durfde te gaan zwemmen met een wilde oudere zuster, die, zo vertelde hij, het woord uitsprak als 'bajoos', net als de oude Houstonianen.

Ik had hem alleen maar gevraagd iets over haar te vertellen; wat ik kreeg was een speech die bij de inwijding van een groot gebouw niet zou hebben misstaan. Er was niets vreemds aan zo'n geheid vertoon van tederheid – mannen die tot over hun oren verliefd zijn kunnen een Xanadu maken van Buffalo als hun geliefde daar is opgegroeid – en toch was zijn verering voor Jamie en Jamies Texaanse meisjesjaren zo onverhuld vurig dat het wel leek of hij me vertelde over iemand die hij in de gevangenis had verzonnen, over de Jamie die ík in de gevangenis had verzonnen. Het was zoals het in een meesterwerk van mannelijke devotie moest zijn: zijn verering voor zijn vrouw vormde zijn sterkste band met het leven.

Hij werd elegisch toen hij me over de route vertelde die ze samen jogden als ze bij haar ouders op bezoek gingen.

'River Oaks, waar ze wonen, is in Houston een anomalie. Een oude wijk met oude huizen, ook al zijn er al een paar mooie gesloopt om plaats te maken voor karakterloze nieuwbouw. Jamies wijk is een van de laatste in Houston waar nog enig gevoel voor het verleden leeft. Prachtige huizen, grote eiken, magnolia's, wat dennen. Enorme met veel zorg onderhouden tuinen. Ploegen tuinpersoneel. Mexicanen. Op donderdag en vrijdag staan er rijen pick-ups van hoveniersbedrijven langs de straten met legers arbeiders die snoeien en knippen en maaien en planten voor het weekend, voor de feesten en bijeenkomsten die dan worden gehouden. We joggen door het oude deel van River Oaks, waar de oorspronkelijke oliefamilies al twee of drie generaties hun grote pied-à-terre hebben. We joggen langs de oudere huizen en door een vrij drukke straat en dan komen we bij de bayou die vanaf River Oaks door een park loopt, waar je kilometers kunt joggen tot je in het centrum bent. Of we rennen langs de bayou en weer terug. Vlak na zonsopgang is het er heerlijk koel. Het rustige, discrete deel van River Oaks, waar de mensen niet opvallend consumeren en meerdere Mercedessen voor hun smakeloze nieuwbouwvilla's parkeren, is een prachtige woongemeenschap. Er is een rozentuin waar we bijzonder dol op zijn, een gemeenschapsproject dat door de bewoners wordt onderhouden. Ik geniet van de ochtenden dat ik met Jamie langs die rozentuin loop. Sommige van die oude landgoederen gaan door tot aan de bayou, en om bij het punt te komen waar we de bayou kunnen zien en erlangs kunnen lopen, moeten we River Oaks uit. En daar ligt de rest van Houston. River Oaks is een welvarend eilandje van eenvormigheid, oud-geldfamilies en nieuwgeldfamilies aan de top van het kastenstelsel van Houston, en een groot deel van de rest van de stad is heet en vochtig en plat en lelijk – tatoeagestudio's naast kantoorgebouwen, sportschoenenwinkels in bouwvallige huizen, een allegaartje. Het mooiste in de stad vind ik de oude begraafplaats met de oude eiken waar een paar familieleden van Jamie liggen, vlak bij de bayous, bijna in het centrum.'

'Is Jamies familie oud geld of nieuw?' vroeg ik.

'Oud. Het oude geld is oliegeld, en het nieuwe is verdiend in de vrije beroepen.'

'Hoe oud is het oude geld?'

'Nog niet zo oud, want Houston is nog betrekkelijk jong. Maar zo oud als de tijd van de oliemagnaten, zoals Jamies grootvader, wanneer dat ook geweest mag zijn.'

'En hoe vond het oude geld van Houston het dat jij een jood was?' vroeg ik.

'Daar waren haar ouders niet blij mee. Haar moeder huilde alleen maar. Maar haar vader spande de kroon.

Toen Jamie thuis kwam vertellen dat we ons verloofd hadden, verborg hij zijn hoofd in zijn handen, en dat bleef hij vanaf dat moment doen telkens als mijn naam werd genoemd. Als ze hem mailde vanuit het oosten wachtte hij met opzet drie, vier weken met antwoorden. Dan keek ze elk uur of ze mail had, en dan had hij nog niet gereageerd. Een bullebak van de oude stempel, die vent. Een waardeloze vader. Egoïstisch. Onattent. Opvliegend. Totaal niet voor rede vatbaar. Overheersend. Boosaardig. Een onbehouwen rotzak in hart en nieren. Stel je voor: opzettelijk je eigen dochter niet antwoorden om haar te breken, welbewust en weloverwogen van je dochters fatsoen gebruikmaken om haar met een schuldgevoel op te zadelen. *Vermorzelen* wil hij haar. En mij erbij, natuurlijk. Ik had hem nog nooit gezien, en hij mij niet, en toch wilde hij me beschadigen. En wie had ooit doelbewust geprobeerd mij te beschadigen? Bij mijn weten niemand, meneer Zuckerman, niemand. Maar die ploert vindt dat hij het volste recht heeft om een man van wie zijn dochter houdt te beschadigen! Nu is Jamie een goede dochter, een heel goede dochter – ze had haar uiterste best gedaan om van deze man te houden die zich constant bleef misdragen, haar uiterste best, ondanks haar afkeer van de manier waarop hij haar moeder kleineerde, van zijn politieke denkbeelden en zijn arrogante rechtse vrienden. Nadat hij haar weer eens drie weken niet gemaild had, stuurde hij haar een mailtje van één zin: "Ik hou van je, schatje, maar ik kan die jongen niet accepteren." Maar Jamie Logan heeft lef, waardigheid en lef, en hoewel de ouweheer de financiële touwtjes in handen had, hoewel hij liet doorschemeren – en niet al te fijntjes – dat hij haar, als ze per se met een jood wilde trouwen, zou onterven, gaf ze geen krimp. Ze zette door en uiteindelijk kon de racistische klootzak ofwel zijn vijandschap opzouten en me accepteren, ofwel zijn geliefde summa-cum-laude-dochter verliezen. Een gewoon meisje van vijfentwintig, minder moedig dan Jamie, minder onafhankelijk, zou hebben gecapituleerd. Maar Jamie is geen gewoon meisje. Jamie is noch verwend, noch een bedriegster, noch gespeend van eergevoel, en ze zal zich nooit ofte nimmer onderwerpen aan iets wat ze verfoeit. Jamie is geweldig. Ze zei tegen mij: "Ik hou van je en ik wil je hebben, en ik laat me niet kopen met zijn geld." Wat ze tegen hem zei, kwam erop neer dat hij zijn geld in z'n jeweetwel kon steken, en zo was zíj degene die uiteindelijk hém vermorzelde. O, meneer Zuckerman, het was zoiets moois om Jamie voet bij stuk te zien houden. Al zou je denken dat haar vader eraan gewend was geraakt tegen de tijd dat ze aan mij toekwam. Met "eraan" bedoel ik aan Jamie en aan joden. Van hun country club kunnen nu ook joden lid worden. Dat zou niet gekund hebben in haar grootvaders tijd, of zelfs maar vijftien jaar geleden, bij de generatie van haar vader. Het is allemaal nog vrij nieuw. Net als het toelaten van joden en zwarten op Kinkaid. Dat is ook betrekkelijk nieuw. Die joodse meisjes waren Jamies studievriendinnen. U kunt u voorstellen hoe moeilijk de grote driftkop het daarmee had. Maar ze waren begaafd en intelligent, en ze deden niet hun best om hun boekenliefde te verbergen om populair te zijn. De broer van een van Jamies joodse vriendinnen – Nelson Speilman, die aan St. John's studeerde, de andere prestigieuze voorbereidingsschool in Houston – was twee jaar lang haar vriend, tot hij in het jaar voordat zij van Kinkaid afstudeerde naar Princeton vertrok. Jamie was een van de vlijtige studiehoofden in een uiterst beschermde omgeving waar aanvaard worden door de groep alles betekent. Het is een school waar het footballteam stemt voor de reüniekoningin en waar de meisjes niet gezien mogen worden met een jongen van een openbare school, maar alleen met jongens van Kinkaid of St. John's. De jongens van Kinkaid rijden in Bronco's en jagen en kijken naar sport, en ze willen allemaal naar de Universiteit van Texas en er wordt veel gedronken en veel door ouders de andere kant op gekeken.'

'Je weet veel over haar school. En je weet veel over haar stad.'

'Het fascineert me,' zei hij lachend. 'Echt waar. Ik ben verslaafd aan Jamies achtergrond.'

'En dat was nooit gebeurd bij een meisje met wie je vóór haar uit was geweest?'

'Nooit.'

'Nou,' zei ik, 'dat lijkt me geen slechte reden om met haar te trouwen.'

'O,' zei hij schertsend, 'er zijn er nog wel een paar.'

'Dat lijkt me ook,' zei ik.

'Ze maakt telkens weer dat ik trots op haar ben. Weet u wat ze vier jaar geleden deed toen haar oudere zuster, Jessie, die wilde meid, in het laatste stadium van de ziekte van Lou Gehrig was? Ze pakte haar koffer en nam het vliegtuig naar Houston en bleef bij Jessie waken en haar verzorgen tot ze stierf. Ze bleef daar dag en nacht, vijf afschuwelijke, ellendige maanden, terwijl ik hier in New York was. Het is een nachtmerrieachtige ziekte. Meestal zijn mensen die het krijgen ouder dan midden vijftig, maar Jessie was dertig toen haar handen en voeten opeens zwakker werden en de diagnose werd gesteld. Na verloop van tijd sterven alle motorische zenuwen af, maar omdat alleen de hersenen gespaard blijven, is de patiënt zich er volledig van bewust dat ze een levend lijk is. Op het laatst kon Jessie alleen nog haar oogleden bewegen. Zo communiceerde ze met Jamie: door te knipogen. Vijf maanden lang week Jamie niet van haar zijde. Ze sliep op een veldbed in Jessies kamer. Hun moeder was al vroeg ingestort en tot niets meer in staat, en hun vader was van begin tot eind volmaakt zichzelf – wou niets te maken hebben met de dochter die hem had ontriefd door een dodelijke ziekte te krijgen. Wilde niets voor haar doen, wilde na een poosje niet eens meer haar kamer in om een vaderlijk woordje te zeggen om haar te troosten, laat staan haar aan te raken of haar een kus te geven. Ging door met geld verdienen alsof alles thuis prima in orde was, terwijl zijn jongste dochter, zesentwintig, zijn oudste dochter, vierendertig, hielp te sterven. Maar de nacht voordat het zover was, voordat Jessica bezweek, zat hij met Jamie in de keuken, waar het dienstmeisje iets voor hen te eten maakte, en toen kreeg hij het opeens te kwaad. In de keuken kreeg hij het te kwaad en begon hij te snotteren als een kind. Hij klampte zich aan Jamie vast, en weet u wat hij toen tegen haar zei? "Was ik het maar, in plaats van zij." En weet u wat Jamie toen tegen hem zei? "Was dat maar zo." Dat is het meisje op wie ik verliefd ben geworden. Dat is het meisje met wie ik getrouwd ben. Dat is Jamie.'

Toen Jamie binnenkwam met haar tassen vol etenswaren, zei ze: 'Op straat zei iemand tegen me dat Ohio niet goed gaat.' 'Ik heb net met Nick gesproken,' zei Billy. 'Kerry gaat het winnen in Ohio.'

Ze wendde zich tot mij. 'Ik weet niet wat ik zou doen als Bush herkozen werd. Het zou het einde betekenen voor een hele manier van politiek leven. Al hun onverdraagzaamheid richt zich tegen een progressieve maatschappij. Dat betekent dat de verworvenheden van links steeds verder worden teruggedraaid. Het wordt een verschrikking. Ik denk niet dat ik daar nog mee kan leven.'

Tijdens haar jachtige betoog had Billy de boodschappen van haar overgenomen en was hij de keuken in gegaan om alles op te bergen.

'Het is een flexibel instrument dat we geërfd hebben,' antwoordde ik. 'Het is een wonder wat we allemaal kunnen verdragen.'

Mijn poging tot vertroosting scheen door haar als neerbuigendheid te worden opgevat, en in antwoord op de veronderstelde belediging was haar toon bijna vinnig toen ze zei: 'Hebt u ooit zo'n verkiezing als deze meegemaakt? Een verkiezing waar zoveel van afhing?'

'Een paar. Deze heb ik niet gevolgd.'

'O nee?'

'Ik heb het je pas nog gezegd: ik volg dat soort dingen niet meer.'

'Dus het kan u niet schelen wie er wint.' Ze keek me streng afkeurend aan vanwege de opzettelijke aard van mijn onwetendheid.

'Dat heb ik niet gezegd.'

'Dit zijn verschrikkelijke, slechte mensen,' zei ze, in navolging van haar echtgenoot. 'Ik ken die mensen. Ik ben tussen die mensen opgegroeid. Als ze wonnen, zou dat niet alleen maar een schande zijn; het zou echt een ramp kunnen worden. De ruk naar rechts in ons land is een beweging die politieke instellingen wil vervangen door moraal – hún moraal. Seks en God. Xenofobie. Een cultuur van totale onverdraagzaamheid...'

Ze was te geërgerd door de bedreigende wereld waarin ze leefde om zich in te houden – en, om wat voor reden dan ook, zich volkomen beleefd tegen mij te gedragen – en dus hoorde ik haar maar aan zonder nog een dwaze poging te ondernemen om de ridderlijke queeste naar de Heilige Graal van haar aandacht te beginnen. Van haar slanke figuur met de volle boezem en het gordijn van zwart haar genoot ik niet minder dan op de avond dat ik de flat was komen bezichtigen. Toen ze terugkwam van het boodschappen doen, droeg ze een wijnkleurige, nauwsluitende ribfluwelen blazer, die ze had uitgedaan nadat Billy haar van de boodschappentassen had verlost – uitgedaan samen met haar laaggehakte donkerbruine laarzen. Onder de blazer droeg ze een geribbelde zwarte kasjmieren coltrui die ook nauwsluitend was, evenals de donkere spijkerbroek waarvan de pijpen iets wijd uitliepen, waarschijnlijk om de laarzen de ruimte te geven. Voor binnenshuis had ze een paar platte schoenen aangetrokken die veel van balletschoentjes weg hadden. Hoewel de berekening subtiel was, zag ze er niet uit alsof ze per se onschuldige bedoelingen had met de manier waarop ze zich kleedde, of dat ze geen vertrouwen had in haar vermogen de bewondering van mannen te wekken. Kon het haar iets schelen of ik even geïmponeerd was als de anderen? Zo niet, waarom had ze zich dan zo aantrekkelijk aangekleed als ze alleen maar eten wilde gaan kopen en de verkiezingsuitslag zien? Of had misschien het bezoek van een onbekende haar tot het dragen van iets aantrekkelijks aangespoord? Hoe dan ook, de verlokking van haar kleding werd geëvenaard door die van haar stem, het snelle praten, warm en muzikaal, ook al was ze overstuur, en met veel Texas erin, of haar deel van Texas, een ontspanning van klinkers, een verzachting, en ook het ietwat luie aan elkaar verbinden van de woorden, waarbij het ene woord overging in het volgende. Het was niet het soort nasale geluid dat pijn doet aan je oren – niet de Texaanse wildwest-tongval die George W. Bush zich heeft aangemeten, maar het meer bij het Zuiden passende, welopgevoede Texaanse accent dat zijn in Massachusetts geboren vader had opgepikt. Het heeft iets verfijnds, zeker zoals het gesproken wordt door Jamie Logan. Maar misschien is het gewoon het accent van de crème van River Oaks en de Kinkaid School.

Ik was even blij als Billy dat ze weer thuis was. Het deed

er niet toe dat haar kleren niets met mijn aanwezigheid van doen hadden. Omdat het zo doelbewust gebeurde, school er iets uiterst opwindends in haar weigering mij te gerieven. Er bestaat geen omstandigheid waarmee verliefdheid zich niet kan voeden. Haar aanblik gaf me een visuele schok – ik liet haar mijn ogen binnenkomen zoals een degenslikker een degen slikt.

Billy zei, als sprak hij tegen een ziek kind: 'Jij gaat geen ramp beleven, hoor. Straks loop je te dansen op straat.'

'Nee,' antwoordde ze, 'nee, dit land is een vrijplaats van de domheid. Ik kan het weten, ik kom van de bron. Bush richt zich rechtstreeks tot de domme kern. Dit is een heel achterlijk land, het volk laat zich zo gemakkelijk verlakken, en hij is precies een kwakzalver die een wondermiddel aanprijst...' Ze moest zo al maanden hardop hebben lopen piekeren, maar nu leek ze voorlopig uitgepraat, en ik vroeg me af of ze iemand was die nooit iets op niet-ernstige toon kon zeggen, of dat de verkiezing alles overheerste en ik op dit moment geen beeld kon krijgen van hoe Jamie was zonder rampzalige situatie en of haar reactie op de grote wereld ooit anders was dan zo pijnlijk fel.

We zetten ons om de salontafel met de borden, het bestek en de linnen servetten die Billy had klaargelegd, bedienden ons van de schotels met eten en keken, onder het gestaag legen van mijn twee flessen wijn, naar het scherm, waar de beschikbare uitslagen van staat na staat werden getabelleerd. Even na tienen werden de telefoontjes van Nick op het Democratisch hoofdkwartier minder optimistisch, en tegen kwart voor elf werden ze somber. 'De exitpolls,' vertelde Billy ons nadat hij had opgehangen, 'blijken niet erg te kloppen. Ohio ziet er niet goed uit en hij gaat het niet winnen in Iowa en evenmin in New Mexico. Florida is verloren.'

Dit wisten we voornamelijk van de televisie, maar Jamie

had geen vertrouwen in de televisieberekeningen, en daarom riep ze na Nicks telefoontje ietwat aangeschoten: ‘Dit is dus de avond voor het allemaal nog erger werd! Ik weet niet wat ik ervan moet denken!’ terwijl ik dacht: op een gegeven moment komt de capitulatie, maar tot die tijd wordt het een hele toer om de illusies uit te bannen. Tot die tijd zal ze tekeergaan of zich verstoppen als een gewond dier. Zich verstoppen in mijn huis. In deze kleren. Zonder kleren. In mijn bed, naast Billy, ongekleed.

‘Ik weet het niet meer!’ riep ze opnieuw. ‘Nu kan niets ze nog tegenhouden, behalve Al Qaida.’

‘Lieverd,’ zei Billy zachtjes, ‘we weten nog niet wat er gaat gebeuren. Laten we nog even afwachten.’

‘O, wat is de wereld toch stompzinnig,’ riep Jamie met tranen in haar ogen. ‘De vorige keer leek het nog stom toeval. Toen had je Florida en Nader. Maar hier begrijp ik niks van. Ik kan het gewoon niet geloven! Het is onvoorstelbaar! Ik ga me laten aborteren. Het kan me niet schelen of ik wel of niet zwanger ben. Laat je aborteren nu het nog kan!’

Bij het maken van deze wrange grap keek ze mij aan, niet zonder antipathie – keek ze me aan zoals iemand die uit een brandend gebouw wordt geholpen of uit een autowrak wordt bevrijd je kan aankijken, alsof je als toeschouwer iets te zeggen zou kunnen hebben wat de catastrofe kan verklaren die alles veranderd heeft. Alles wat ik haar zou kunnen zeggen zou ze waarschijnlijk schijnheilig gefemel vinden. Ik had willen herhalen: het is een wonder wat we allemaal kunnen verdragen. Ik had willen zeggen: als je in Amerika denkt zoals jij, heb je negentig procent kans om te falen. Ik had willen zeggen: het is erg, maar niet zo erg als wakker worden op de ochtend na het bombardement op Pearl Harbor. Het is erg, maar niet zo erg als ontwaken op de ochtend na de moord op Kennedy. Het is erg, maar niet zo erg als ontwaken op de ochtend na de moord op Martin Luther King. Het is erg, maar niet zo erg als ontwaken op de ochtend na het doodschieten van de studenten aan de Kent State Universiteit. Ik had willen zeggen: we hebben het allemaal meegemaakt. Maar ik zei niets. Ze wilde trouwens geen woorden. Ze wilde moord. Ze wilde ontwaken op de ochtend na de moord op George Bush.

Billy was degene die zei: 'Ze gaan een keer voor de bijl, lieverd. Door het terrorisme.'

'Maar wat heeft het voor zin om ermee te leven?' vroeg Jamie, en zo diep was haar wanhoop en zo groot haar kwetsbaarheid dat ze in tranen uitbarstte.

Hun beider mobieltjes begonnen te rinkelen: de bitter ontgoochelde vrienden die belden, veelal ook in tranen. De eerste keer had, zoals Jamie zei, stom toeval geleken, maar deze verkiezing betekende voor hun idealisme een tweede verpletterende slag en het dagen van de harde waarheid dat ze van hun land niet meer het Roosevelt-bastion konden maken dat het zo'n veertig jaar voor hun geboorte was geweest. Met al hun intelligentie, hun welbespraaktheid en wereldwijsheid, en ondanks Jamies kennis van het rijke Republikeinse Amerika en het soort domheid waarvan Texas de bakermat was, hadden ze geen idee wie de grote massa van het Amerikaanse volk waren, en hadden ze nooit eerder zo duidelijk gezien dat het niet de gestudeerden zoals zijzelf waren die het lot van het land bepaalden, maar die tientallen miljoenen anderen van wie ze niets wisten, die Bush een tweede kans hadden gegeven om, in Billy's woorden, 'iets heel groots te gronde te richten'.

Ik zat daar, in wat spoedig het huis zou zijn waarin ik elke ochtend zou ontwaken, te luisteren naar het echtpaar dat spoedig elke dag in mijn huis zou ontwaken, een plek waar je, als je dat wilde, je woede over hoeveel erger het allemaal nog was dan je dacht en het verdriet over hoe diep je land was gezonken, kon uitwissen en, als je jong was en optimistisch en begaan met je wereld en nog vol van je verwachtingen, in plaats daarvan kon leren je geen zorgen meer te maken om het Amerika van 2004 – om te leven en jezelf niet te kwellen met alle domheid en corruptie om je heen – door voldoening te zoeken in je boeken, je muziek, je partner en je tuin. Kijkend naar dit stel begreep ik maar al te goed waarom iemand van hun leeftijd met hun wensen en verlangens afstand wilde nemen van de ontrouwe minnaar die hun land was geworden.

'Terrorisme?' riep Jamie in haar mobieltje. 'Maar alle staten die met terrorisme te maken hebben gehad, de plaatsen waar aanslagen zijn gepleegd en de plaatsen waar de mensen vandaan kwamen die zijn gedood – die hebben allemaal voor Kerry gestemd! New York, New Jersey, D.C., Maryland, Pennsylvania – geen van alle wilden ze Bush! Kijk naar de kaart ten oosten van de Mississippi. Het is de Verenigde Staten tegen de Geconfedereerde Staten. Dezelfde tweedeling. De oude Confederatie heeft voor Bush gestemd!'

'Wil je weten wat de volgende zieke oorlog wordt?' vroeg Billy aan iemand. 'Ze hebben een overwinning nodig. Een schone overwinning, zonder een smerige bezetting. Nou, die ligt honderdvijftig kilometer van de kust van Florida. Ze leggen een verband tussen Castro en Al Qaida en verklaren de oorlog aan Cuba. De voorlopige regering zit al in Miami. De kadastrale kaarten zijn al getekend. Wacht maar af. In hun oorlog tegen de ongelovigen is Cuba nu aan de beurt. Wie houdt ze tegen? Ze hebben zelfs Al Qaida niet nodig. Ze zijn uit op nog meer geweld, en Cuba is zelf al crimineel genoeg. Het selecte gezelschap dat hem gekozen heeft, zal het prachtig vinden. Jaag de laatste communisten de zee in.'

Ik bleef lang genoeg hangen om hen met hun ouders te kunnen horen praten. Inmiddels waren ze zo uitgeput dat ze alleen nog maar konden wensen dat ze ouders hadden bij wie ze hun gevoelens de vrije loop konden laten en die hen vervolgens steunden. Allebei waren het plichtsgetrouwe kinderen, dus toen het tijd was belden ze plichtsgetrouw op, maar Jamies ouders waren, zoals ik uit Billy's verslag van Jamies Houston had vernomen, leden van dezelfde country club als George Bush senior – en dus probeerde Jamie zichzelf tijdens het telefoongesprek tevergeefs voor te houden dat ze een getrouwde vrouw was die op meer dan zestienhonderd kilometer afstand woonde van de plaats waar haar een bevoorrechte status was ingeprent door aartsconservatieve Texanen, aangevoerd door haar vader, die ze vooral verachtte om zijn ontstellende onverschilligheid jegens haar stervende zuster en die ze ronduit en obstinaat had getart met haar uitdaging zich door hem te laten onterven door brutaalweg te trouwen met een jood.

Ze was inmiddels voor mij veel meer geworden dan een mooie vrouw naar wie ik keek. In haar stem kon je horen hoe geslagen ze was, niet het minst door het feit dat haar ouders juist het soort mensen waren waar haar linkse geweten een afkeer van had, en toch was ze nu eenmaal nog steeds hun dochter en had ze nog steeds de behoefte met haar problemen bij hen aan te kloppen. Je hoorde zowel de sterke band als het sterke verzet ertegen. Je hoorde wat het haar had gekost om een nieuwe persoonlijkheid te scheppen en wat het had opgeleverd.

Billy's ouders in Philadelphia waren allerminst afstandelijk of vijandig of weerzinwekkend, ze waren hem duidelijk zeer dierbaar, maar toen hij de telefoon neerlegde schudde hij zijn hoofd en moest hij zijn halfvolle wijnglas leegdrinken voordat hij iets zei. Zijn vriendelijke gezicht was niet in staat zijn teleurstelling en vernedering te verbergen, en zijn tedere hart dat altijd op de gevoelens van anderen was afgestemd, stond hem niet toe uiting te geven aan zijn afkeer en daarmee de pijn iets te verzachten. Op dit moment had het tedere hart geen nuttige functie, en was Billy totaal de kluts kwijt. 'Mijn vader heeft op Bush gestemd,' zei hij, even verbaasd als wanneer hij ontdekt zou hebben dat zijn vader een bank had beroofd. 'Dat vertelde mijn moeder me net. En toen ik haar vroeg waarom, zei ze: "Israël." Ze had hem helemaal klaargestoomd om op Kerry te stemmen, en toen hij uit het stemhokje kwam, zei hij tegen haar: "Ik heb het gedaan voor Israël." "Ik had hem wel kunnen vermoorden," zei mijn moeder. "Hij gelooft nog steeds dat ze die massavernietigingswapens zullen vinden."'

Terug in mijn hotel schreef ik deze kleine scène:

HIJ

Je hebt me niet verteld dat we elkaar al eerder hebben ontmoet.

ZIJ

Ik dacht dat het niet belangrijk was, dat je het je niet meer zou herinneren.

HIJ

Ik dacht dat *jíj* je het misschien niet meer herinnerde.

ZIJ

Nee, ik weet het nog.

HIJ

Weet je nog waar we elkaar hebben ontmoet?

ZIJ

De Signet.

HIJ

Precies. Kun je je nog iets van die dag herinneren?

ZIJ

Ja, nog heel goed. Ik was lid van de Signet, maar ik ging er niet vaak lunchen. En een vriendin van me belde en zei dat ze jou had uitgenodigd om de volgende dag te komen lunchen, en dat ze niet zeker wist of je wel zou komen, maar dat je het had beloofd en dat ik ook moest komen. Dus kwam ik. Ik nam Richard mee, en gelukkig kwam ik aan jouw tafel te zitten in plaats van aan de tafel in de andere zaal. Ik ging zitten en jij kwam binnen en kwam aan onze tafel zitten, en onder het eten keek ik naar je.

HIJ

Je zei niets, maar je zat wel naar me te staren.

ZIJ

(*Met een verontschuldigend lachje*) Als ik brutaal was, dan spijt me dat.

HIJ

Ik staarde terug. En niet alleen uit zelfverdediging. Weet je dat nog?

ZIJ

Ik dacht dat ik het me misschien verbeeldde. Ik kon niet geloven dat ik een reactie zou krijgen. Ik kon niet geloven dat je notitie van me zou nemen. Ik dacht dat je onbenaderbaar was. Weet je echt nog dat je tegenover mij zat?

HIJ

Het is nog maar tien jaar geleden.

ZIJ

Tien jaar is lang om je iemand te herinneren met wie je niet praat. Wat voor indruk maakte ik op je?

HIJ

Ik kon niet zeggen of je verlegen was of alleen maar heel stil en gereserveerd.

ZIJ

Allebei.

HIJ

Was je de avond daarvoor naar de voorlezing geweest?

ZIJ

Ja. Ik weet nog dat ik na de lunch in de zitkamer op een leren bank heb gezeten. Ongeveer de helft van ons bleef. Ik dacht: wat moet die man zich opgelaten voelen. Wij allemaal om hem heen, wachtend tot hij iets zei dat we allemaal thuis in ons dagboek konden schrijven.

HIJ

Heb jij ook thuis in je dagboek geschreven?

ZIJ

Ik zou mijn dagboek erop na moeten kijken. Dat kan ik, moet je weten. Ik zou het kunnen, als je het zou willen. Ik heb ze allemaal bewaard. Wat vond je van die dag?

HIJ

Ik weet niet meer wat ik ervan vond. Er werd me wel meer gevraagd zoiets te doen. Meestal vragen ze je een college bij te wonen. Dat doe je, en dan ga je naar huis. Maar waarom heb je het laatst niet gezegd, toen we elkaar ontmoetten?

ZIJ

Waarom zou ik jou eraan herinneren dat ik je aan tafel zat aan te gapen? Ik weet niet, ik maakte er voor mezelf geen geheim van. We gaan van woning ruilen. Ik zag niet in waarom ik zou vertellen van die keer dat ik in een collegezaal naar je zat te staren. Waarom heb je ja gezegd toen je werd gevraagd te gaan lunchen met een stelletje studenten?

HIJ

Ik zal wel gedacht hebben dat het interessant kon zijn. De avond daarvoor had ik alleen maar een uurtje voorgelezen en wat vragen beantwoord. Ik had niemand anders ontmoet dan de mensen die me hadden uitgenodigd. Ik herinner me er niets meer van, behalve jou.

ZIJ

(*Lachend*) Flirt je met mij?

HIJ

Ja.

ZIJ

Dat lijkt me zo onwaarschijnlijk dat ik het haast niet kan geloven.

HIJ

Jammer. Het is helemaal niet zo onwaarschijnlijk.

Toen ik de scène in bed overlas alvorens te gaan slapen, dacht ik: als er ooit iets was wat je beter niet had kunnen doen, dan is het dit. Nu krijg je haar nooit meer uit je hoofd.

New York was de volgende dag een verschrikking, met al die woedende mensen die rondliepen met mistroostige en ongelovige gezichten. Het was stil; er was zo weinig verkeer dat je het nauwelijks kon horen in Central Park, waar ik met Kliman had afgesproken op een bank niet ver van het Metropolitan Museum. Er stond een boodschap van hem op mijn voicemail in het hotel toen ik rond middernacht van mijn bezoek aan West Seventy-first Street terugkwam. Ik had het gemakkelijk kunnen negeren, en dat was ik ook van plan, totdat ik, in de ban van deze onstuimige wederdoop – en gestimuleerd door het vooruitzicht van een ontmoeting met Amy Bellette, wier adres ik waarschijnlijk van hem te weten kon komen – de volgende ochtend Kliman belde op het nummer dat hij had ingesproken, hoewel ik eerder twee keer de hoorn op de haak had gegooid.

'Caligula wint,' zei hij toen hij opnam. Hij verwachtte iemand anders, en na een seconde te hebben gewacht zei ik: 'Naar het schijnt, ja, maar je spreekt met Zuckerman.'

'Het is een zwarte dag, meneer Zuckerman. Ik moet al de hele morgen door het stof. Ik had het niet voor mogelijk gehouden. Heeft het volk voor morele waarden gestemd? Wat zijn dat voor waarden? Liegen om ons een oorlog in te slepen? De waanzin! De waanzin! Het Hooggerechtshof. Rehnquist is morgen dood. Bush maakt Clarence Thomas opperrechter. Hij mag twee, drie, wie weet zelfs vier rechters benoemen – rampzalig!'

'Je hebt gisteren een boodschap ingesproken in verband met onze afspraak.'

'O, ja?' vroeg hij. 'Ik heb niet geslapen. Niemand die ik

ken heeft geslapen. Een vriend van me die in de bibliotheek in Forty-second Street werkt, belde me en zei dat er mensen op de bibliotheektrap stonden te huilen.'

Ik kende de theatrale emoties die door de gruwelen van de politiek worden ingegeven. Van de transformatie van de vredeskandidaat Lyndon Johnson tot Vietnamhavik in 1965 tot het aftreden van de bijna afgezette Richard Nixon in 1974 vormden ze een vast bestanddeel van het repertoire van vrijwel al mijn bekenden. Je bent diepbedroefd en geschokt en een beetje hysterisch, of je bent blij en voor het eerst in tien jaar een tevreden mens, en de enige manier om je hart te luchten is er theater van te maken. Maar ik was nu alleen nog maar toeschouwer en buitenstaander. Ik bemoeide me niet met het publieke drama, en het publieke drama bemoeide zich niet met mij.

'Religie!' riep Kliman. 'Waarom kijken ze niet in een kristallen bol als ze de waarheid willen weten? Stel dat de evolutietheorie allemaal onzin blijkt te zijn, stel dat Darwin echt maf was. Zou hij dan in de verste verte zo maf kunnen zijn als het verhaal in Genesis over het ontstaan van de mens? Dit zijn mensen die niet in kennis geloven. Ze geloven niet in kennis zoals ik niet in godsdienst geloof. Ik heb zin om de straat op te gaan,' zei Kliman, 'en een lange toespraak te houden.'

'Het zou niet baten,' zei ik.

'U kunt het weten. Wat dan wel?'

'De seniele oplossing: zet het uit je hoofd.'

'U bent niet seniel,' zei Kliman.

'Maar ik heb het wel uit mijn hoofd gezet.'

'Alles?' vroeg hij, een glimpje biedend van een mogelijk verband dat hij zou kunnen uitbouwen en exploiteren: de jongeman die de oudere man om wijze raad vraagt.

'Alles,' antwoordde ik naar waarheid – en alsof ik in zijn valletje was getrapt.

Kliman jogde rond het ovaal van het grote groene gazon en zwaaide naar me toen ik de bank in Central Park naderde waar we hadden afgesproken. Ik wachtte hem op en bedacht dat, sinds ik mijn principiële fout had gemaakt – om voor de collageenbehandeling naar New York te komen – mijn weloverwogen handelen had plaatsgemaakt voor een grillige zwerftocht die me naar een vernieuwing had gevoerd waarvan ik nooit geweten had dat ik er ook maar een ogenblik naar had verlangd. Waarom de fundamentele eenheid van je leven verstoren en de patronen van voorspelbaarheid veranderen als je eenenzeventig bent? Was er een beter recept denkbaar voor desoriëntatie, frustratie, een instorting zelfs?

'Ik moest dat geteisem even uit mijn hoofd zetten,' zei Kliman. 'Ik dacht dat een eindje hollen wel zou helpen. Maar niet dus.'

Hij was geen vriendelijke, mollige Billy, maar ruim over de honderd kilo, zeker een meter negentig, een forse, lenige, imposante jongeman met een bos donker haar en lichtgrijze ogen die het wonder waren dat lichtgrijze ogen zijn in het menselijk dier. Een prachtige fullback met de bouw van een stormram. Mijn eerste (onbetrouwbare) indruk was die van iemand die ook leed aan een soort algehele verbijstering – al op zijn achtentwintigste gefnuikt door de weigering van de wereld zich zonder slag of stoot te onderwerpen aan zijn kracht en schoonheid en de dringende persoonlijke behoeften die zij dienden. Dat viel op zijn gezicht te lezen: de woede om een onverwacht, totaal belachelijk verzet. Hij moest wel een heel ander soort minnaar voor Jamie zijn geweest dan de jongeman met wie ze was getrouwd. Terwijl Billy blijk gaf van de zachte, bekwame tact van een zorgzame broer, had Kliman nog veel van de schoolpleintiran. Dat viel me op toen hij belde in mijn hotel, en zo was het: zelfbeheersing was niet zijn parool. En al snel bleek het ook niet het mijne te zijn.

In korte hardloopbroek, hardloopschoenen en een vochtig sweatshirt kwam hij neerslachtig naast me zitten, zijn ellebogen op zijn knieën en zijn hoofd in zijn handen. Druipend van het zweet – zo komt hij naar een afspraak met iemand die een sleutelrol in zijn eerste grote professionele onderneming speelt, iemand die hij ontzettend graag voor zich wil winnen. Oké, hij is echt, dacht ik, wat hij verder ook mag zijn, en al is hij een opportunist, dan toch niet de gladde, egoïstische opportunist waarvoor ik hem na ons eerste gesprek had gehouden.

Hij was nog niet klaar met zijn betoog over de verkiezing. 'Dat een rechtse regering die wordt gedreven door onverzadigbare hebzucht en gesteund door moorddadige leugens en geleid door een bevoorrechte idioot zou beantwoorden aan Amerika's infantiele idee van moraal – hoe valt er met zoiets grotesks nog te leven? Hoe speel je het klaar om je van zo veel afgrondelijke stupiditeit af te schermen?'

Ze waren nu zo'n zes tot tien jaar student-af, dacht ik, en dus kreeg Kerry's nederlaag tegen Bush een prominente plaats in het rijtje extreme historische schokken die hun Amerikaanse leeftijdgenoten mentaal zou vormen, zoals Vietnam de generatie van hun ouders publiekelijk had getekend en zoals de Depressie en de Tweede Wereldoorlog de verwachtingen van mijn ouders en hun vrienden hadden gericht. Ze hadden het amper verholen gesjoemel gezien waarmee Bush in 2000 president was geworden; er waren de terreuraanslagen van 2001 en de onuitwisbare herinnering aan de menselijke poppetjes die uit de hoge ramen van de brandende torens sprongen, en nu was er dit, een tweede overwinning van de 'onbenul' die ze evenzeer verfoeiden om zijn onontwikkelde verstandelijke vermogens als om zijn slinkse nucleaire verzinsels, die bijdroeg aan de gemeenschappelijke ervaring waardoor zij zich zouden onderscheiden van hun jongere broers en zusters en van mensen zoals ik. Voor hen was de regering van Bush junior nooit een regering, maar een regime dat langs gerechtelijke weg de macht had gegrepen. Ze hadden in 2004 hun burgerrecht moeten heroveren, maar faalden daar jammerlijk in, waardoor ze het gevoel hadden, sinds ongeveer elf uur gisteravond, dat ze niet alleen verloren hadden, maar ook op de een of andere manier opnieuw waren bedrogen.

'Je wilde me Lonoffs onvergeeflijke geheim vertellen,' zei ik.

'Ik heb nooit "onvergeeflijk" gezegd.'

'Maar je suggereerde het wel.'

'Weet u iets van zijn kindertijd?' vroeg hij. 'Weet u hoe hij is opgegroeid? Kan ik erop vertrouwen dat u zwijgt over wat ik u ga vertellen?'

Ik leunde achterover op de bank en barstte voor het eerst sinds mijn terugkeer naar New York in lachen uit. 'Jij wilt van de daken schreeuwen waaruit dat zorgvuldig bewaarde en kennelijk ontluisterende "grote geheim" bestaat, en dan vraag je mij zo discreet te zijn het niet verder te vertellen? Jij gaat een boek schrijven waarmee je de waardigheid om zeep helpt die hij zo rigoureus heeft beschermd en die alles voor hem betekende en hem rechtmatig toekwam, en dan vraag je mij of ík te vertrouwen ben?'

'Maar dit is net als ons telefoongesprek. U bent wel erg hardvochtig tegen iemand die u niet eens kent.'

Ik dacht: maar ik ken je wel. Je bent jong en je bent knap en niets geeft je meer zelfvertrouwen dan ook nog sluw te zijn. Je vindt het prettig om sluw te zijn. Het is onder andere daaraan dat je het recht ontleent om schade te berokkenen als jij daar zin in hebt. En strikt genomen berokken je ook geen schade – je maakt gewoon gebruik van een recht, en je zou wel gek zijn om dat op te geven. Ik ken jou: jij wilt de goedkeuring verwerven van de volwassenen die je stiekem door het slijk gaat halen. Dat verschaft je een achterbaks soort genoegen, en bovendien veiligheid.

Er was wat voetgangersverkeer rond het grote ovale grasveld: vrouwen achter kinderwagens, bejaarden aan de arm van zwarte verzorgers en twee joggers in de verte, die ik aanvankelijk voor Billy en Jamie hield.

Ik had een jongen van veertien kunnen zijn op die bank, aan niets anders denkend dan het nieuwe meisje dat op de eerste schooldag naast me had gezeten.

'Lonoff bedankte voor het lidmaatschap van het Nationaal Instituut voor Kunsten en Letteren,' vertelde Kliman intussen. 'Lonoff wilde geen biografie leveren voor *Schrijvers van deze tijd*. Lonoff heeft van zijn leven nooit een interview gegeven en is nooit in het openbaar verschenen. Hij deed alles om zo onzichtbaar mogelijk te blijven in die rimboe waar hij woonde. Waarom?'

'Omdat hij boven alles de voorkeur gaf aan het contemplatieve leven. Lonoff schreef. Lonoff doceerde. 's Avonds las Lonoff. Hij had een vrouw en drie kinderen, een prachtige, onbedorven landelijke woonomgeving en een plezierige achttiende-eeuwse woonboerderij vol open haarden. Hij verdiende een bescheiden inkomen waaraan hij genoeg had. Orde. Zekerheid. Stabiliteit. Wat wilde hij nog meer?'

'Zich verstoppen. Waarom heeft hij zijn hele leven die breidel gedragen? Hij hield zichzelf constant in de gaten – het zit in zijn leven, het zit in al zijn werk. Hij verdroeg zijn beperkingen omdat hij bang was te worden ontmaskerd.'

'En jij wilt wel zo goed zijn hem te ontmaskeren,' zei ik.

Er viel even een ongemakkelijke stilte waarin hij zocht naar een reden om me niet op mijn bek te slaan omdat ik niet ondersteboven was van zijn welsprekendheid. Ik herinnerde me zulke momenten moeiteloos, omdat ik ze zelf had meegemaakt als literair jongmens van ongeveer zijn leeftijd en nieuw in New York, waar ik door schrijvers en critici die toen in de veertig en vijftig waren werd behandeld alsof ik niets wist en niets kon weten, behalve misschien een kleinigheid over seks, een kennis die ze in wezen als zinloos beschouwden, hoewel ze zelf natuurlijk eeuwig aan hun verlangens waren overgeleverd. Maar wat betreft de maatschappij, de politiek, de cultuur, wat betreft 'ideeën' – 'Je begrijpt het niet eens als ik zeg dat je het niet begrijpt,' zei er een tegen me, met zijn vinger zwaaiend voor mijn gezicht. Dat waren mijn grote voorbeelden, de uitzonderlijk begaafde Amerikaanse zonen van geïmmigreerde joodse huisschilders en slagers en kleermakers die toen op hun hoogtepunt waren en de *Partisan Review* redigeerden en schreven voor *Commentary* en *The New Leader* en *Dissent*, lichtgeraakte rivalen die altijd met elkaar overhooplagen en die gebukt gingen onder de emotionele last van een opvoeding door Jiddischsprekende ouders die amper lezen en schrijven konden en wier immigrantenhandicaps en gebrekkige ontwikkeling toorn en tederheid wekten in gelijkelijk fnuikende hoeveelheden. Als ik het waagde mijn mond open te doen, legden die ouderen me minachtend het zwijgen op, ervan overtuigd dat ik niets wist vanwege mijn leeftijd en mijn 'kruiwagens' – die uitsluitend in hun fantasie bestonden, doordat ze zich nooit verdiepten in iemand die jonger was dan zijzelf, tenzij die iemand veel jonger was en mooi en een vrouw. In hun latere jaren, zwaar gekneusd (en financieel geknakt) door huwelijksperikelen en nadat ouderdomskwalen en moeilijke kinderen hun tol hadden geëist, lieten een paar van hen hun vijandschap jegens mij varen en werden vrienden en deden niet per definitie alles wat ik zei altijd als onzin af.

'Ziet u – ik aarzel zelfs om het ú te vertellen,' zei Kliman ten slotte. 'Als ik u vraag of ik u iets in vertrouwen kan vertellen, krijg ik de wind van voren, maar waarom denkt u dat ik de moeite neem om het te vragen?'

'Kliman, waarom vergeet je niet gewoon wat je hebt ontdekt, wat het ook mag zijn? Niemand weet meer wie Lonoff was. Wat voor zin heeft het dan nog?'

'Dát. Hij hoort in de Library of America te staan. Singer staat erin, met drie bundels verhalen. Waarom E.I. Lonoff dan niet?'

'Dus jij gaat Lonoff als schrijver rehabiliteren door hem als mens in diskrediet te brengen. Het genie van het genie vervangen door zijn geheim. Rehabilitatie door diffamatie.'

Toen hij, na weer een verbolgen stilzwijgen, zijn betoog vervolgde, was het op een toon die je aanslaat tegen een kind dat iets maar niet wil begrijpen. 'Hij wordt niet in diskrediet gebracht,' legde hij uit, 'als het boek zo wordt geschreven als ik van plan ben het te schrijven.'

'Het maakt niet uit hoe je het schrijft. Het schandaal doet zijn werk toch wel. Je geeft hem zijn plaats niet terug, je neemt hem die af. En wat is er nu helemaal gebeurd? Dat iemand zich iets "ongepasts" herinnert wat Lonoff vijftig jaar geleden heeft gedaan? Bezoedelende onthullingen over een ander verachtelijk blank manspersoon?'

'Waarom wilt u met alle geweld bagatelliseren wat ik van plan ben? Waarom doet u zo denigrerend over iets waar u niets van weet?'

'Omdat dit schandaalbeluste gewroet in andermans leven dat zich research noemt wel zo ongeveer het smerigste literaire handwerk is dat er bestaat.'

'En het barbaarse gewroet dat zich romankunst noemt?'

'Is dat een karakteristiek van mij?'

'Het is een karakteristiek van de literatuur. Die voedt ook de nieuwsgierigheid. Die zegt dat het openbare leven niet het echte leven is. Die zegt dat er achter het beeld dat je schept nog iets anders is – noem het de waarheid van het ik. Ik doe niets anders dan wat u doet. Dan wat elk denkend mens doet. De nieuwsgierigheid wordt gevoed door het *leven*.'

We waren tegelijkertijd opgestaan. Het lijdt geen twijfel dat ik moest maken dat ik wegkwam van die lichtgrijze ogen, nu angstaanjagend schitterend als gevolg van onze antipathie. In de eerste plaats merkte ik dat de luier in mijn plastic onderbroek die mijn urine moest opnemen en vasthouden, zwaar verzadigd was en dat ik snel naar mijn hotel terug moest om me te wassen en te verschonen. Het lijdt geen twijfel dat ik er verder het zwijgen toe had moeten doen. Waarom had ik anders elf jaar in afzondering geleefd dan om geen woord méér te hoeven zeggen dan er in mijn boeken stond? Waarom anders was ik gestopt met de krant te lezen en naar het nieuws te luisteren en televisie te kijken dan om niets meer te vernemen over alles wat ik niet kon verdragen en waaraan ik niets kon veranderen? Ik had voor een leven gekozen waarin ik geen teleurstellingen meer hoefde te verwerken. Maar het bloed kroop waar het niet gaan kon. Ik was terug, ik was aan de boemel, en niets kon me meer hebben geïnspireerd dan het risico dat ik liep, want niet alleen was Kliman drieënveertig jaar jonger dan ik, een gespierde kolos met alleen zijn hardloopkleren aan, hij was bovendien woedend omdat hij precies die weerstand ontmoette die hij niet kon verdragen.

'Ik zal doen wat ik kan om je te saboteren,' vertelde ik hem. 'Ik ga alles doen wat in mijn vermogen ligt om ervoor te zorgen dat er nooit waar dan ook een boek van jou over Lonoff verschijnt. Geen boek, geen artikel, niets. Geen woord, Kliman. Ik weet niet welk groot geheim je hebt opgegraven, maar het zal nooit het daglicht zien. Ik kan ervoor zorgen dat je niet gepubliceerd wordt en ik zal kosten noch moeite sparen om dat te doen.'

Terug in het drama, terug in het moment, terug in het roerige leven! Toen ik merkte dat ik mijn stem verhief, hield ik me niet in. Er is de pijn van in de wereld te zijn, maar er is ook de sensatie van kracht. Wanneer had ik voor het laatst de opwinding gevoeld van het tegen iemand op te nemen? Geef je intensiteit een kans! Geef je strijdlust een kans! Een reanimerende vleug van de oude competitiegeest verlokte me weer tot mijn oude rol, doordat zowel Kliman als Jamie mijn viriliteit weer had gewekt, mijn viriliteit van geest en gemoed en begeerte en bedoeling, zodat ik weer onder de mensen wilde zijn en weer wilde vechten en weer wilde vrijen en weer het genot van mijn kracht wilde voelen. Alles komt weer tot leven – de viriele man weer tot leven gewekt! Alleen is er geen viriliteit. Er is alleen de kortstondigheid van de verwachting. En daarom, dacht ik, als ik met de jeugd in het strijdperk treed en flirt met alle gevaren die iemand van mijn leeftijd loopt als hij zich te dicht in de buurt van mensen van hun leeftijd waagt, dan solliciteer ik naar een flink pak slaag, dan stel ik mezelf op als schietschijf voor de onwetende jeugd, bulkend van gezondheid en tot de tanden gewapend met tijd. 'Ik waarschuw je, Kliman: laat Lonoff met rust.'

Wandelaars rond het ovale gazon keken in het voorbijgaan naar ons. Sommigen vertraagden hun pas, vrezend dat een oude man en een jonge man slaags zouden raken, waarschijnlijk om een meningsverschil over de verkiezingen, en dat er een slachtpartij op komst was.

'Je stinkt,' riep hij tegen me, 'je meurt! Kruip terug in je hol en crepeer!' Met een atletisch schuifeltje, losjes en soepel, ging hij ervandoor, en over zijn bollende schouder riep hij: 'Je bent ziek, ouwe man, je bent op sterven na dood! Je ruikt naar verrotting! Je ruikt naar de dood!'

Maar wat kon een exemplaar als Kliman weten van de geur van de dood? Ik stonk alleen naar urine.

Ik was alleen maar naar New York gekomen voor datgene wat de behandeling had beloofd. Ik was gekomen op zoek naar verbetering. Echter, door toe te geven aan de wens iets te herwinnen wat ik kwijt was – een wens die ik lang had geprobeerd te onderdrukken – had ik mezelf weer vatbaar gemaakt voor het geloof dat ik op de een of andere manier weer zou kunnen functioneren als de man die ik eens was. Een oplossing lag voor de hand: in de tijd die ik nodig had om naar mijn hotel terug te gaan – en me uit te kleden, een douche te nemen en schone kleren aan te trekken – besloot ik het idee van de woningruil te laten varen en direct naar huis te vertrekken.

Jamie nam op toen ik belde. Ik zei dat ik haar en Billy wilde spreken, en ze antwoordde: 'Maar Billy is er niet. Hij is ongeveer twee uur geleden vertrokken om naar uw huis te gaan kijken. Hij zal zo wel bij uw huisbewaarder aankomen om de sleutel te vragen. Hij zou me bellen als hij er was.'

Maar ik kon me niet herinneren dat ik ervoor had gezorgd dat Billy het huis kon zien of dat Rob hem de sleutel zou geven zodat hij zelf binnen kon komen. Wanneer was dit afgesproken? Het kon niet de vorige avond zijn geweest. Het moest de avond van onze kennismaking zijn gebeurd. Maar ik wist er niets meer van.

Alleen in mijn hotelkamer, zelfs zonder Jamies gezicht voor ogen, voelde ik mezelf hevig blozen, ook al had ik in feite al een aantal jaren moeite met het onthouden van allerhande kleine dingetjes. Om het probleem te bestrijden, was ik begonnen naast mijn dagagenda een gelinieerd schoolschrift bij te houden – zo'n schrift met een zwartwit gemarmerde kaft en de tafels van vermenigvuldiging achterin – waarin ik mijn dagelijkse taken opschreef en, in meer verkorte vorm, mijn telefoongesprekken noteerde, waarover ze gingen, en de brieven die ik schreef en ontving. Zonder dat taakschrift kon ik (zoals ik nog net bewezen had) gemakkelijk vergeten met wie ik, al was het pas gisteren, over wat had gesproken, of wat iemand de volgende dag voor me zou doen. Ik was zo'n drie jaar geleden met het bijhouden van die taakschriften begonnen, toen ik voor het eerst merkte dat een volmaakt betrouwbaar geheugen gaatjes begon te vertonen. Het vergeten was toen nog maar een klein ongemak en ik wist nog niet dat mijn geheugenverlies een voortgaand proces was en dat als mijn geheugen in het tempo van die eerste paar jaren achteruit bleef gaan, mijn vermogen tot schrijven ernstig gevaar zou lopen. Als ik op een ochtend de bladzijde die ik de vorige dag had geschreven zou oppakken en me niet meer zou kunnen herinneren dat ik hem had geschreven, wat moest ik dan beginnen? Als ik het contact met mijn bladzijden verloor, als ik geen boek meer kon schrijven of lezen, wat moest er dan van mij worden? Wat zou er zonder mijn werk van mij overblijven?

Ik liet Jamie niet merken dat ik niet wist waarover ze het had en dat ik in een wereld vol gaten was begonnen te leven waarin mijn geest – vanaf het moment dat ik in New York arriveerde als een buitenaards wezen, als een vreemdeling in de wereld waarin alle andere mensen woonden – heen en weer werd geslingerd tussen obsessie en vergeetachtigheid. Het is alsof er een schakelaar is omgedraaid, dacht ik, alsof ze de stroomcircuits een voor een beginnen af te sluiten. 'Als er vragen zijn,' zei ik, 'laat hem mij dan bellen. Rob weet meer van het huis dan ik, en Billy redt zich daar best.'

Ik vroeg me af of ik zojuist tegen haar niet precies had herhaald wat ik al had gezegd toen we de afspraak maakten dat Billy het huis zou gaan bekijken.

Het was niet het juiste moment om uit te gaan leggen dat ik van gedachten was veranderd. Dat moest maar wachten tot Billy terug was. Wie weet zou hij dan hebben besloten dat mijn huisje niet geschikt was en zou alles probleemloos zijn opgelost.

'Ik dacht dat je wel met hem mee zou zijn gegaan. Vooral omdat je je niet zo geweldig voelt.'

'Ik zit midden in een verhaal,' zei ze, maar ik geloofde niet dat ze was thuisgebleven om te schrijven. De ware reden was Kliman.

'En hoe bevalt Amerika u nu,' vroeg ze, 'op de tweede dag van de wederkomst?'

'De pijn verdwijnt mettertijd,' zei ik.

'Maar Bush niet. En Cheney niet. En Rumsfeld niet. En Wolfowitz niet. En dat mens van Rice ook niet. De oorlog verdwijnt niet. Evenmin als hun arrogantie. Die zinloze, stupide oorlog! En straks beginnen ze nóg een zinloze, stupide oorlog, en nog een en nog een, tot iedereen in de wereld ons wil opblazen.'

'Nou, de kans dat je in mijn huis opgeblazen wordt is niet groot,' zei ik, die een paar minuten eerder de telefoon had gepakt met de bedoeling de overeenkomst te herroepen die haar de veiligheid van mijn woonplek zou hebben verschaft. Maar ik wilde het telefoongesprek niet beëindigen. Ze hoefde niets uitnodigends of uitdagends te zeggen. Ze hoefde alleen maar in mijn oor te praten om me een genot te schenken dat ik in geen jaren had gekend.

'Ik heb je vriend gesproken,' zei ik.

'U hebt mijn vriend grondig in de war gebracht.'

'Hoe weet jij dat? Ik kom nog maar net bij hem vandaan.'

'Hij belde me vanuit het park.'

'Als kind heb ik op het strand eens staan kijken hoe een overmoedige zwemmer ver weg in zee verdronk,' zei ik. 'Niemand wist dat hij in nood verkeerde tot het te laat was. Met een mobiele telefoon had hij om hulp kunnen bellen, net als Kliman, toen het tij hem begon mee te trekken naar zee.'

'Wat hebt u toch tegen hem? Waarom kleineert u hem zo? Wat weet u eigenlijk van hem?' vroeg Jamie. 'Hij heeft groot ontzag voor u, meneer Zuckerman.'

'Ik had eerlijk gezegd het gevoel dat zijn verering een andere wending nam.'

'Het was een belangrijk gesprek voor hem,' zei ze. 'Zijn hele leven draait tegenwoordig om Lonoff. Hij wil een schrijver laten herleven die hij geweldig vindt en wiens werk in de vergetelheid is geraakt.'

'Hóé hij hem wil laten herleven, dat is de vraag.'

'Richard is een serieuze vent.'

'Waarom treed jij op als zijn advocaat?'

'Ik treed op als zijn advocaat omdat ik hem ken.'

Ik wilde liever niet al te ver doordenken over de vraag waarom ze de zaak bepleitte van de serieuze vent die haar studievriend was geweest en met wie (zo kon ik me maar al te goed voorstellen) haar band seksueel was gebleven, ook nadat ze met de haar toegewijde Billy was getrouwd... die er, tussen haakjes, niet was, maar die zich op dit moment honderdvijftig kilometer ten noorden van New York bevond, terwijl zijn vrouw alleen in hun flat tegenover de kerk zat te lijden onder de herverkiezing van Bush.

Ik zag geen betere manier om de dwaasheid van mijn terugkeer om de mij moverende redenen – en vervolgens het idee dat ik een jaar lang zou moeten blijven – compleet te maken dan te proberen Jamie te zien voordat Billy terug was.

'Dus je bent op de hoogte van het schandaal,' zei ik.

'Welk schandaal?'

'Het Lonoff-schandaal. Heeft Kliman het je niet verteld?'

'Natuurlijk niet.'

'Maar natuurlijk wel – en vooral aan jou, om op te scheppen met iets wat alleen hij weet en over al het geweldigs dat hij met zijn ontdekking gaat doen.'

Ditmaal nam ze niet de moeite het te ontkennen.

'Je kent het hele verhaal,' zei ik.

'Als u het hele verhaal niet van Richard wou horen, waarom dan wel van mij?'

'Mag ik langskomen?'

'Wanneer?'

'Nu.'

Het duizelde me toen ze zachtjes zei: 'Als u wilt.'

Ik begon mijn spullen te pakken om uit New York te vertrekken. Ik probeerde mijn hoofd te vullen met alles wat ik in de komende weken moest doen, te denken aan de verlichting die ik in mijn dagelijkse bezigheden zou vinden en in mijn besluit om van alle verdere medische behandelingen af te zien. Nooit weer zou ik een situatie scheppen waarin ik ondraaglijke spijt, in de dorst naar schadeloosstelling, mijn volgende stap zou laten bepalen. Daarna begaf ik mij naar West Seventy-first Street, onmiddellijk toegevend aan de meedogenloze verliefdheid die allesbehalve ongevaarlijk beloofde te worden voor een man met tussen zijn benen een tapkraantje van rimpelig vlees waar hij ooit het volledig functionele geslachtsorgaan had bezeten, compleet met blaasbeheersing, van een gezonde volwassen man. Het eens zo fiere voortplantingsorgaan leek nu meer op een eindje pijp dat je ergens in een weiland uit de grond ziet steken, een zinloos stukje pijp waaruit zo nu en dan een straaltje water stroomt of spuit en dat maar water blijft spuien tot op een goede dag iemand eraan denkt de kraan die extra slag te geven die aan het gespetter een einde maakt.

Ze had *The New York Times* doorgewerkt om alles over de verkiezingen te lezen. De pagina's van de krant lagen verspreid over het complexe oranje-gouden patroon van het licht versleten Perzische tapijt, en haar gezicht droeg sporen van echt verdriet.

'Jammer dat Billy er vandaag niet kon zijn,' zei ik. 'Het is niet goed om met zo veel teleurstelling alleen te zijn.'

Ze haalde machteloos haar schouders op. 'We dachten dat er feest zou zijn.' Terwijl ik onderweg was, had ze voor ons beiden koffie gezet; we gingen bij het raam tegenover elkaar zitten in twee zwartleren Eames-stoelen en dronken in stilte onze kopjes leeg.

Terwijl we de onvoorspelbaarheid van wat komen ging in stilte accepteerden. En onze verwarring in stilte verborgen. Ik had bij mijn vorige bezoeken niet gezien dat er twee rode katten in huis waren, tot er eentje gewichtloos op haar schoot sprong en daar, geaaid door Jamie, ging liggen, terwijl ik, toekijkend, bleef zwijgen. De andere verscheen uit het niets en vlijde zich over haar blote voeten, aldus de voor mij aangename illusie scheppend dat het haar voeten waren die begonnen te spinnen en niet de kat. De ene was langharig en de andere kortharig, en toen ik ze zag was ik stomverbaasd. Ze waren wat de katjes die Larry Hollis me gegeven had bij mij thuis geworden zouden zijn als ik ze langer dan drie dagen gehouden had.

Hoewel Jamie een verschoten blauw sweatshirt droeg en een slobberige grijze trainingsbroek, vond ik haar adembenemend mooi. En we waren alleen, en zo, in plaats van me te voelen als een personage dat in staat was ontzag in te boezemen, voelde ik mezelf van mijn status beroofd door haar macht over mij, temeer omdat ze zelf zo uitgeput leek door Kerry's nederlaag en de bange onzekerheid die daardoor was ontstaan.

In overeenstemming met mijn grillige gedrag in New York vroeg ik me af wat het schrijven van Lonoffs biografie eigenlijk met mij te maken had. Na mijn bezoek aan zijn huis in 1956 had ik hem nooit meer ontmoet, en de enige brief die ik hem daarna nog gestuurd had, was door hem niet beantwoord, waarmee elke droom die ik had kunnen koesteren van een leraar-leerlingrelatie de grond in werd geboord. Wat betreft een biografie of een biograaf was ik aan E.I. Lonoff of zijn erven niets verschuldigd. Het was het zien van Amy Bellette na zo veel jaren – en vooral de toestand waarin ze verkeerde, zo zwak en mismaakt, verdreven uit de woning van haar eigen lichaam – en daarna het kopen van zijn boeken en het herlezen ervan in mijn hotel, dat de aanzet had gegeven tot de reactie die Kliman teweeg zou brengen met zijn zinspelingen op een sinister 'geheim' van Lonoff. Als ik thuis was geweest en zomaar een brief van de een of andere Kliman had ontvangen waarin mij min of meer hetzelfde voorstel was gedaan, zou ik niet eens hebben geantwoord, laat staan hebben gedreigd hem zo goed als kapot te maken als hij het gewaagd had zijn project voort te zetten. Als hij aan zijn lot werd overgelaten, was er weinig kans dat Kliman zijn grootse plannen tot uitvoer kon brengen; waarschijnlijk was de grootste stimulans die hij tot nu toe had gehad niet afkomstig van een literair agent of een uitgever, maar van mijn krachtige tegenstand. En nu zat ik hier bij Jamie en verbrak ik ons zwijgen met de vraag: 'Met wie heb ik hier van doen? Wil je me dat eens vertellen? Wie is die jongen?'

Argwanend antwoordde ze: 'Wat wilt u weten?'

'Hoe komt hij erbij dat hij een karwei als dit aankan? Ken je hem al lang?'

'Sinds zijn achttiende. Sinds zijn eerste studiejaar. Ik ken hem nu tien jaar.'

'Waar komt hij vandaan?'

'Hij komt uit Los Angeles. Zijn vader is advocaat, entertainmentadvocaat, een notoir agressieve. Zijn moeder is de tegenpool van zijn vader. Ze doceert egyptologie aan de UCLA. Ze mediteert elke ochtend een uur of twee. Ze zegt dat ze aan het eind van haar meditatie een groene lichtbol voor zich kan laten zweven als ze haar dag heeft.'

'Hoe heb je haar leren kennen?'

'Via hem, natuurlijk. Als ze in de stad waren, namen ze zijn vrienden mee uit eten. Net als wanneer mijn ouders er waren, dan hoorde hij bij mijn vrienden en ging hij samen met ons eten.'

'Dus hij komt uit een academisch nest.'

'Nou ja, hij is opgegroeid met een eigenzinnige, agressieve vader en een intellectuele, rustige moeder. Hij is intelligent, heel intelligent. Hij is heel scherp. Ja, hij is ook agressief van zichzelf, en daar bent u duidelijk op afgeknapt. Maar hij is geen domoor. Er is geen reden waarom hij geen boek zou kunnen schrijven – afgezien van de reden waarom niemand een boek zou kunnen schrijven.'

'En dat is?'

'Dat het moeilijk is.'

Ze zei heel weloverwogen niet meer dan ze zei; ze probeerde me te imponeren met haar onimponeerbaarheid en was vastbesloten zich niet gewonnen te geven maar alleen maar te antwoorden. Ze was in geen geval van plan zich zonder slag of stoot te laten inpalmen vanwege de verschillen in status en leeftijd. Hoewel ze zich duidelijk van haar uitwerking op mannen bewust was, scheen ze nog niet te beseffen dat ze al gewonnen had en dat ik degene was die zonder slag of stoot was ingepalmd.

'Hoe was hij tegen jou?' vroeg ik.

'Wanneer?'

'Toen jullie vrienden waren.'

'We hadden het oergezellig samen. We hadden vergelijkbaar stijfkoppige vaders om tegenop te boksen, dus konden we heel wat overlevingsverhalen uitwisselen. Daardoor raakten we zo snel aan elkaar verknocht – zij leverden ons die heerlijke verhalen van verschrikking en pret. Richard is flink en energiek en altijd bereid om iets nieuws te proberen, en hij kent geen angst. Hij houdt niets achter. Hij is avontuurlijk en onverschrokken en hij is vrij.'

'Overdrijf je nu niet een beetje?'

'Ik beantwoord uw vragen naar waarheid.'

'Waarvoor kent hij geen angst, als ik vragen mag?'

'Voor minachting. Voor afkeuring. Hij heeft niet de reserves die anderen hebben over het deel uitmaken van de groep mensen bij wie je je op je gemak voelt. Er is niets aarzelends aan hem. Hij is een opeenvolging van resolute daden.'

'En hij kan goed opschieten met de notoir agressieve vader?'

'O, volgens mij vechten ze vaak. Het zijn allebei vechters, dus vechten ze. Ik denk niet dat ze het zo serieus opvatten als wanneer ik met mijn moeder zou vechten. Ze vechten als honden door de telefoon en de volgende avond bellen ze elkaar weer alsof er niets is gebeurd. Zo gaat dat met die twee.'

'Vertel verder.'

'Wat wilt u verder nog weten?'

'Alles wat je me niet vertelt.' Uiteraard wilde ik meer weten over haar. 'Heb je hem weleens in Los Angeles opgezocht?'

'Ja.'
'En?'
'Hij woont in een groot huis in Beverly Hills. Het is, naar mijn smaak, buitengewoon lelijk. Het is groot, het is protserig. Erg ongezellig. Zijn moeder verzamelt, ik denk dat je het oude kunst kunt noemen – beeldhouwkunst, kleine voorwerpen. En er zijn vitrines, nissen in de muur die te groot zijn – zoals alles er te groot is – voor wat ze bevatten. Het is een huis zonder enige warmte. Te veel pilaren. Te veel marmer. Een enorm zwembad in de achtertuin. Uiterst fraai aangelegd. Tot in de puntjes verzorgd. Dat is zijn wereld niet. Hij is in het noordoosten gaan studeren. Hij kwam naar New York. Hij heeft ervoor gekozen in New York te wonen en te werken in de literaire wereld en niet puissant rijk te worden en geen marmeren paleis te bewonen in Los Angeles en geen mensen het leven zuur te maken voor zijn beroep. Hij weet hoe hij mensen het leven zuur kan maken – dat heeft hij van zijn vader geleerd – maar dat is niet wat hij wil.'
'Zijn zijn ouders nog getrouwd?'
'Ja, afschuwelijk maar waar. Ik weet niet wat die twee gemeen hebben. Zij mediteert en werkt de hele dag buiten de deur. Hij is altijd aan het werk. Ze wonen in hetzelfde huis, denk ik. Ik heb ze nooit samen over iets zien praten.'
'Heeft hij nog contact met zijn ouders?'
'Ik neem aan van wel. Hij heeft het nooit over ze.'
'Hij belt niet met zijn ouders op verkiezingsavond.'
'Ik denk het niet. Maar ik weet zeker dat zijn ouders op verkiezingsavond leukere gesprekspartners zijn dan die van mij. Het zijn degelijke westkust-Democraten.'
'En zijn vrienden in New York?'
Hier slaakte ze een zucht, het eerste teken van irritatie. Tot dan toe had ze volkomen onaangedaan en koel, afstandelijk gereageerd. 'Hij is bevriend geraakt met een

groepje mannen die hij in de sportschool heeft ontmoet. Het zijn jonge academici, zo tussen de vijfentwintig en de veertig. Ze spelen samen basketbal en hij trekt veel met ze op. Juristen. Mensen van de media. Een paar van onze wederzijdse vrienden werken voor tijdschriften en uitgevers. Een goede vriend van hem is een bedrijf in videospelletjes begonnen.'

'Ik vind dat hij bij die vriend in de zaak moet gaan. Ik vind dat hij in videospelletjes moet gaan doen. Kan hij daar flink in zijn. Want hij denkt dat dit een spelletje is. Hij denkt dat het spelletje "Lonoff" heet.'

'U hebt het mis,' zei ze, en ze verried zichzelf met een snelle glimlach omdat ze me dat zo botweg had meegedeeld. 'Hij komt op u over als zijn vader, die bullebak, maar hij is veel meer zijn moeder. Hij is een intellectueel. Hij denkt na. Zeker, hij is buitengewoon energiek. Dynamisch en opwindend en sterk en koppig, en soms ook angstaanjagend. Maar hij is geen opportunist die alleen aan zichzelf denkt.'

'Volgens mij is dat precies wat hij is.'

'Welke opportunist zet zich in voor een literaire biografie van een schrijver die vrijwel niemand meer kent? Als hij een opportunist was, zou hij gaan doen wat zijn vader doet. Dan zou hij geen biografie schrijven van een schrijver waar geen mens van onder de vijftig van heeft gehoord.'

'Je zit hem aan de man te brengen. Je idealiseert hem.'

'Helemaal niet. Ik ken hem veel beter dan u en ik probeer u te corrigeren. U hebt een correctie nodig.'

'Hij is niet serieus. Hij mist elke bezonkenheid. Het is allemaal bravoure, uitdagerij en loltrapperij. Er is geen ernst.'

'Hij heeft misschien niet de terughoudendheid van andere mensen, of de finesse, maar bezonkenheid heeft hij wel.'

'En integriteit. Wordt hij gehinderd door integriteit? Ik geloof niet dat een beetje list en bedrog Kliman vreemd is. Ligt er niet ergens wat integriteit op de loer?'

'U beschrijft hem niet, meneer Zuckerman – u maakt hem belachelijk. Het is waar dat hij niet altijd snapt waarom hij zich niet moet gedragen zoals hij doet. Maar hij heeft zijn principes. Kijk, Richard is niet alleen – hij leeft in een wereld van carrièremakers, een wereld waarin je je een mislukkeling voelt als je geen carrière maakt. Een wereld waarin het draait om reputatie. U bent een oudere man die terugkomt, en u weet niet wat het is om nu jong te zijn. U bent van de jaren vijftig en hij is van nu. U bent Nathan Zuckerman. Het is waarschijnlijk lang geleden dat u contact had met mensen die op hun vakgebied nog geen vaste positie hebben verworven. U weet niet wat het is om niet zeker te zijn van een naam in een wereld waarin een naam alles is. Maar als je in deze carrièremakerswereld geen zenmeester bent, als je er deel van uitmaakt en moet knokken voor erkenning, ben je dan per definitie de boze vijand? Ik geef toe: Richard is misschien niet de meest diepzinnige man die ik ken, maar er is geen reden waarom hij er in zijn belevingswereld rekening mee zou houden dat zijn overijlde jacht op wat hij najaagt ook maar iemand zou kunnen kwetsen.'

'Ik zou zeggen dat hij, wat zijn diepgang betreft, niet half zo veel diepgang heeft als je man. En dat je man nog geen tiende van de carrièrezucht van Kliman heeft en zich toch geen mislukkeling voelt.'

'Hij voelt zich evenmin een succes. Maar in de grond van de zaak is dat waar.'

'Jij boft maar.'

'Jazeker. Ik hou heel veel van mijn man.'

Het enige wat dit vlekkeloze vertoon van zelfverzekerdheid in nog geen tien minuten had teweeggebracht, was het verdiepen van mijn begeerte, waarmee ze verreweg het grootste probleem van mijn leven werd. De snelheid van de aantrekking staat geen berusting toe en houdt geen berusting in – er is alleen nog plaats voor de hebzucht van de begeerte.

'Je bent het toch wel met me eens dat Kliman op z'n minst een zeer onaangenaam persoon is.'

'Dat ben ik niet met u eens,' antwoordde ze.

'En het geheim? De jacht op het geheim? Lonoffs grote geheim?'

Terwijl ze doorging met het ritmisch aaien van de kat, antwoordde ze: 'Incest.'

'En hoe weet Kliman dat?'

'Hij heeft documentatie. Hij heeft met mensen gesproken. Meer weet ik er niet van.'

'Maar ik ben bij Lonoff geweest. Ik heb Lonoff ontmoet. Ik heb alles van Lonoff herhaaldelijk gelezen. Dit is moeilijk te geloven.'

Met net een zweempje superioriteit zei ze: 'Het is altijd moeilijk te geloven.'

'Het is onzin,' hield ik vol. 'Incest met wie?'

'Een halfzusje,' zei Jamie.

'Net als Lord Byron en Augusta.'

'Nee, heel anders,' antwoordde ze – ditmaal vinnig – en ze exposeerde vervolgens haar (of Klimans) kennis van het onderwerp. 'Byron en zijn halfzuster hebben elkaar als kinderen amper gekend. Ze kregen pas een verhouding toen ze volwassen waren en zij al drie kinderen had. De enige overeenkomst is dat Lonoffs halfzuster ook ouder was. Ze was een kind uit haar vaders eerste huwelijk. Haar moeder stierf toen ze nog klein was, haar vader hertrouwde kort daarna en Lonoff werd geboren. Zij was toen drie jaar. Ze groeiden samen op. Ze werden opgevoed als broer en zus.'

'Drie jaar. Dat wil zeggen dat ze in 1897 geboren is. Ze moet nu al jaren dood zijn.'

'Ze had kinderen. De jongste zoon is nog in leven. Hij moet nu tachtig of ouder zijn. In Israël. Nadat ze waren betrapt is zij uit Amerika weggegaan en in Palestina gaan wonen. Haar ouders brachten haar daarheen om de schande te ontlopen. Lonoff bleef achter en ging alleen verder. Hij was toen zeventien.'

Het verhaal van Lonoffs voorgeschiedenis zoals ik het kende, was hetzelfde op één punt na. De ouders waren uit de Russische Tsjerta naar Boston geëmigreerd, maar ervoeren na verloop van tijd de Amerikaanse maatschappij als weerzinwekkend materialistisch, en toen Lonoff zeventien was, vertrokken ze naar het Palestina van vóór het Volkenbondsmandaat. Lonoff was inderdaad achtergebleven, maar niet omdat hij als een ontaarde zoon aan zijn lot werd overgelaten; hij was een volgroeide Amerikaanse jongen en wilde liever een Amerikaanssprekende Amerikaanse man worden dan een Hebreeuwssprekende Palestijnse jood. Ik had nooit iets gehoord over een zuster of ander medegezinslid, maar omdat Lonoff al het mogelijke deed om te voorkomen dat zijn verhalen ten onrechte werden geïnterpreteerd als een commentaar op zijn leven, had hij nooit meer dan de meest elementaire feiten van zijn levensgeschiedenis aan iemand onthuld, behalve misschien aan Hope, zijn vrouw, of aan Amy.

'Wanneer is die affaire begonnen?' vroeg ik.

'Hij was veertien.'

'Wie heeft het aan Kliman verteld – de zoon in Israël?'

'Dat zou Richard u hebben verteld als u hem de kans had gegeven,' zei ze. 'Dan zou hij u dit allemaal zelf hebben verteld. Hij had al uw vragen kunnen beantwoorden.'

'En aan wie nog meer behalve aan mij? En behalve aan jou?'

'Ik zie niet in wat voor misdaad hij begaat als hij het vertelt aan wie hij maar wil. U wilde dat ik het u zou vertellen. Daarom belde u mij en kwam u hierheen. Heb ík nu een misdaad begaan? Het spijt me dat u het idee van een incestueuze Lonoff zo onverdraaglijk vindt. Ik kan moeilijk geloven dat de man die uw boeken heeft geschreven liever heeft dat hij heilig wordt verklaard.'

'Tussen roekeloos beschuldigen en heilig verklaren ligt een lange weg. Kliman kan onmogelijk iets bewijzen van intieme handelingen die volgens hem zowat honderd jaar geleden hebben plaatsgevonden.'

'Richard is niet roekeloos. Hij is avontuurlijk, heb ik gezegd. Hij voelt zich aangetrokken tot gedurfde ondernemingen. Wat is daar mis mee?'

Gedurfde ondernemingen. Ik was er verzot op geweest.

Ik zei: 'Heeft Kliman gesproken met de zoon in Israël, met Lonoffs neef?'

'Meer dan eens.'

'En hij bevestigt het verhaal. Hij heeft hem een lijstje van de copulaties gegeven. Heeft de jonge Lonoff misschien een logboek bijgehouden?'

'De zoon ontkent natuurlijk alles. De laatste keer dat hij met Richard gesproken heeft, dreigde hij dat hij naar de Verenigde Staten zou komen en een rechtszaak zou aanspannen als Richard ook maar iets van dien aard over zijn moeder zou publiceren.'

'En Kliman houdt vol dat hij liegt om begrijpelijke redenen, of dat hij het gewoon niet weet – welke moeder zou haar zoon zo'n geheim toevertrouwen? Hoor eens, hij kan gewoon niet genoeg weten om iets te concluderen over incest. Er is een niet-zo dat het zo onthult – dat is fictie; en dan is er het niet-zo dat gewoon niet zo is – dat is Kliman.'

Jamie stond meteen op, waarbij ze de ene kat van haar

schoot liet glijden en de andere van haar voeten. 'Ik geloof niet dat we iets opschieten met dit gesprek. Ik had me er niet in moeten mengen. Ik had u hier niet moeten ontvangen en niet moeten proberen Richards boontjes te doppen. Ik heb als een gehoorzaam meisje uw vragen beantwoord. Ik heb geen enkele tegenwerping gemaakt toen u mij aan uw verhoor onderwierp. Ik heb u naar eer en geweten geantwoord en ben niet anders dan beleefd geweest, zo niet onderdanig. Het spijt me als ik u met iets wat ik gezegd heb, of de manier waarop ik het gezegd heb, tegen de haren in heb gestreken. Maar zonder het te willen heb ik dat toch gedaan.'

Ook ik stond op – een paar centimeter van haar vandaan – en zei: 'Nee, ik heb jóu tegen de haren in gestreken. Allereerst met mijn verhoor.' Het was het moment om haar te vertellen dat de ruil van de baan was. Maar ik kon haar alleen maar realistisch in mijn gedachten houden als de ruil door zou gaan en we mijn huis voor hun flat gingen ruilen. Dan zou zij tussen mijn spullen wonen en ik tussen de hare. Was er een belachelijker reden denkbaar om de onbezonnen overeenkomst door te zetten die ik zo dringend wilde verbreken? Ik realiseerde me nauwelijks hoe flinterdun de redenen waren die ik alsmaar bleef aanvoeren om mijn leven ingrijpend te veranderen, en toch leek alles wat er gebeurde te gebeuren zonder dat ik me ervan bewust was en zonder rekening te houden met mijn toestand.

De telefoon ging. Het was Billy. Ze luisterde een hele poos voordat ze hem vertelde dat ik toevallig net bij haar was. Hij moest haar gevraagd hebben waarom ik er was, want ze antwoordde: 'Hij wilde de flat nog eens bekijken. Ik laat hem net alles zien.'

Ja, Kliman wás haar minnaar. Ze was zo gewend om tegen Billy te liegen – om haar omgang met Kliman te verbergen – dat ze nu ook tegen hem loog over mij. Zoals ze eerder door de telefoon tegen mij had gelogen over Kliman. Ofwel dat, ofwel ik was zo verblind door haar aantrekkelijkheid dat ik, voor het eerst in vele jaren, maar aan één ding kon denken. Had ze niet tegen haar jonge echtgenoot gelogen om de eenvoudige reden dat het gemakkelijker was dan de waarheid te vertellen terwijl ik aanwezig was en zij tweeën ver van elkaar?

Jamie kon niets zeggen of doen waarop ik niet overdreven reageerde, inclusief haar ontspannen gekeuvel met Billy door te telefoon. Ik was doorlopend instabiel. Ik had geen rust. Het leek wel of ik voor de eerste keer in mijn leven een jonge vrouw zag. Of de laatste keer. Maar hoe dan ook... allesoverheersend.

Ik vertrok zonder dat ik de moed had haar aan te raken. Zonder de moed haar gezicht aan te raken, ook al bevond zich dat ruim binnen mijn bereik tijdens wat ze mijn verhoor had genoemd. Zonder de moed het lange haar aan te raken dat binnen mijn bereik was. Zonder de moed mijn hand op haar middel te leggen. Zonder de moed te zeggen dat we elkaar al eens eerder hadden ontmoet. Zonder de moed te zeggen wat een man zo verminkt als ik kon zeggen tegen een begeerlijke vrouw die veertig jaar jonger was dan hij, zonder te hoeven sterven van schaamte omdat hij ten prooi is aan een verlangen naar een verrukking die hij niet kan ervaren en een genot dat dood is. Ik zat diep genoeg in de nesten zonder dat er tussen ons iets anders was voorgevallen dan ons geprikkelde gesprekje over Kliman, Lonoff en de aantijging van incest.

Ik leerde op mijn eenenzeventigste wat het was om geestelijk gestoord te zijn. Een bewijs dat het proces van zelfontdekking nog niet was afgesloten. Een bewijs dat het drama dat meestal wordt geassocieerd met jongeren die aan het begin van het volle leven staan – met pubers, met jongemannen als de standvastige nieuwe kapitein in Conrads *De schaduwgrens* – ook de ouderen kan overvallen en belagen (inclusief de ouderen die zich vastberaden tegen élk drama hebben gewapend), zelfs als het lot hen op het afscheid voorbereidt.

Misschien worden de grootste ontdekkingen wel voor het laatst bewaard.

DE SITUATIE *Haar jonge echtgenoot is afwezig, de lieve, attente echtgenoot die haar aanbidt. Het is november 2004. Zij is bang en wanhopig over de verkiezingsuitslag, over Al Qaida, over een affaire met een vroegere studievriend die in de buurt woont en nog steeds verliefd op haar is, en over 'gedurfde ondernemingen' van een soort waar ze door haar huwelijk afstand van wilde doen. Ze draagt de zachte kasjmierwollen sweater, tarwe- of camelkleurig, iets lichter en zachter dan de kleur van taan. Wijde mouwomslagen hangen van haar polsen en de ruime mouwen zijn laag aan het lijfje gezet. De snit doet denken aan een kimono, of liever nog een huisjasje van een man aan het eind van de negentiende eeuw. Een dikke rand van brede ribbels die om de hals loopt en van de hals helemaal omlaag tot de onderzoom van de sweater heeft het effect van een kraag, hoewel een echte kraag ontbreekt: de sweater sluit glad bij haar aan. Laag in de taille is een band van dezelfde breed geribbelde stof met een nonchalante halve strik bevestigd. De sweater hangt van de hals bijna tot het middel open en toont zo een lange, smalle glimp van haar grotendeels verhulde lichaam. Doordat de sweater zo ruim valt, is haar lichaam voornamelijk onzichtbaar. Maar hij kan zien dat ze slank is – alleen een slanke vrouw kan er in zulke ruimvallende kleren goed uitzien. De sweater doet hem denken aan een heel korte badjas en zo heeft hij, ook al kan hij weinig van haar zien, de indruk dat hij in haar slaapkamer is en spoedig meer zal zien. De vrouw die deze sweater draagt moet welgesteld zijn (omdat ze zich zo'n duur kledingstuk kan veroorloven) en ook moet ze veel waarde hechten aan haar lichamelijk genot (omdat ze ervoor heeft gekozen haar geld uit te geven aan kleding die bijna uitsluitend bestemd is om thuis in te luieren).*

Te spelen met passende stiltes, omdat ieder zo nu en dan zwijgt om na te denken over de vraag van de ander.

MUZIEK Vier Letzte Lieder *van Richard Strauss. Vanwege de diepgang die wordt bereikt, niet door complexiteit, maar door helderheid en eenvoud. Vanwege de zuiverheid van het gevoel over dood en afscheid en verlies. Vanwege de lang uitgesponnen melodische lijn en de vrouwenstem die maar stijgt en stijgt. Vanwege de rust en beheersing en gratie en de intense schoonheid van dat stijgen. Vanwege de manieren waarop je in de reusachtige boog van het verdriet wordt meegesleept. De componist werpt alle maskers af en staat, tweeëntachtig jaar oud, naakt voor je. En je lost op in het niets.*

ZIJ

Ik begrijp waarom je naar New York terug wilt komen, maar waarom ben je eigenlijk weggegaan?

HIJ

Omdat ik alsmaar doodsbedreigingen in mijn brievenbus kreeg. Briefkaarten met aan de ene kant een doodsbedreiging en aan de andere een foto van de paus. Ik ging naar de FBI en de FBI vertelde me wat ik moest doen.

ZIJ
Hebben ze ooit de afzender gevonden?

HIJ
Nee, nooit. Maar ik bleef waar ik was.

ZIJ
Zo – dus allerlei mafkezen sturen doodsbedreigingen naar schrijvers. Daar hebben ze ons op de schrijverscursus niet voor gewaarschuwd.

HIJ
Ja, ik ben niet de enige, ook niet de laatste jaren, die met de dood is bedreigd. Het geval van Salman Rushdie is heel beroemd.

ZIJ
Ja, dat is waar.

HIJ
Ik wil mijn situatie niet met die van hem vergelijken. Maar afgezien van Salman Rushdie kan ik me niet voorstellen dat wat mij overkomen is, alleen mij is overkomen. Je moet jezelf de vraag stellen of de bedreiging wordt ingegeven door wat de schrijver schrijft of dat er mensen zijn die in woede ontsteken als ze bepaalde namen zien en die aan drijfveren gehoorzamen die de rest van de mensheid vreemd zijn. Ze hoeven maar een foto in een krant te zien en ze zijn in alle staten. Denk je eens in wat er kan gebeuren als ze echt een boek van je opendoen. Ze ervaren je woorden als boosaardig, als een vloek die over hen is uitgesproken en die ze niet verdragen kunnen. Ook beschaafde mensen smijten weleens een boek dat hen ergert door de kamer. Voor de minder beheersten onder ons is

het maar een kleine stap om dan het pistool te laden. Of ze kunnen oprecht verfoeien wat je bent, wat je volgens hen bent – zoals we weten uit de motieven van de Twin Towers-terroristen. Aan woede is daar geen gebrek.

ZIJ

Ja, de woede heerst daar, een ongekende, krankzinnige woede.

HIJ

Waar jij doodsbang van wordt.

ZIJ

Inderdaad. Ik ben in alle staten. Ik ben bang en ik ben op van de zenuwen – en daar schaam ik me dan ook nog voor. Thuis ben ik nu zwijgzaam en narcistisch en alleen maar bezig met mijn eigen veiligheid, en ik krijg geen fatsoenlijke zin op papier.

HIJ

Ben je altijd al bang geweest voor de woede?

ZIJ

Nee, dat is iets van de laatste tijd. Ik heb geen enkel vertrouwen meer. Je hebt nu niet meer alleen je vijanden. De mensen die je moeten beschermen, dat zijn nu ook je vijanden. De mensen die voor je moeten zorgen, dat zijn je vijanden. Ik ben niet bang voor Al Qaida – ik ben bang voor mijn eigen regering.

HIJ

Ben jij niet bang voor Al Qaida? Niet bang voor de terroristen?

ZIJ

Jawel, maar ik voel een diepere angst voor de mensen die aan mijn kant horen te staan. Er zijn altijd wel vijanden ergens ter wereld, maar... Toen jij de FBI inschakelde, als je toen op een gegeven moment het gevoel had gekregen dat het niet de FBI was die je beschermde tegen de afzender van die doodsbedreigingen maar de FBI die je bedreigde, dan zou dat je angst een heel nieuwe dimensie hebben gegeven, en dat is de reden waarom ik me nu zo voel.

HIJ

En denk je dat je straks in mijn huis die angst niet meer voelt?

ZIJ

Ik denk dat ik daar mijn meer redelijke angstgevoelens wel zal kwijtraken doordat het aspect van het fysieke gevaar daar niet meer speelt, en daar zal ik wel wat rustiger door worden. Maar ik denk niet dat ik er mijn eigen woede zal verliezen – mijn woede jegens mijn regering –, maar daar kan ik nu niets tegen doen, ik ben veel te gespannen. Omdat ik geen flauw idee heb wat ik moet doen, móet ik wel weggaan. Mag ik je iets vragen? (*Lacht verontschuldigend*)

HIJ

Natuurlijk.

ZIJ

Denk je niet dat je ook wel zou zijn weggegaan als je niet was bedreigd? Denk je dat je op een gegeven moment toch was gegaan?

HIJ

Ik weet het echt niet. Ik was alleen. Ik was vrij. Mijn werk is vervoerbaar. Ik was op een leeftijd gekomen waarop ik niet meer op zoek was naar een bepaald soort engagement.

ZIJ

Hoe oud was je toen je wegging?

HIJ

Zestig. Voor jouw gevoel is dat heel oud.

ZIJ

Ja, dat is zo.

HIJ

Hoe oud zijn je ouders?

ZIJ

Mijn moeder is vijfenzestig en mijn vader achtenzestig.

HIJ

Ik was maar iets jonger dan je moeder toen ik vertrok.

ZIJ

Dat is iets anders dan wat we nu gaan doen. Billy is allesbehalve blij met het idee van de ruil. En zeker niet met wat het onthult over mij.

HIJ

Nou ja, hij kan daar ook schrijven.

ZIJ

Ik denk dat het voor ons allebei goed zal zijn, en ik denk dat hij dat tijdig zal inzien. Hij past zich toch al vrij makkelijk aan.

HIJ

Is er iets wat je liever niet achter zou laten? Wat zul je missen?

ZIJ

Sommige vrienden zal ik wel missen. Maar het kan geen kwaad om ze eens een poosje niet te zien.

HIJ

Heb je een minnaar?

ZIJ

Waarom vraag je dat?

HIJ

Omdat je zegt dat je sommige vrienden zult missen.

ZIJ

Nee. Ja.

HIJ

Ja, dus. Hoe lang ben je getrouwd?

ZIJ

Vijf jaar. We waren jong.

HIJ

Weet Billy dat je een minnaar hebt?

ZIJ

Ja.

HIJ

Wat vindt je minnaar ervan dat je weggaat? Weet hij wel dat je weggaat? Is hij kwaad?

ZIJ

Hij weet het nog niet.

HIJ

Heb je het hem nog niet verteld?

ZIJ

Nee.

HIJ

Spreek je de waarheid?

ZIJ

Ja.

HIJ

Waarom spreek je de waarheid?

ZIJ

Iets aan jou zegt me dat je te vertrouwen bent. Ik heb je gelezen. Je bent niet gauw gechoqueerd. Uit wat ik van je gelezen heb, maak ik op dat je nieuwsgierig bent, niet iemand die oppervlakkige oordelen velt. Ik denk dat het prettig is als een nieuwsgierig iemand zijn nieuwsgierigheid op je richt.

HIJ

Probeer je me jaloers te maken?

ZIJ

(*Lachend*) Nee. Ben je jaloers?

HIJ

Ja.

ZIJ

(*Licht geschrokken*) Nee toch? Op mijn minnaar?

HIJ

Ja.

ZIJ

Hoe is dat nu mogelijk?

HIJ

Lijkt het jou zo onmogelijk?

ZIJ

Het lijkt me zo vreemd.

HIJ

Echt waar?

ZIJ

Echt waar.

HIJ

Je weet niet hoe aantrekkelijk je bent.

ZIJ

Waarom ben je vandaag hier gekomen?

HIJ

Om met je alleen te zijn.

ZIJ

O.

HIJ

Ja, om met je alleen te zijn.

ZIJ

Waarom wil je met me alleen zijn?

HIJ

Zal ik eerlijk zijn?

ZIJ

Ik ben tegen jou ook eerlijk geweest.

HIJ

Omdat het me opwindt om met je alleen te zijn.

ZIJ

Mooi. Ik denk dat het mij ook opwindt om met jou alleen te zijn. Misschien om andere redenen. Waarschijnlijk waren we allebei aan wat opwinding toe.

HIJ

Zorgt je minnaar niet voor de opwinding?

ZIJ

Hij loopt al heel lang in mijn leven rond. Dat hij mijn minnaar is, is betrekkelijk nieuw. Verder is er niets veranderd.

HIJ

Hij was al je minnaar in jullie studententijd.

ZIJ

Maar daarna weer jarenlang niet. Met hem ga ik achteruit. We gaan allang niet meer in elkaar op. Het is nu een omgekeerde beweging.

HIJ

Dus je minnaar is niet opwindend. En je huwelijk is niet opwindend. Had je verwacht dat je huwelijk opwindend zou zijn?

ZIJ

(*Lachend*) Ja.

HIJ

Echt waar?

ZIJ

Ja.

HIJ

Heb je op Harvard dan niets geleerd?

ZIJ

(*Weer zachtjes lachend*) We waren smoorverliefd toen we trouwden, en de toekomst, alleen al het hebben van een toekomst, leek één groot feest. Trouwen leek het spannendste wat er bestond. Het nieuwste wat we konden doen. De volgende grote stap. (*Zwijgt even*) Ben je blij dat je weg bent gegaan? Ben je blij dat je het hebt gedaan?

HIJ

Een paar weken geleden zou ik een ander antwoord hebben gegeven. Een paar uur geleden ook nog.

ZIJ

Wat heeft je van gedachten doen veranderen?

HIJ

Dat ik een jonge vrouw zoals jij heb ontmoet.

ZIJ

Wat vind je dan zo bijzonder aan me?

HIJ

Je jeugd en je schoonheid. De snelheid waarmee het klikt tussen ons. De erotische sfeer die je schept met woorden.

ZIJ

In New York wemelt het van de mooie jonge vrouwen.

HIJ

Ik leef nu al jaren zonder het gezelschap van een vrouw en alles wat daarbij hoort. Dit is een verrassende wending, en niet per se in mijn voordeel. Iemand heeft eens geschreven – wie weet ik niet meer: 'Een grote liefde laat in je leven komt altijd ongelegen.'

ZIJ

Een grote liefde? Verklaar je nader, alsjeblieft.

HIJ

Het is een ziekte. Het is een koorts. Het is een soort van hypnose. Ik kan het alleen maar uitleggen door te zeggen dat ik met jou alleen in een kamer wil zijn. Ik wil door je betoverd worden.

ZIJ

Nou, ik ben blij. Ik ben blij dat je wens wordt vervuld. Dat is fijn.

HIJ

Het is hartverscheurend.

ZIJ

Waarom?

HIJ

Wat denk je? Je bent schrijfster. Je wilt schrijfster worden. Waarom zou een man van eenenzeventig dit hartverscheurend vinden?

ZIJ

(*Op zachte toon*) Omdat je dat allemaal weer voelt en er niets mee kunt doen.

HIJ

Precies.

ZIJ

Maar het geeft ook genot, of niet?

HIJ

Van het hartverscheurende soort.

ZIJ

(*Zij heeft iets geleerd*) Hmm. (*Na een lange stilte, quasi-theatraal*) O, en hoe moet dat nu verder?

HIJ

Weet jij misschien iets?

ZIJ

Nee, ik heb geen idee hoe het verder moet. Ik ga weg omdat ik niet weet hoe wat dan ook verder moet.

HIJ

Het huilen staat je steeds nader dan het lachen.

ZIJ

(*Lachend*) Ja, ik word hier niet blij van, zal ik je zeggen.

HIJ

(*Lacht ook, maar zwijgt. De flirt is een hel. De man in de man staat in brand.*)

ZIJ

Ben je vandaag nog buiten geweest? De hele stad kan wel janken. Ja, ja, het huilen staat me nader dan het lachen. Voor mij is het geweldig belangrijk, dat kun je je voorstellen. Kun je je voorstellen hoe we ons gisteravond voelden, toen...

HIJ

Ik was erbij. Ik heb het gezien. Heb je gemerkt dat ik er was?

ZIJ

En jij hebt kennelijk gemerkt dat ík er was. Maar jij moet door iets gegrepen zijn, voordat je mij ontmoette. Niet door mij. Je wilde onze flat komen bekijken. Je was in de greep van iets – maar van wat? Weet je, die bedreigingen zijn volgens mij geen verklaring voor dat extreme wat je met je leven hebt gedaan. Al zeg je nog zo vaak dat je een schrijver bent die met de dood is bedreigd, dan is het toch een extreme stap die je hebt genomen, om weg te gaan en zo te gaan leven als jij. Ik vraag me maar steeds af: wat zit daarachter? Je kreeg dus kaarten in de bus. En wat dan nog? Dat van die kaarten is een smoes. Je gaat een jaar weg, als het om die kaarten gaat, maar je hebt vrienden en vriendinnen, en na een poos komen er geen kaarten meer en dan kom je terug. Maar iemand die zich afzondert van de wereld, die zich terugtrekt, doet dat om een gewichtiger reden. Iemand verzaakt niet zijn leven om zoiets bijkomstigs en uiterlijks als een doodsbedreiging.

HIJ

En wat kan die gewichtiger reden dan wel zijn?

ZIJ

Ontsnappen aan de pijn.

HIJ

Welke pijn?

ZIJ

De pijn van het aanwezig zijn.

HIJ

Heb je het niet over jezelf?

ZIJ

Misschien. De pijn van het aanwezig zijn in het heden. Ja, daarmee kun je heel aardig mijn extreme gedrag verklaren. Maar voor jou ging het niet alleen maar om het heden. Het ging om het aanwezig zijn op zich. Het ging om het aanwezig zijn in de aanwezigheid van *wat dan ook*.

HIJ

Heb je ooit een korte roman gelezen met de titel *De schaduwgrens*?

ZIJ

Van Conrad? Nee. Een vriendje heeft me er vroeger weleens over verteld, maar gelezen heb ik het niet.

HIJ

De eerste zin luidt: 'Alleen de jeugd kent zulke momenten.' Het zijn de momenten die Conrad als 'onbezonnen momenten' beschrijft. In de eerste paar bladzijden verklaart hij zich nader. 'Onbezonnen momenten' – die twee woorden vormen de hele zin. En hij gaat verder: 'Ik bedoel momenten waarin de nog jonge mens geneigd is tot onbezonnen daden, zoals plotseling trouwen of zonder reden een betrekking opgeven.' Enzovoort. Maar die onbezonnen momenten zijn er niet alleen in je jeugd. Gisteravond hier komen was een onbezonnen moment. En terug durven komen is er nog een. Als je oud wordt, krijg je ook je onbezonnen momenten. Mijn eerste was weggaan, mijn tweede is terugkomen.

ZIJ

Billy denkt dat hij mij een moment van onbezonnenheid gunt, want als hij dat niet doet groeien de neerslachtigheid en de angst me boven het hoofd. Maar hij denkt dat het een moment van onbezonnenheid is. Ik heb mezelf nooit als een wanhopig iemand gezien. Ik zou niet graag in wanhoop iets doen.

HIJ

Ik denk dat je het daar naar je zin zult hebben. Ik zal je missen.

ZIJ

Nou ja, het is jouw huis. Je kunt gewoon langskomen. Je kunt iets vergeten zijn en langskomen. Dan blijf je 's middags eten.

HIJ

Of jij bent iets vergeten en komt bij mij langs.

ZIJ

Zeker.

HIJ

Oké. Je doet minder kortaf tegen me dan gisteravond. Dat ik Bush z'n leugens niet heb gevolgd, maakt me nog niet tot de vijand.

ZIJ

Deed ik lelijk?

HIJ

Ik had niet het gevoel dat je veel met me ophad. Tenzij ik je intimideerde.

ZIJ

Natuurlijk deed je dat. Ik heb als student al die boeken gelezen en ook alle boeken erna. Je bent het je misschien niet bewust, daar in je eentje in de Berkshires, maar er zijn er veel zoals ik, mensen van mijn leeftijd, en ouder (*lachend*) en jonger, voor wie je in een belangrijke behoefte voorziet. Wij bewonderen je.

HIJ

Tja, ik heb mezelf in geen jaren in de publieke spiegel gezien. Dat weet ik niet.

ZIJ

Ik zeg het je nu.

HIJ

En toch weet ik het niet. Maar ik vind het heerlijk om te horen dat jij me bewondert, want ik ben ook jou heel snel gaan bewonderen.

ZIJ

(*Stomverbaasd*) Ben jij mij gaan bewonderen? Waarom?

HIJ

Ik zeg het niet graag tegen je, maar 'op een dag zul je het begrijpen'. (*Zij lacht*)

HIJ

Jullie postmodernisten lachen veel.

ZIJ

Ik lach omdat ik iets grappig vind.

HIJ

Lach je om mij?

ZIJ

Ik lach om de situatie. Je praat tegen me alsof je mijn vader bent. Op een dag zal ik het begrijpen. Zit het genot 'm in het doen, of alleen in het gedaan hebben? Schrijven, bedoel ik. Ik verander van onderwerp.

HIJ

In het doen. Het genot van het gedaan hebben duurt maar kort. Het is een genot om de stapel bladzijden in je hand te houden en het is een genot om het eerste exemplaar thuis te krijgen. Ik pak het honderd keer op en leg het weer neer. Als ik eet, ligt het naast me. Soms neem ik het mee naar bed.

ZIJ

Ik ken dat. Toen mijn verhaal werd gepubliceerd, sliep ik met het nummer van de *The New Yorker* onder mijn kussen.

HIJ

Je bent een betoverende jonge vrouw.

ZIJ

Dank je, dank je.

HIJ

Daarom woon ik buiten.

ZIJ

Ik begrijp het.

HIJ

Het is geen pretje voor mij om naar New York terug te komen, en dit vind ik ook geen pretje. Ik denk dat ik maar beter kan gaan.

ZIJ

Oké. Misschien spreken we elkaar nog eens onder vier ogen.

HIJ

Dat zou ik erg fijn vinden, mijn vriendin.

ZIJ

Ik zou graag je vriendin zijn.

HIJ

Waarom?

ZIJ

Omdat ik niemand heb zoals jij.

HIJ

Je kent me niet.

ZIJ

Nee. Maar ik heb nooit zulke interacties als nu.

HIJ

Moet je dat taaltje gebruiken? Je bent een schrijfster – voortaan nooit meer 'interacties'.

ZIJ

(*Lachend*) Ik heb nooit gesprekken als dit. Ik heb geen situaties als deze.

HIJ

Ik wilde je niet corrigeren. Het gaat me niet aan. Neem me niet kwalijk.

ZIJ

Ik begrijp het. Als je weer wilt komen praten, mijn nummer is jouw nummer. Je kunt me altijd bellen.

HIJ

Ik heb niet het gevoel dat ik op een huuradvertentie heb gereflecteerd. Eerder op een contactadvertentie. 'Uiterst aantrekkelijke, hoogopgeleide vrouw, blank, gehuwd, incidenteel beschikbaar voor intieme conversatie...' Ik heb meer gekregen dan een nieuwe woonruimte, nietwaar?

ZIJ

Misschien ook een vriendin.

HIJ

Maar dit is geen vriendschap die ik me kan veroorloven.

ZIJ

Wat kun je je veroorloven?

HIJ

Niet veel, naar het schijnt. Er zijn kostbare zaken weggenomen, en dat heeft een probleem geschapen dat niet valt op te lossen met hard werken, enzovoort. Kun je me volgen?

ZIJ

Niet helemaal. Bedoel je gewoon dat je ouder wordt, of is er nog iets anders, iets specifieks?

HIJ

(*Lachend*) Ik bedoel gewoon dat ik ouder word, denk ik.

ZIJ

Nu begrijp ik het.

HIJ

Dit doet te veel pijn, dus ik ga je verlaten. Ik wil je graag kussen, maar ik doe het niet.

ZIJ

Oké.

HIJ

Daar zouden we niks mee opschieten.

ZIJ

Je hebt gelijk. Maar ik ben blij dat je vanmiddag bent langsgekomen. Heel blij.

HIJ

Ben jij een verleidster?

ZIJ

Nee, nee, absoluut niet.

HIJ

Je hebt een man, je hebt een minnaar, en nu wil je mij als je vriend. Verzamel je mannen? Of verzamelen mannen jou?

ZIJ

(*Lachend*) Ik denk dat ik mannen verzameld heb en zij mij.

HIJ

Je bent pas dertig. Heb je veel mannen verzameld?

ZIJ

Ik weet niet wat onder veel wordt verstaan. (*Ze lacht weer.*)

HIJ

Ik bedoel, sinds je bent afgestudeerd, tussen je afstudeerdag en deze middag, aan het eind waarvan je mij met je verleidingskracht aan je verzameling hebt toegevoegd... Maar nu doe je flauw, alsof je die kracht niet bezit. Heeft niemand je er ooit op geattendeerd?

ZIJ

Jawel. Maar ik moest lachen, want als jij jezelf als verzameld beschouwt, dan zou ik niet weten hoeveel mannen ik in totaal heb verzameld.

HIJ

Je hebt mij verzameld.

ZIJ

En toch wil je me niet meer bellen. En wil je me niet kussen. Misschien zien we elkaar niet eens meer, behalve als mijn man erbij is en we elkaar de sleutel geven, dus ik zie niet in hoe ik je verzameld kan hebben.

HIJ

Omdat een ontmoeting zoals deze vernietigend is voor een man als ik.

ZIJ

Ik wil je absoluut niet vernietigen. Als ik het heb gedaan, dan spijt het me.

HIJ

Het spijt mij dat ik jóu niet kon vernietigen.

ZIJ

Ik heb van je genoten.

HIJ

Zoals ik al zei, hier ga ik aan kapot, dus ik moet nu gaan.

ZIJ

Dank je wel voor je bezoek.

Buiten, terwijl hij te voet de terugtocht onderneemt naar zijn hotel en nadenkt over de zojuist gespeelde scène – en als hij zich net een acteur voelt die na het repeteren van een scène uit een niet-opgevoerd toneelstuk huiswaarts keert, dan komt dat doordat zij hem zo sterk aan een ac-

trice deed denken, een uiterst intuïtieve, intelligente jonge actrice die goed kan luisteren en zich volkomen kan concentreren en rustig reageert – moet hij denken aan de scène in Een Poppenhuis *waarin Torvald Helmers beeldschone echtgenote, het verwende flirtgrage kindvrouwtje Nora, de doodzieke, smoorverliefde man van de wereld, dokter Rank, vraagt een ogenblikje bij haar te komen zitten. De schemering valt, de kamer wordt kleiner, buiten komen een paar huurkoetsjes voorbij en de stad verdwijnt naar de achtergrond terwijl alles om hen heen intiem en donker wordt. Die twee mensen nemen de tijd voor elkaar, luisteren naar elkaar. Zo seksueel en zo triest. Vol van hun beider verleden, ook al weten ze geen van beiden veel van dat van de ander. Dat tempo, al die stiltes en wat die kunnen betekenen. Alle twee wanhopig, maar om geheel verschillende redenen. Voor hem, echter, de laatste wanhopige scène, zonder enige twijfel met een slimme, getalenteerde actrice die zich uitgeeft voor een beginnend schrijfster. Een scène die het begin vormt van* Hij en Zij, *een spel van begeren en lokken en flirten en lijden – alsmaar lijden –, een improvisatie die maar het best kan worden gestaakt en vergeten. Er is een verhaal van Tsjechov dat 'Hij en zij' heet. Behalve de titel herinnert hij zich niets van het verhaal (misschien bestaat het niet eens), maar van Tsjechovs raad inzake het schrijven van dergelijke verhalen in een brief die hij schreef toen hij nog heel jong was, kent hij de kernzin nog steeds uit zijn hoofd. Een brief van een diep bewonderde schrijver die hij heeft gelezen toen hij in de twintig was, staat hem nog helder voor de geest, terwijl de tijd en de plaats van een afspraak die hij de vorige dag heeft gemaakt hem volkomen zijn ontschoten. 'Het zwaartepunt,' schreef Tsjechov in 1886, 'moet tweeledig zijn: hij en zij.' Dat moet het. Dat was het. Dat zal het nooit meer zijn.*

Mijn koffer lag waar ik hem had achtergelaten, half gepakt op de commode, toen ik spoorslags naar West Seventy-first Street was vertrokken. Een knipperend lichtje op mijn telefoon gaf aan dat er een boodschap was ingesproken. Maar ik wist nog niet van wie, omdat ik na mijn terugkeer in de kamer niets anders had gedaan dan aan het ondermaatse bureautje bij het raam zitten dat uitkeek op het verkeer in Fifty-third Street om nogmaals, op briefpapier van het hotel, zo snel ik kon, een gesprek met Jamie te noteren dat niet had plaatsgevonden. In mijn taakschrift legde ik vast wat ik had gedaan en wat ik volgens schema nog moest doen, als steun voor een falend geheugen; deze denkbeeldige dialoogscène legde vast wat niet was gedaan en hij steunde niets, hij verlichtte niets, hij bereikte niets, maar toch had het, net als op de verkiezingsavond, van het grootste belang geleken hem meteen na mijn terugkomst op te schrijven, omdat de gesprekken die zij en ik niet voeren nog aangrijpender zijn dan de gesprekken die we wel voeren en de denkbeeldige 'zij' zo springlevend midden in haar personage zit als bij de echte 'zij' nooit het geval zal zijn.

Maar is onze pijnfactor al niet schokkend genoeg zonder denkbeeldige vergroting, zonder aan de dingen een intensiteit te geven die in het leven maar van heel korte duur is en soms niet eens zichtbaar? Voor sommige mensen niet. Voor weinigen, heel weinigen, is die vergroting, die onzeker uit het niets ontstaat, hun enige zekerheid, en is het niet-geleefde, het veronderstelde, volledig uitgewerkt in drukletters op papier, het leven waarvan de betekenis er het meest toe doet.

3

Amy's brein

Toen ik ten slotte de telefoon opnam om de boodschap af te luisteren, was daar de stem die ik had gehoord toen ik de vorige donderdag het ziekenhuis verliet, de jeugdige stem van de bejaarde Amy Bellette. 'Nathan Zuckerman,' zei ze, 'ik heb je adres van een briefje dat in mijn brievenbus is gestopt door een kolossale plaag met de naam Richard Kliman. Ik weet niet of je zin hebt hierop te reageren, of dat je ook nog maar weet wie ik ben. We hebben elkaar ontmoet in Massachusetts in 1956. In de winter. Ik was op Athena College een studente van E.I. Lonoff. Ik studeerde in Cambridge. Jij was een aanstormend schrijftalent in de Quahsay Colony. We waren allebei te gast bij de Lonoffs die avond. Een sneeuwachtige avond in de Berkshires, heel lang geleden. Als je geen zin hebt om me terug te bellen, heb ik daar begrip voor.' Ze sprak haar nummer in en hing op.

Nogmaals, zonder na te denken, zelfs niet over Klimans beweegreden, die ik niet kon doorgronden: wat dacht hij te bereiken door Amy en mij bij elkaar te brengen? Maar ik bleef niet stilstaan bij Kliman, en al evenmin dacht ik na over de vraag wat deze broze vrouw, die een hersentumor had waarvan ze misschien zou genezen of waaraan ze zou overlijden, had bewogen mij te bellen nadat ze van Kliman had gehoord dat ik in de buurt was. Ook vroeg ik me niet af waarom ik me zo gemakkelijk tot een reactie liet bewegen terwijl ik alleen nog maar de vergissing van mijn poging mijn toestand te verbeteren ongedaan wilde maken en naar huis terug wilde keren om als meer dan mijn onvermogen verder te leven.

Ik belde haar nummer alsof het de code was tot het herstel van de volheid die eens ons allen omgaf; ik belde alsof het tegen de klok in draaien van een heel leven even natuurlijk en gewoon was als het terugzetten van de tijdklok van het keukenfornuis. Mijn hart bonsde weer hoorbaar, niet omdat ik popelde om binnen handbereik van Jamie Logan te zijn, maar doordat ik me Amy's zwarte haar en donkere ogen en zelfverzekerde gezicht in 1956 voor ogen haalde – en me haar welbespraaktheid en charme en vlugge geest herinnerde, destijds boordevol Lonoff en literatuur.

Terwijl de telefoon overging, beleefde ik opnieuw het moment in de lunchroom toen ze het verschoten regenhoedje afzette en me uitzicht bood op haar mismaakte schedel en de ravage die het noodlot daar had aangericht. Te laat, had ik gedacht, en ik was opgestaan, had mijn koffie betaald en was zonder haar te storen weggegaan. Laat haar maar over aan haar eigen kracht.

De achtergrond werd gevormd door een standaard Hilton-hotelkamer, saai en zonder enig persoonlijk accent, maar in mijn vastberadenheid haar te bereiken was ik bijna vijftig jaar in de tijd teruggereisd, toen de aanblik van een exotisch meisje met een buitenlands accent voor een onervaren jongen het antwoord op alles was. Ik belde het nummer nu als een verdeeld wezen dat niet meer en niet minder geïntegreerd was dan wie ook, als de beginneling die ze in 1956 had ontmoet en als de onwaarschijnlijke toeschouwer (met de onvoorspelbare biografie) die hij in 2004 was geworden. Maar nooit was ik minder vrij van die beginneling en zijn chaotische mengeling van onschuldig idealisme, vroegwijze ernst, licht geprikkelde nieuwsgierigheid en lichtzinnige begeerte, nog steeds lachwekkend onbevredigd, dan terwijl ik wachtte tot ze zou opnemen. Toen ze dat deed, wist ik niet wie ik me aan de andere kant van de lijn voor de geest moest halen: de Amy van toen of de Amy van nu. De stem had de stralende frisheid van een jong meisje dat elk moment kan gaan dansen, maar ik kon het lugubere beeld van het hoofd met de zaagsnee niet van me afzetten.

'Ik heb je gezien in een lunchroom op de hoek van Madison en Ninety-sixth,' zei Amy. 'Ik was te verlegen om iets te zeggen. Je bent nu zo belangrijk.'

'O, ja? Niet waar ik woon, hoor. Hoe gaat het met je, Amy?' vroeg ik, zonder te vermelden dat ik zo geschokt was door de barbaarse verandering die ze had ondergaan dat ik zelf niet de moed had gehad haar aan te spreken. 'Ik kan me die avond van onze ontmoeting nog heel goed herinneren. Die avond in 1956 toen het zo sneeuwde. Ik wist niet dat hij nog steeds met zijn vrouw getrouwd was toen hij stierf. Ik dacht dat hij met jou was getrouwd.'

'We zijn nooit getrouwd. Hij kon het niet over zijn hart verkrijgen. Maar dat gaf niet. We zijn vijf jaar samen geweest, voornamelijk in Cambridge. We woonden een jaar in Europa, we kwamen terug, hij schreef en hij schreef, hij gaf nog wat les, hij werd ziek en hij stierf.'

'Hij werkte aan een roman,' zei ik.

'Achter in de vijftig en dan een eerste roman schrijven. Als hij niet aan leukemie was gestorven, dan had die roman hem wel de das omgedaan.'

'Hoezo?'

'Het onderwerp. Toen Primo Levi zelfmoord pleegde, zei iedereen dat het kwam doordat hij in Auschwitz had gezeten. Volgens mij kwam het door het *schrijven* over Auschwitz, het werken aan dat laatste boek, het overdenken van die verschrikking met zo veel helderheid van geest. Iedereen die elke ochtend opstond om dat boek te schrijven zou eraan onderdoor zijn gegaan.'

Ze sprak over Levi's boek *De verdronkenen en de geredden.*

'Was Manny er zo slecht aan toe?' Het was voor het eerst van mijn leven dat ik hem Manny noemde. In 1956 was ik Nathan, zij was Amy, en hij en Hope waren meneer en mevrouw Lonoff.

'Er zat hem van alles dwars.'

'Dus je kreeg het moeilijk,' zei ik, 'toen jullie hadden wat jullie zo graag wilden.'

'Ik kreeg het moeilijk omdat ik in mijn jeugdige onschuld dacht dat hij het ook wilde. Hij wist dat het niet meer was dan wat hij dacht te willen. Toen hij eenmaal van haar af was en eindelijk met mij samen, werd alles anders – toen was hij somber, was hij afstandelijk en prikkelbaar. Hij werd gekweld door gewetensnood, het was verschrikkelijk. Toen we in Oslo woonden, lag ik 's nachts soms roerloos naast hem, stijf van woede. Soms wenste ik dat hij in zijn slaap zou sterven. Toen werd hij ziek en was alles weer rozengeur en maneschijn. Het was weer zoals het was toen ik bij hem studeerde. Ja,' zei ze, het feit dat ze niet verbergen wilde kracht bijzettend, 'zo was het: in tegenspoed vreemd in de wolken, en als er geen vuiltje aan de lucht was doffe ellende.'

'Dat is voorstelbaar,' zei ik, en ik dacht: in de wolken, ja, daar kan ik over meepraten. In de wolken, daar moet je voor boeten.

'Voorstelbaar,' antwoordde ze, 'maar wel alarmerend.'

'Nee, hoor. Helemaal niet. Ga verder.'

'De laatste weken waren afschuwelijk. Hij was verward en hij sliep meestal. Soms maakte hij geluiden en zwaaide hij met zijn handen, maar wat hij zei was niet te verstaan. Een paar dagen voor hij stierf kreeg hij een kolossale woedeaanval. We waren in de badkamer. Ik zat geknield voor hem om zijn luier te verschonen. "Dit lijkt wel een ontgroeningsfeest," zei hij. "Donder op, de badkamer uit!" en toen sloeg hij me. Hij had nog nooit van zijn leven iemand geslagen. Ik kan je niet zeggen hoe blij ik was. Hij had nog de kracht om me zo te slaan. Hij gaat niet dood! Hij gaat niet dood! Hij was dagen amper bij kennis geweest. Of hij hallucineerde. "Ik lig op de vloer," schreeuwde hij dan uit zijn bed. "Kom me oprapen." De dokter kwam en gaf hem morfine. En op een ochtend sprak hij. Hij was de hele dag daarvoor buiten kennis geweest. Hij zei: "Het einde is zo onmetelijk groot, het is zijn eigen poëzie. Het vergt weinig redenaarskunst. Je hoeft het alleen maar te zeggen." Ik wist niet of hij iemand citeerde, zich iets herinnerde van alles wat hij gelezen had, of dat dit zijn laatste boodschap was. Ik kon het hem niet vragen. Het deed er niet toe. Ik hield alleen maar zijn hoofd in mijn handen en herhaalde wat hij had gezegd. Ik kon me niet langer meer inhouden, ik begon vreselijk te huilen. Maar ik zei het. "Het einde is zo onmetelijk groot, het is zijn eigen poëzie. Het vergt weinig redenaarskunst. Je hoeft het alleen maar te zeggen." En Manny knikte zo goed als hij kon, en ik ben sinds die dag dat citaat blijven zoeken. Ik kan het niet vinden, Nathan. Wie heeft dat gezegd, wie heeft dat geschreven? "Het einde is zo onmetelijk groot..."'

'Het zou van hemzelf kunnen zijn. Zijn esthetiek in een notendop.'

'En hij zei nog meer. Ik moest mijn oor bij zijn mond houden om hem te verstaan. Hij zei, nauwelijks verstaanbaar: "Ik wil geschoren worden en geknipt. Ik wil schoon zijn." Ik vond een kapper. Die was meer dan een uur bezig, omdat Manny zijn hoofd niet overeind kon houden. Toen het gebeurd was, bracht ik de kapper naar de deur en gaf hem twintig dollar. Toen ik terugkwam bij het bed was Manny dood. Dood maar schoon.' Ze zweeg, maar het was maar een ogenblik, en ik wist toch niets te zeggen. Ik wist al dat hij gestorven was, en nu wist ik ook hoe, en al hadden we elkaar maar die ene keer ontmoet, het kwam toch als een schok. 'Ik heb het gehad, en ik ben blij dat ik het heb gehad, vijf jaar lang,' zei ze, 'elke dag en elke nacht. Ik zag zijn kale hoofd glanzen onder zijn leeslamp, ik zag hem daar zitten, 's avonds na het eten, en zorgvuldig onderstrepen wat hij las en dan even nadenken en snel een zin neerkrabbelen in zijn ringbandschrift, en dan dacht ik: zoals hij is er maar één.'

Een vrouw die vijftig jaar heeft geleefd met de herinnering aan vijf jaar – een heel leven daardoor bepaald. 'Ik moet je helaas vertellen,' zei ik, 'dat Kliman ook mij lastigvalt over hem.'

'Ik dacht al zoiets, omdat hij degene is die mij naar jou heeft geleid. Hij wil de biografie gaan schrijven die naar ik hoopte niemand ooit zou schrijven. Een biografie. Dat wil ik niet, Nathan. Dat is een tweede dood. Het maakt opnieuw een eind aan een leven door dat voor eeuwig in beton te gieten. Die biografie is het patent op dat leven – en wie is dat joch om dat patent te bezitten? Wie is hij om Manny te beoordelen? Wie is hij om de mensen voor altijd zijn beeld van hem in te prenten? Lijkt hij jou ook niet buitengewoon oppervlakkig?'

'Het doet er niet toe wat hij lijkt en zelfs niet wat hij is. Het enige wat ertoe doet is dat jij hem niet moet. Wat kun je doen om hem tegen te houden?'

'Ik?' Ze lachte zwakjes. 'Nou, eh... niets. De manuscripten van al de verhalen zijn op Harvard. Die kan hij gaan bekijken, net als iedereen, hoewel, toen ik er onlangs nog naar informeerde, had er in drieëndertig jaar geen mens naar gevraagd. Gelukkig lijkt niemand bereid met meneer Kliman te praten, niemand die ik ken, tenminste. Ik sta hem zeker niet te woord, niet nog een keer. Maar of dat hem zal tegenhouden, is zeer de vraag. Hij kan het allemaal uit zijn duim zuigen en er is geen wet die het verbiedt. Je kunt de doden geen smaad aandoen. En als hij de levenden smaad aandoet, als hij de feiten naar zijn hand zet, wie heeft er dan geld genoeg om hem of de uitgever aan wie hij zijn rotzooi verkoopt voor de rechter te slepen?'

'De kinderen Lonoff. Hoe zit het daarmee?'

'Dat is een verhaal apart. Die hebben nooit veel opgehad met de jonge aanbidster die de beroemde oude man inpikt. Of de beroemde oude man die zijn ouder wordende vrouw inruilt voor de jonge aanbidster. Hij zou nooit zijn weggegaan als Hope de knoop niet had doorgehakt, maar de kinderen hadden liever gewild dat hij bij hun moeder was gebleven tot hij goed en wel was gestikt. Zijn taaiheid, zijn soberheid, zijn prestatie – het leek wel of hij was uitverkoren om de Mount Everest te beklimmen, en toen was hij boven en kreeg hij geen adem meer. De dochter verachtte me het diepst. Een onberispelijk deugdzaam persoon, kleedt zich in jute en leest uitsluitend Thoreau – haar kon ik wel aan, maar ik heb nooit geleerd me niets aan te trekken van het Lady Sneerwell-gilde. Of ze haalden hun neus voor me op, of ze zagen me niet staan. Dat waren de brave vrouwen van de tolerante, vrijzinnige gemeenschap van Cambridge, Massachusetts, rond 1960, toen morele afkeuring tot het standaardvermaak van docentenvrouwen behoorde. Veel mensen zullen zeggen: je maakt je veel te druk over niets. Manny was de meester van de onpersoonlijke kijk op alles, maar die kunst kon ik niet leren, zelfs niet van de man die me heeft leren lezen, schrijven, denken, en weten wat de moeite van het weten waard is en wat niet. "Laat je toch niet zo intimideren.

Dat zijn komische figuren uit *School for Scandal.*" Hij was degene die de vrouw van onze geëerde rector als *Lady Sneerwell* betitelde. Als we ergens in Cambridge te eten waren gevraagd, was het voor mij soms ondraaglijk. Daarom wilde ik dat we in het buitenland gingen wonen.'

'Maar voor hem was het niet ondraaglijk.'

'Hij trok zich van dat soort dingen niets aan. In het openbaar kon hij het algemeen vooroordeel bagatelliseren. Daar had hij de status voor. Maar ik was niet meer dan het mooie meisje dat in Athena zijn studente was geweest. Ik had het als kind nog slechter gehad, nog veel slechter, dat wel, maar toen had ik nog een gezin om me heen.'

'Wat is er van Hope geworden?' vroeg ik.

'Die zit in de een of andere inrichting in Boston. Ze heeft alzheimer,' zei Amy, overeenkomstig wat Kliman me had verteld. 'Ze is over de honderd.'

'Misschien kan ik je ontmoeten,' zei ik. 'Wil je met mij gaan eten? Zou je misschien vanavond met mij willen gaan eten?'

Haar opgewekte, plezierige lach logenstrafte wat ze ging zeggen: 'O, ik ben niet meer het meisje waar je die avond in 1956 zo weg van was. De ochtend daarop, toen al die heisa begon – herinner jij je die enorme hysterische heisa nog van Hope die net deed of ze van huis wegliep om hem aan mij te laten? Dat was de ochtend dat je tegen mij zei – weet je 't nog? – dat ik "enige gelijkenis" vertoonde met Anne Frank.'

'Dat weet ik nog, ja.'

'Ik heb een hersenoperatie achter de rug, Nathan. Je gaat niet eten met een ingénue.'

'Ik ben ook niet meer wie ik was. Maar je klinkt nog net zo verleidelijk. Ik heb nooit geweten hoe je aan dat accent komt. Ik ben er nooit achter gekomen waar je vandaan kwam. Het moet Oslo zijn geweest. Waar je het slechter hebt gehad, was als joods kind onder de nazi's in Oslo. Ik denk dat je er daarom met hem bent gaan wonen.'

'Nu praat je zelf als de biograaf.'

'De vijand van de biograaf. Het obstakel van de biograaf. Die jongen zou de plank zó misslaan, het zou nog erger zijn dan Manny had kunnen vermoeden. Ik wil je helpen,' zei ik, 'zoveel ik kan,' wat ongetwijfeld was wat ze gehoopt had te horen toen ze besloot me te bellen.

We spraken dus af voor die avond, zonder dat er een woord was gesproken over de onthulling waarmee Kliman een literaire carrière hoopte te beginnen.

Maar afgezien daarvan hadden we zoveel gezegd. Twee mensen, dacht ik, die elkaar maar één keer hebben ontmoet, en ze dringen meteen door tot de kern en laten voor elkaar alle behoedzaamheid varen. Het was een opwindend idee, al maakte ik eruit op dat ze waarschijnlijk niet minder geïsoleerd leefde dan ik. Of misschien klikte het meteen zo goed tussen twee volslagen vreemden, gewoon omdat ze elkaar vroeger hadden gekend. Vroeger dan wat? Vroeger dan wat er daarna was gebeurd.

Ik gaf mezelf een kwartier om van mijn hotel naar het restaurant te lopen waar ik om zeven uur met Amy had afgesproken. Tony begroette me en ging me voor naar mijn tafel. 'Als vanouds,' zei hij vrolijk, terwijl hij een stoel voor me achteruitschoof.

'Je zult me hier wel vaker zien, Tony. Ik kom weer een poosje in de stad wonen.'

'Goed zo,' zei hij. 'Na 11 september zijn veel van onze vaste klanten met hun kroost naar Long Island verhuisd, of naar het noorden, of naar Vermont – overal heen, overal naartoe. Ik respecteer hun keuze, maar het was de paniek, weet u. Het ging ook vlug weer over, maar ik zeg het u eerlijk: het heeft ons wel wat fijne klanten gekost. Bent u alleen, meneer Zuckerman?'

'We zijn met ons tweeën,' zei ik.

Maar ze kwam niet. Ik had verzuimd haar telefoonnummer bij me te steken, dus kon ik haar niet bellen om te vragen of er iets mis was. Ik bedacht dat ze zich misschien te erg schaamde om mij van dichtbij een gesloopte oude vrouw te laten zien met een half kaalgeschoren hoofd en een wanstaltig litteken. Of misschien had ze zich bedacht en wilde ze me niet vragen haar te helpen Kliman te verslaan, omdat ze me dan ook deelgenoot zou moeten maken van de verdachte episodes in Lonoffs jonge jaren die zij, als hoedster van de nagedachtenis van deze angstvallig teruggetrokken man, absoluut niet aan de grote klok wilde hangen.

Ik wachtte meer dan een uur – zonder iets anders te bestellen dan een glas wijn voor het geval ze toch nog mocht komen – voordat het tot me doordrong dat dit niet het restaurant was waar we hadden afgesproken. Ik was automatisch naar Pierluigi gekomen in de vaste veronderstelling dat ik had voorgesteld daar te gaan eten, en nu kon ik me niet meer herinneren of ik aan Amy had gevraagd een restaurant te noemen dat haar goed beviel. Zo ja, dan was ik kennelijk vergeten welk restaurant het was. En bij de gedachte dat ze daar al die tijd in haar eentje had gezeten en geloofd dat ik haar had laten zitten – vanwege de beschrijving die ze van zichzelf had gegeven – holde ik de trap af naar de telefoon en belde ik mijn hotel om te vragen of er nog boodschappen voor me waren. Er was er een: 'Ik heb een uur gewacht en ben toen weggegaan. Ik begrijp het.'

Eerder die dag had ik bij een drogisterij de toiletartikelen gekocht die ik was vergeten van huis mee te brengen. Toen ik betaalde, vroeg ik aan de verkoopster: 'Kunt u dit voor mij in een doos doen?' Ze keek me niet-begrijpend aan. 'We hebben geen dozen,' zei ze. 'Ik bedoelde een tas,' zei ik, 'in een tas, alstublieft.' Een kleine vergissing, maar toch verontrustend. Ik maakte nu bijna dagelijks dit soort fouten, en al schreef ik plichtsgetrouw alles op in mijn taakschrift en deed ik constant mijn best om mijn aandacht te houden bij wat ik deed of van plan was, toch vergat ik vaak dingen. Tijdens telefoongesprekken merkte ik dat goedbedoelende mensen me soms van dienst probeerden te zijn door mijn zin aan te vullen of af te maken voordat ik in de gaten had dat ik had geaarzeld of gepauzeerd omdat ik een woord zocht, of dat ze grootmoedig mijn fout negeerden als ik (zoals pas nog tegen mijn werkster Belinda) een onbedoeld neologisme poneerde zoals 'hartmondig' in plaats van 'hartgrondig', of als ik een kennis in Athena aansprak met de naam van iemand anders, of als iemands naam me ontschoot terwijl ik hem aansprak en ik in stilte mijn hersens pijnigde om me die weer te binnen te brengen. Ook scheen waakzaamheid niet veel te helpen tegen wat minder als geheugenslijtage aanvoelde dan als een afglijden naar de zinloosheid, alsof er iets boosaardigs in mijn hoofd zat dat zelfstandig kon denken – het duiveltje van het geheugenverlies, de demon van de vergeetachtigheid, tegen wiens vernietigingskracht ik me niet kon verweren – dat me ertoe aanzette deze vergissingen te begaan, uitsluitend om het ultieme genot iemand te zien aftakelen, het uiteindelijke genot van iemand wiens scherpte als schrijver berustte op zijn geheugen en zijn verbale precisie, te zien verworden tot een zinloze figuur.

(Daarom werk ik nu, tegen mijn gewoonte in, zo snel als ik kan zolang ik het nog kan, ook al schiet ik lang niet meer zo hard op als ik zou moeten vanwege dezelfde mentale handicap die ik probeer te omzeilen. Niets is meer zeker, behalve dat dit waarschijnlijk mijn laatste poging zal zijn om naar woorden te blijven zoeken die ik kan samenvoegen tot de zinnen en alinea's van een boek. Want het is nu constant zoeken geblazen, een zoeken dat veel verdergaat dan het angstvallig zoeken naar welsprekendheid wat schrijven in wezen is. Tijdens het laatste jaar dat ik werkte aan de roman die ik onlangs naar mijn uitgever heb gestuurd, ontdekte ik dat ik elke dag moest vechten tegen het gevaar van onsamenhangendheid. Toen ik klaar was – dat wil zeggen, toen ik na vier kladversies niet meer verder kon – wist ik niet of het lezen van het voltooide manuscript werd gehinderd door een gestoorde geest of dat er aan mijn lezen niets mankeerde, maar dat de gestoorde geest in het werk werd weerspiegeld. Zoals gebruikelijk stuurde ik het manuscript naar mijn slimste lezer, eeuwen geleden mijn medestudent aan de Universiteit van Chicago, op wiens intuïtie ik blind vertrouw. Toen hij me telefonisch verslag uitbracht, wist ik dat hij zijn gebruikelijke openhartigheid opzij had gezet om mij te sparen, en huichelde toen hij zei dat hij niet de juiste lezer voor dit boek was en zich verontschuldigde omdat hij niets zinnigs te zeggen had op grond van het feit dat hij zo weinig voeling had met een hoofdpersoon die mijn volledige sympathie had dat hij er niet in geslaagd was voldoende geïnteresseerd te blijven om mij van dienst te kunnen zijn.

Ik drong niet aan, ik was niet eens verwonderd. Ik begreep dat het een smoes was om niet te hoeven zeggen wat hij dacht, maar juist omdat ik de kritische vermogens van mijn vriend maar al te goed ken en weet dat zijn opmerkingen nooit uit de lucht gegrepen zijn, had ik wel bijzonder naïef moeten zijn als ik me er niets van had aangetrokken. In plaats van me te adviseren aan een vijfde versie te beginnen – omdat hij uit de vierde versie had opgemaakt dat het aanbrengen van de belangrijke veranderingen die hij voor ogen had een exorbitante wissel zou trekken op wat er nog restte van míjn vermogens – gaf hij liever de schuld aan een niet-bestaande beperking van hemzelf, zoals een gebrek aan inlevingsvermogen, dan aan een gebrek dat hij bij mij had geconstateerd. Als ik zijn reactie juist had geïnterpreteerd – als, zoals ik geloofde, zijn manier van lezen een pijnlijk nauwkeurige kopie was van die van mezelf –, wat moest ik dan beginnen met een boek waaraan ik bijna drie jaar had gewerkt en dat ik zowel als onbevredigend als als voltooid beschouwde? Ik die nooit eerder met dit probleem te maken had gehad – doordat ik in het verleden altijd de vindingrijkheid en de energie had kunnen opbrengen om door te vechten tot ik een oplossing had –, ik dacht aan wat twee Amerikaanse schrijvers van het hoogste niveau hadden gedaan toen ze een verval van hun vermogens of een zwakte in een werkstuk constateerden dat zich op geen enkele manier liet verhelpen. Ik kon doen wat Hemingway had gedaan – en niet alleen aan het eind van zijn leven, toen de monumentale kracht en het actieve bestaan en het genieten van gewelddadige conflicten plaatsmaakten voor de slopershamer van de lichamelijke pijn, alcoholisch verval, geestelijke uitputting en suïcidale depressies, maar in de grootse jaren, toen zijn kracht onuitputtelijk was, toen hij blaakte van strijdlust en de superioriteit van zijn proza in de hele wereld werd erkend – en het manuscript wegleggen, hetzij om te proberen het later te herschrijven, hetzij om het voorgoed onuitgegeven te laten. Of ik kon doen wat Faulkner deed en het voltooide manuscript ondanks alles laten publiceren, zodat het boek waaraan hij met hart en ziel had gewerkt en waarmee hij niet verder kwam, toch zijn lezers bereikte en nog zo veel mogelijk genoegen verschafte.

Ik moest een strategie hebben die me hielp vol te houden en door te gaan – wie wil dat niet? – en het was de tweede die ik, op goed geluk, terecht of onterecht, besloot te volgen, ook al geloofde ik maar vaag dat die mijn vermogen om verder te gaan, in de avondschemering van mijn talent, zonder me al te veel te blameren, minder zou schaden. En dat was voordat de strijd zo zwaar werd als nu, en de aftakeling zo vergevorderd dat ook de meest wankele zekerheid me ontvalt – zodat het niet eens meer de vraag is of ik me na een dag of twee nog de bijzonderheden van het vorige hoofdstuk kan herinneren, maar of ik, ongelooflijk maar waar, na een paar minuten nog ongeveer weet wat er op de vorige bladzijde staat.

Tegen de tijd dat ik besloten had om medische hulp in New York te zoeken, was het niet alleen mijn penis die lekte en was het niet alleen de kringspier van de blaas die niet meer functioneerde – en al evenmin was de crisis die ik daarna zou doormaken er een waarvan ik kon blijven hopen dat die het verlies tot het lijf zou beperken. Ditmaal was het mijn geest, en ditmaal gaven de voortekenen mij meer dan een ogenblik respijt, hoewel, voor mijn gevoel, ook niet veel meer.)

Ik verontschuldigde me bij Tony, verliet het restaurant zonder gegeten te hebben en keerde terug naar mijn hotel. Maar in mijn kamer kon ik nergens Amy's nummer vinden. Ik wist zeker dat ik het op een papiertje op mijn nachtkastje had geschreven, maar het lag noch daar, noch op het bed, noch op het bureau, noch eronder op het tapijt, dat ik met de vingertoppen van één hand afzocht terwijl ik er langzaam op mijn knieën overheen kroop. Ik keek onder het bed, maar ook daar was het niet. Ik zocht in de zakken van alle kleren die ik had meegenomen, ook in wat ik niet had aangehad. Ik kamde de hele kamer uit, ook de plekken waar het onmogelijk zijn kon, zoals de minibar, tot ik op het idee kwam in mijn portemonnee te kijken, en daar was het papiertje met het telefoonnummer – waar het al die tijd was geweest. Ik was niet vergeten het bij me te steken toen ik naar Pierluigi ging, ik was vergeten dat ik het bij me had gestoken.

Het lichtje van mijn telefoon knipperde. In de verwachting dat dit een tweede, langere boodschap van Amy zou zijn, nam ik de hoorn van de haak en luisterde. Het was Billy Davidoff, die me belde vanuit mijn eigen huis. 'Nathan Zuckerman, het is een heerlijk huis. Klein, maar precies wat we willen. Ik heb foto's gemaakt – hopelijk hebt u daar geen bezwaar tegen. Jamie zal verrukt zijn van het huis, de vijver, het moeras aan de overkant van de weg – van alles, de hele plek. En Rob Massey is een juweel. Laten we zo gauw mogelijk de formaliteiten regelen. Wij zorgen voor de nodige papieren. Rob zegt dat hij uw spullen naar New York zal verhuizen als u zich hebt geïnstalleerd, maar als er iets is wat u direct nodig hebt, kan ik het vanavond meenemen. Ik ben hier nog een uurtje, mocht u terug willen bellen. Tot gauw, en bedankt. Ik denk dat dit heel goed voor ons zal zijn.'

Goed voor Jamie, zou hij bedoelen. Alles voor Jamie. Zo veel toewijding, en zo veel plezier in het toegewijd zijn. Wat wil Billy? Alles wat Jamie wil. Wat behaagt Billy? Alles wat Jamie behaagt. Waar is die attente Billy mee bezig? Met Jamie! Met Jamie! Met Jamie genot te verschaffen. Mocht die devote harmonie tegen alle verwachting in nooit verslappen, gelukkig paar! Maar als zij op een dag zijn zorgzaamheid afwijst, hem haar goedkeuring onthoudt, zich niet meer laat prikkelen door zijn hartstocht – arme, ongelukkige, kwetsbare, murw gebeukte man. Hij zal nooit een dag zonder haar leven zonder vijftig keer aan haar te denken. Geen opvolgster zal ooit aan haar kunnen tippen. Hij zal aan haar denken tot hij sterft. Hij zal aan haar denken *terwijl* hij sterft.

Het was halfnegen. Als Billy daar nog een uur zou blijven, kon hij pas om een uur of twaalf in West Seventy-first

Street terug zijn. Ik kon haar opbellen onder het voorwendsel dat ik een datum wilde afspreken voor de woningruil die ik niet langer wenste. Ik kon opbellen en haar de waarheid vertellen, tegen haar zeggen: 'Ik wil je zien – ik kan niet leven zonder dat ik je kan zien.' Tot middernacht zou deze jonge vrouw in wier nabijheid ik pas driemaal had verkeerd, en dat maar vluchtig, thuiszitten met haar katten – of met de katten en Kliman.

Stop met dat experiment in zelfkwelling. Haal de auto en vertrek. Je grote ontdekkingsreis is voorbij.

De tweede boodschap was van Kliman. Hij vroeg of ik voor hem met Amy Bellette wilde praten: ze had hem vóór haar operatie beloften gedaan en nu weigerde ze die na te komen. Hij had een kopie van de eerste helft van het bestaande manuscript van Lonoffs roman, en niets of niemand was ermee gediend als hij niet in staat werd gesteld ook de rest te lezen, zoals ze hem nog maar twee maanden geleden had toegezegd. Ze had hem familiefoto's van Lonoff gegeven. Ze had hem haar *zegen* gegeven. 'Als u kunt, meneer Zuckerman, help me dan alstublieft. Ze is niet meer wie ze was. Het komt door die operatie. Door wat ze allemaal hebben weggehaald, de schade die dat heeft aangericht. Er is een enorm hiaat ontstaan dat er vroeger niet was. Maar misschien wil ze naar u wel luisteren.'

Kliman? Maar dit was toch niet te geloven. Je stinkt, je stinkt, ouwe man, en dan belt hij op en vraagt zonder een woord van verontschuldiging of ik hem wil helpen? Nadat ik hem heb gezegd dat ik zal doen wat ik kan om hem kapot te maken? Is hij zo'n brutale manipulator, Kliman, of alleen maar een chaoot, of is hij een van die mensen die zich aan iemand hechten die ze niet los kunnen laten? Van die mensen die zich, wat je ook tegen ze zegt om ze af te stoten, niet weg laten jagen. Wat je ook doet, ze blijven proberen om van jou te krijgen wat ze van je willen. En wat zij ook doen, wat voor afschuwelijke dingen zij ook zeggen, het is hun modus vivendi om nooit toe te geven dat ze onherstelbaar over de schreef zijn gegaan. Ja, een grote, mooie, viriele jongen met de zelfverzekerdheid van zijn knappe uiterlijk, in het geheel niet bang om mensen te schofferen en dan terug te komen alsof er niets is gebeurd.

Of was er tussen hem en mij nog een contact geweest dat ik vergeten was? Maar wanneer dan? 'Misschien wil ze naar u wel luisteren.' Maar waarom denkt hij dat Amy Bellette naar mij zou luisteren terwijl hij weet dat we elkaar maar één keer hebben ontmoet? En weet hij zelfs dat wel? voorzover Kliman weet, hebben we elkaar nooit ontmoet. Tenzij ik het hem heb verteld. Misschien heeft zij het hem wel verteld. Dat heeft ze vast – dat heeft ze hem vast ook verteld!

Ik legde Amy's nummer naast de telefoon en belde. Toen ze opnam, zei ik ongeveer tegen haar wat ik tegen Jamie had willen zeggen: 'Ik wil je graag zien. Ik wil graag naar je toe komen. Nu meteen.'

'Waar bleef je?' vroeg ze.

'Ik ben naar het verkeerde restaurant gegaan. Het spijt me. Zeg me waar je woont. Ik wil graag met je praten.'

'Ik woon in een stinkhol,' zei ze.

'Zeg me waar je bent, alsjeblieft.'

Ze zei het en ik ging per taxi op weg naar haar adres aan First Avenue omdat ik wilde weten of wat ze over Lonoff zeiden waar was. Vraag niet waarom ik dat wilde weten. Ik wist het niet. Maar het onzinnige karakter van mijn onderzoek weerhield me niet. Niets wat onzinnig was kon me weerhouden. Een bejaarde man, zijn strijd gestreden, die plotseling de drang voelt... tot wat? Was één rondgang langs de hartstochten niet genoeg? Was één rondgang met het onkenbare niet genoeg? Wéér het ongewisse tegemoet?

Het was niet zo erg als ik me onderweg had voorgesteld, hoewel ik vond dat het geen pas gaf dat zo'n vrouw, de nog levende partner van deze briljante auteur, dit gebouw als haar woning betitelde. Op de begane grond bevond zich een spaghettitent, met ernaast een Ierse pub, zonder slot op de buitendeur van het pand en de binnendeur die toegang gaf tot het trappenhuis. In een donkere alkoof onder de eerste trap stonden zwaar gebutste metalen vuilnisbakken. Toen ik naast de rij brievenbussen op haar bel had gedrukt, zag ik dat van één bus het slot ontbrak en het deurtje met de gleuf op een kier stond. Ik betwijfelde of de bel die ik had ingedrukt het deed en was verrast toen Amy's stem me van boven toeriep: 'Pas op. Losse treden op de trap.'

Dankzij een paar naakte peertjes in fittingen aan het plafond was het trappenhuis redelijk verlicht, maar de gangen die erop uitkwamen waren in donker gehuld. De geur die in het gebouw hing kon die van kattenpis zijn of van rattenpis of van beide.

Ze stond me op te wachten op het derde trapportaal, en haar half kaalgeschoren hoofd met die ene grijze vlecht was het eerste wat ik zag van deze oude vrouw, die nu in een lange, vormloze citroengele jurk, bedoeld om vrolijkheid uit te stralen, een zelfs nog deerniswekkender aanblik bood dan in het ziekenhuisschort dat ze tot jurk had vermaakt. Maar ze leek zich niet bewust van haar verschijning en was bijna kinderlijk blij om me te zien. Ze stak haar hand uit, maar in plaats van die te schudden, kuste ik haar op beide wangen, een genoegen waarvoor ik destijds in 1956 heel wat zou hebben overgehad. Alles aan dat kussen leek een wonder, en het grootste wonder was wel dat ze, ondanks het fysieke bewijs van het tegendeel, helaas, zichzelf was en geen oplichtster. Dat ze al haar beproevingen had overleefd om mij in deze mistroostige omgeving te ontmoeten, dat was een ernstig wonder, waardoor het bijna leek alsof mijn bezoek aan haar, mijn voltooiing van een ontmoeting, een moment alleen met een jonge vrouw tot wie ik mij bijna vijftig jaar geleden zo hevig aangetrokken had gevoeld, onbewust de reden van mijn komst naar New York was geweest, de reden waarom ik gekomen was en overhaast had besloten te blijven. Naar iemand teruggaan na zo lange tijd, nadat ik kanker heb gehad en zij ook, en terwijl onze ooit zo vlugge jonge hersenen al flink wat slijtage vertonen – misschien was dat waarom ik bijna beefde en zij een lange gele jurk had aangetrokken die, zo ooit, een halve eeuw geleden in de mode was geweest. Allebei zo verlangend naar die figuur uit het verleden. Tijd – de macht en de kracht van de tijd – en die oude gele jurk over haar weerloze lijfje, overschaduwd door de dood! Stel dat ik me nu omdraai en Lonoff de trap op zie komen? Wat zou ik dan tegen hem zeggen? 'Ik bewonder u nog steeds'? 'Ik heb u pas nog herlezen'? 'Ik ben voor u weer een jongen'?

Wat hij zou zeggen – ik kon het hem horen zeggen – was: 'Zorg voor haar. Het vooruitzicht dat ze moet lijden is onverdraaglijk.' Hij was dood corpulenter dan hij bij leven was geweest. Hij was in het graf aangekomen. 'Ik begrijp,' vervolgde hij, 'dat je niet meer zo'n geweldige minnaar bent. Dat zou het gemakkelijker moeten maken.'

'Lichamelijk falen,' antwoordde ik, 'maakt niets gemakkelijker. Ik zal doen wat ik kan.' Ik had een paar honderd dollar in mijn portefeuille die ik haar nu kon geven, en in mijn hotel zou ik een cheque uitschrijven die ik de volgende ochtend op de post zou doen, maar dan moest ik niet vergeten me er bij het weggaan van te vergewissen dat de brievenbus zonder slot niet de hare was. Was dat wel het geval, dan zou ik zorgen dat ze het geld langs een andere weg kreeg.

'Dank je,' zei Lonoff toen ik achter de gele jurk het appartement betrad, een smalle flat waarvan de vertrekken in één lijn lagen en de twee binnenste vertrekken – een werkkamer en, achter een boogvormig poortje, een keukentje – geen ramen hadden. Aan de voorkant, boven het verkeer van First Avenue en het restaurant, lag een kleine woonkamer met twee getraliede ramen, en aan de achterkant een nog kleiner kamertje met maar één getralied raam, waar net een smal bed en een nachtkastje in pasten. Drie ramen. In de woonboerderij van Lonoff in Berkshire moesten er wel twee dozijn hebben gezeten, die je nooit op slot hoefde te doen.

De slaapkamer keek uit op een luchtkoker en beneden op een achterstraatje waar de vuilnisbakken van het restaurant stonden. Een toilet, ontdekte ik, bevond zich in een kamertje ter grootte van een diepe kast achter een deur naast het aanrecht. Een kleine badkuip op leeuwenpoten stond op de keukenvloer, met amper een paar centimeter speling ingepast tussen de koelkast en het fornuis. Omdat het appartement aan de voorkant blootstond aan het lawaai van de bussen, vrachtwagens en personenauto's die door First Avenue scheurden, en aan de achterkant aan de niet-aflatende herrie uit de keuken van het restaurant waarvan de achterdeur ten behoeve van de ventilatie het hele jaar openstond, ging Amy met mij in de betrekkelijke stilte van haar donkere werkkamertje zitten, tussen de papieren en de boeken waarmee de planken aan de muren waren volgestouwd en die in stapels om de voet van de keukentafel met formica blad stonden, die tevens dienstdeed als bureau. De lamp op het bureau leverde het enige licht. Het was een wijde, hoge, halfdoorzichtige, bruinige fles voorzien van een gloeilampfitting en een waaiervormig geplisseerde kap in de vorm van een breedgerande zonnehoed. Ik had die lamp achtenveertig jaar geleden voor het laatst gezien. Het was Lonoffs simpele bureaulamp. Opzij van de tafel zag ik nog een andere relikwie uit zijn werkkamer; de grote, matbruine, paardenharen leunstoel, in de loop der decennia gevormd naar de omtrek van zijn aanzienlijke tors en, zo leek het wel, de indruk van zijn denken en de vorm van zijn stoïcisme – dezelfde versleten stoel van waaruit hij me in het begin had geïntimideerd met doodsimpele vragen over mijn jeugdige bezigheden. Ik dacht: wat! Ben jíj hier? En herinnerde me toen waar datzelfde zinnetje voorkomt in Eliots *Little Gidding*: op het punt waar de dichter, die voor het aanbreken van de ochtend over straat loopt, de 'samengestelde geest' ontmoet, die hem vertelt welke lijdensweg hem wacht. 'Want 't woord van vorig jaar behoort de taal van vorig jaar/ en 't woord van volgend jaar wacht op een nieuwe stem.' Hoe begint Eliots geest? Sardonisch: 'Laat mij de gaven voor de ouderdom onthullen.' Voor de ouderdom onthullen. Voor de ouderdom onthullen. Verder weet ik het niet meer. Er volgt een angstaanjagende profetie die ik me niet meer kan herinneren. Als ik weer thuis ben, zoek ik het op.

In stilte richtte ik een opmerking tot Lonoff die me pas was ingevallen: je bent niet meer dertig en nog wat jaren ouder dan ik. Ik ben nu tien jaar ouder dan jij.

'Wil je iets eten?' vroeg ze.

'Ik heb geen honger,' antwoordde ik. 'Ik ben te veel van mijn à propos doordat ik hier bij jou ben.'

Ik was zo geroerd door een verschijning, zo onvoorstelbaar, dat ik geen woord meer kon uitbrengen. Hoe onnauwkeurig of vluchtig mijn gedachten tegenwoordig ook konden worden, mijn herinnering aan Amy, die ik lang geleden maar één keer had ontmoet, was nog scherp en getekend door het gevoel dat ik in 1956 had dat ze iemand van ongewoon grote betekenis was. Destijds had ik zelfs tot in de kleinste details een scenario uitgewerkt waarin ik haar had opgetuigd met de gruwelijke feiten van de Europese biografie van Anne Frank, maar een Anne Frank die, in mijn opzet, Europa en de Tweede Wereldoorlog had overleefd en zichzelf had herschapen, onder een schuilnaam, als een verweesde studente in New England, een meisje uit Nederland, een leerlinge en vervolgens minnares van E.I. Lonoff, aan wie ze op een dag, toen ze tweeëntwintig was – nadat ze in haar eentje naar Manhattan was gegaan om de eerste voorstelling van *Het dagboek van Anne Frank* te zien –, haar ware identiteit had onthuld. Het sprak vanzelf dat ik niet meer de drijfveren van de jongeman bezat om dat flamboyante hersenspinsel verder uit te werken. De gevoelens die zich, toen ik midden twintig was, tot dat doel van mijn fantasie bedienden, waren sinds lang verdwenen, net als de morele imperatieven die me toen door de eerwaarde voorgangers van de joodse gemeenschap werden opgedrongen. Hun veroordeling van mijn eerste gepubliceerde verhalen als kwaadaardige manifestaties van 'joodse zelfhaat' had me zeker geraakt, ondanks de mateloos irritante rechtschapenheid van hun joodse eigenliefde, die ik met al mijn walging bestreed – die ik bestreed door van de Amy van Lonoff de martelares Anne te maken met wie ik, met niet meer dan een greintje ironie, mij verbeeldde te willen trouwen. Als de vrolijke, jeugdige joodse heilige werd Amy mijn fictieve fortificatie tegen die vernietigende aanklacht.

'Wil je wat drinken?' vroeg ze. 'Heb je trek in een biertje?'

Ik had iets stevigers niet erg gevonden, maar ik dronk nu nooit meer dan een glas wijn bij het eten omdat alcohol mijn concentratieverlies verergerde. 'Nee, dank je wel. Heb jíj al gegeten?'

'Ik eet niet meer,' zei ze. *Niet meer*. Dat was ook mijn vaste refrein geworden.

'Gaat het wel goed met je?' vroeg ik.

'Het ging goed. Negen maanden ging het goed. Maar ze hebben me net verteld dat dat rotding weer terug is. Zo gaat dat – het noodlot verstopt zich achter je rug en op een gegeven moment floept het tevoorschijn en roept: boe! Toen ik mijn eerste tumor had, nog voor ik zelfs maar wist dat ik hem had, deed ik dingen die ik niet graag zou herhalen. Ik schopte de hond van de buren. Een klein hondje dat eeuwig in de hal staat te blaffen en probeert in je schoenen te bijten, een klein kolerekeffertje dat daar helemaal niet hoort te zijn, en ik haalde uit en ik gaf hem een rotschop. Ik schreef brieven naar *The New York Times*. Ik kreeg een woedeaanval in de openbare bibliotheek. Ik ging helemaal door het lint. Ik ging naar de bibliotheek om een tentoonstelling te zien over E.E. Cummings. Toen ik hier als studente arriveerde, was ik dol op zijn gedichten: "ik zing van Olaf blij en dik." Bij het verlaten van de Cummings-tentoonstelling zag ik dat in de gang langs de muren een veel grotere, veel opzienbarender tentoonstelling was ingericht met als titel *Mijlpalen in de moderne literatuur*. Grote portretfoto's boven vitrines met eerste drukken in de originele stofomslagen, en het was allemaal stompzinnige politiek-correcte rotzooi. Normaal zou ik gewoon door zijn gelopen en er in de subway naar huis met Manny over hebben gepraat. Hij was de voorvechter van de tact – tact, humor, geduld. De dwaasheid van de mens verbaasde hem nooit. Zelfs dood weet hij me nog zo te troosten.'

'Na veertig jaar? Was er in veertig jaar niemand anders die belangrijk genoeg werd om je te kunnen troosten?'

'Was dat dan mogelijk?'

'Was het mogelijk van niet?'

'Na hém?'

'Toen hij stierf was je dertig. Om je hele leven door één enkele episode te laten bepalen... Je was nog een jonge vrouw.' Ik had willen vragen: werd alles wat later kwam vermorzeld door die paar jaar? maar het antwoord was zo ook wel duidelijk. Alles, maar dan ook alles.

'Van geen belang,' was haar antwoord op wat ik wel had gezegd.

'Maar wat heb je dan gedaan?'

'Gedaan? Wat een woord. Gedaan. Ik heb boeken vertaald uit het Noors in het Engels, uit het Engels in het Noors, uit het Zweeds in het Engels, uit het Engels in het Zweeds. Dat heb ik gedaan. Maar meestal dobber ik maar wat. Ik heb alsmaar gedobberd en gedobberd, en nu ben ik vijfenzeventig. Zo ben ik vijfenzeventig geworden: alsmaar dobberend. Maar jij hebt niet gedobberd. Jouw leven is als een pijl geweest. Jij hebt gewerkt.'

'En zo ben ik eenenzeventig geworden. Of je het nu zus doet of zo, als een pijl of als een dobber, je komt toch aan het eind. Ben je nooit met iemand anders naar die villa in Florence gegaan?'

'Hoe weet jij dat van die villa in Florence?'

'Omdat hij er die avond met mij over praatte. In algemene zin, alleen maar als iets waaraan hij had gedacht. En daarna,' bekende ik, 'heb ik jullie tweeën afgeluisterd. Ik was zo vrij om jouw gesprek met hem die avond af te luisteren.'

'Hoe heb je dat klaargespeeld?'

'Ik sliep precies onder jullie. Dat zul je wel niet meer weten. Hij had het veldbed in zijn werkkamer voor me opgemaakt. Ik ging op zijn bureau staan en drukte mijn oor tegen het plafond. Jij zei: "O, Manny, we zouden zo gelukkig kunnen zijn in Florence."'

Ze was dolgelukkig toen ze dit hoorde. 'O jee. Stoute

jongen die je bent. Wat nog meer? Wat nog meer? Een getuige te hebben van iets dat zo lang geleden is – wat een cadeau! Zeg op wat je hebt gehoord, stouterd! Ik wil alles weten!'

Vertel me, vroeg ze mij, vertel me alsjeblieft over dit intieme moment met deze onvervangbare man die ik liefheb en die dood is, vertel me dat op de dag dat ik gehoord heb dat de tumor terug is waarmee ikzelf de dood tegemoet raas, en ter ere waarvan ik mijn gele jurk heb aangetrokken!

'Ik zou het graag doen,' zei ik, 'maar ik herinner me weinig meer dan dat. Ik herinner me Florence omdat hij het daar ook over had gehad: de villa in Florence en de jonge vrouw daar bij hem met wie het leven weer mooi en nieuw zou zijn.'

'"Mooi en nieuw" – zei hij dat?'

'Ik dacht van wel. Zijn jullie weleens in Florence geweest?'

'Wij tweeën? Nooit. Ik ben er zelf heen gegaan. Ik ben erheen gegaan en na zijn dood ben ik er gebleven. Ik sneed de bloemen voor zijn vaas. Ik schreef in mijn dagboek. Ik maakte de wandelingen. Ik huurde een auto en maakte de tochten. Jarenlang, in juni. Dan ging ik daar naar een *pensione* en nam ik mijn vertaalwerk mee, en volvoerde ik alle rituelen.'

'En je hebt het nooit met een ander aangedurfd.'

'Waarom zou ik?'

'Hoe kun je zo lang in een herinnering leven?'

'Dat is het nooit geweest. Ik praat voortdurend tegen hem.'

'En hij ook tegen jou?'

'Jazeker. We hebben het probleem van zijn dood-zijn heel aardig omzeild. We zijn nu zo anders dan iedereen en we lijken zoveel op elkaar.'

De emotionele schok die dit bij me teweegbracht maakte dat ik haar onderzoekend aankeek om te zien of ze gezegd had wat ze had willen zeggen of dat ze opzettelijk overdreef, of dat haar woorden als het ware bij toeval waren uitgesproken door haar brein waar een stuk aan ontbrak. Ik zag alleen iemand die door niemand werd beschermd. Ik zag alleen wat Kliman zag.

'Wat zou hij ervan denken dat je zo leeft?' vroeg ik haar. 'Zou hij niet hebben gewild dat je iemand vond? Wat zou hij ervan gedacht hebben dat je al die jaren alleen bent geweest?' En ik voegde eraan toe: 'Wat zegt hij ervan tegen jou?'

'Hij praat er nooit over.'

'Wat vindt hij ervan dat je nu hier woont, op deze plek?'

'Ach, daar hebben we het nooit over.'

'Waarover dan wel?'

'Over boeken die ik lees. We praten over boeken.'

'En over niets anders?'

'Over dingen die gebeuren. Ik vertelde hem van de bibliotheek.'

'Wat zei hij daarvan?'

'Wat hij altijd zegt. Hij lachte. Hij zei: "Je neemt die dingen veel te serieus."'

'Wat zegt hij over je hersentumor?'

'Ik moet niet bang zijn. Het is niet goed, maar ik moet niet bang zijn.'

'Geloof je wat hij je zegt?'

'Als we samen praten, dan is er even geen pijn meer.'

'Alleen de liefde.'

'Ja, absoluut.'

'En wat heb je hem over de bibliotheek verteld? Vertel eens verder over de bibliotheek.'

'O, ik stormde die gang op en neer, kokend van woede over de foto's van die schrijvers die de mijlpalen van de moderne literatuur hadden geschreven. Ik verloor mijn zelfbeheersing, ik begon te schreeuwen. Er snelden twee bewakers toe en in minder dan geen tijd stond ik buiten op de stoep. Ze dachten natuurlijk dat ik een gekkin was die toevallig was binnengekomen. Dat dacht ik ook. Een boosaardige gek met boosaardige gedachten. Toen ben ik begonnen met honderduit te praten. Dat doe ik zelfs als ik alleen ben. Ik wist het nog niet van de tumor, begrijp je wel. Dat heb ik al gezegd. Maar die zat al in mijn achterhoofd en keerde me binnenstebuiten. Mijn hele leven, als ik het even niet meer wist, heb ik mezelf kunnen afvragen: wat zou Manny doen? Wat zou Manny doen aan die belachelijke toestand? Hij is mijn hele leven bij me geweest, om me de weg te wijzen. Ik hield van een groot man. Zoiets gaat niet over. Maar toen kwam de tumor en kon ik hem niet meer horen, vanwege dat onophoudelijke geraas.'

'Hoor je geluiden?'

'Nee, ik had moeten zeggen "een wolk". Het is een wolk. Je hebt een onweerswolk in je hoofd.'

'Wat was die stompzinnige politiek-correcte rotzooi?'

Ze lachte, het gezicht, fijn gerimpeld en zonder een restje van de schoonheid die het eens had bezeten – het gezicht lachte, maar vanwege de half kaalgeschoren schedel met het nieuwe donshaar en dat demonische litteken was de lach zelf doorspekt met alle verkeerde betekenissen. 'Dat kun je wel raden. Ze hadden wel Gertrude Stein, maar niet Ernest Hemingway. Ze hadden Edna St. Vincent Millay, maar niet William Carlos Williams of Wallace Stevens of Robert Lowell. Pure onzin. Het is begonnen op de universiteiten en nu heerst het overal. Richard Wright, Ralph Ellison en Toni Morrison, maar niet Faulkner.'

'Wat heb je geschreeuwd?' vroeg ik.

'Ik schreeuwde: "Waar is E.I. Lonoff? Hoe durven jullie

E.I. Lonoff weg te laten!" Ik had willen roepen: hoe durven jullie William Faulkner weg te laten! maar in plaats daarvan noemde ik Manny. Ik trok heel wat volk.'

'En hoe merkte je dat je die tumor had?'

'Ik kreeg last van hoofdpijn. Zo erg dat ik moest overgeven. Je helpt me toch om van die Kliman af te komen, hè?'

'Ik zal het proberen.'

'Dat ding is terug. Heb ik je dat al verteld?'

'Ja,' zei ik.

'Iemand moet Manny tegen die man beschermen. Elke biografie die hij schrijft is een toonbeeld van de rancune van een minderwaardig persoon. De voorspelling van Nietzsche bewaarheid: de kunst door rancune vermoord. Voordat ik wist dat ik een tumor had, bracht hij me een bezoek. Het was kort na dat fiasco in de bibliotheek. Ik praatte al honderduit. Ik gaf hem thee en hij was zo keurig en hij sprak, volgens mijn tumor, zo briljant over Manny's verhalen – volgens mijn tumor was hij een zuiver literair wezen, een serieuze jonge ex-Harvardstudent die niets liever wilde dan Manny's naam in ere herstellen. Volgens mijn tumor was Kliman *innemend*.'

'Nou, je had beter de hond innemend kunnen vinden en Kliman een schop kunnen verkopen. Hoe kwam je aan een diagnose?' vroeg ik.

'Ik viel flauw. Op een dag zette ik de fluitketel op het fornuis en ik draaide het gas aan, en toen ik bijkwam keken er twee politieagenten op me neer op de eerstehulpafdeling van het Lenox Hill-ziekenhuis. De conciërge rook het gas en hij vond me daar' – ze wees achter ons naar de keuken waar de badkuip stond – 'op de vloer, en ze dachten dat ik had geprobeerd er een eind aan te maken. Dát maakte me kwaad. Álles maakte me kwaad. Ik was vroeger een lief, aardig meisje, toch?'

'Ik vond je heel welgemanierd.'

'Nou, ik heb die agenten hun vet gegeven.'

Voor het eerst sinds ik bij Pierluigi op haar had zitten wachten, realiseerde ik me dat niet ik naar het verkeerde restaurant was gegaan, maar Amy. De tumor die was teruggekomen, keerde haar weer binnenstebuiten – de tumor die was teruggekomen en die kennelijk een geestestoestand had veroorzaakt waarin die terugkeer haar geen angst kon inboezemen. Ze had me tweemaal verteld dat hij terug was, en niet alsof dit feit haar hele leven overschaduwde, maar elke keer alsof ze het over niets ergers had dan een cheque die wegens gebrek aan saldo niet was overgeboekt.

Vanuit een gezamenlijk zwijgen dat enkele minuten had geduurd, zei ze: 'Ik heb zijn schoenen nog.'

'Hoe bedoel je?'

'Op den duur heb ik al zijn kleren weggedaan, maar van zijn schoenen kon ik geen afscheid nemen.'

'Waar zijn ze?'

'In mijn slaapkamerkast.'

'Mag ik ze zien?' Ik vroeg het alleen omdat ik het gevoel had dat ze dat graag wilde.

'Zou je dat willen?'

'Jazeker.'

De slaapkamer was piepklein en de deur van de kast ging maar gedeeltelijk open alvorens tegen een kant van het bed te botsen. In de kast hing een touwtje met een gerafeld einde, en toen ze eraan trok ging er een spaarlampje branden. Het eerste wat ik zag hangen tussen de tien of meer kledingstukken was de jurk die ze zelf van een ziekenhuisschort had gemaakt. Toen, naast elkaar op de vloer, zag ik Lonoffs schoenen. Vier paar, allemaal met de neus naar voren wijzend, allemaal versleten. Vier paar schoenen van een dode.

'Ze zijn nog precies zoals hij ze heeft achtergelaten,' zei ze.

'Je ziet ze elke dag,' zei ik.
'Elke ochtend. Elke avond. Soms vaker.'
'Is het nooit griezelig om ze daar te zien staan?'
'Nee, integendeel. Wat kan er geruststellender zijn dan zijn schoenen?'
'Had hij geen bruine schoenen?' vroeg ik.
'Hij droeg nooit bruine schoenen.'
'Trek je ze weleens aan?' vroeg ik. 'Sta je er weleens in?'
'Hoe weet je dat?'
'Het is menselijk. Zo is het leven van een mens.'
'Het zijn mijn schatten,' zei ze.
'Ik zou ze ook koesteren.'
'Wil jij ook een paar hebben, Nathan?'
'Je hebt ze al zo lang. Je moet er geen afstand van doen.'
'Ik zou er geen afstand van doen. Ik zou ze alleen maar doorgeven. Als ik doodga aan die tumor wil ik niet dat alles verloren gaat.'
'Ik vind dat je ze houden moet. Je weet maar nooit wat er nog kan gebeuren. Wie weet kun je er hier nog jaren naar kijken.'
'Ik ga waarschijnlijk dood deze keer, Nathan.'
'Hou jij alle schoenen maar, Amy. Bewaar ze maar voor hem, hier bij jou.'
Ze trok met het touwtje het licht uit en deed de kastdeur dicht, en via de keuken keerden we naar haar werkkamer terug. Ik voelde me even uitgeput als iemand die zojuist op topsnelheid de tien mijl heeft gelopen.
'Weet je nog waar je het met Kliman over hebt gehad?' vroeg ik haar, nu ik de schoenen had gezien. 'Weet je nog wat je hem hebt verteld die keer dat hij bij je was?'
'Ik geloof niet dat ik hem iets heb verteld.'
'Niets over Manny, niets over jezelf?'
'Ik weet het niet, ik weet het niet zeker.'
'Heb je hem iets gegeven?'

'Hoezo, zegt hij dat dan?'

'Hij zegt dat hij een fotokopie heeft van de helft van Manny's roman. Hij zegt dat je hem ook de rest hebt beloofd.'

'Dat kan ik nooit hebben gedaan. Onmogelijk.'

'Kan de tumor het misschien hebben gedaan?'

'O, hemel. O, god. O, nee.'

Er lagen wat losse vellen papier op de tafel en in haar geagiteerdheid begon ze ermee te spelen. 'Zijn die van de roman?' vroeg ik.

'Nee.'

'Is de roman hier?'

'Ik heb het origineel in een kluis in Boston. En ik heb hier een kopie, ja.'

'Hij kon hem niet schrijven vanwege het onderwerp.'

Ze keek verschrikt op. 'Hoe weet jij dat?'

'Dat heb jij gezegd.'

'O, ja? Ik weet niet meer wat ik doe. Ik weet niet meer wat er gebeurt. Ik wou dat iedereen me met rust liet over dat boek.' Toen keek ze naar de vellen papier in haar hand en zei, vrolijk lachend: 'Dit is een briljante brief aan de *Times*. Hij is zo briljant dat ze hem nooit hebben afgedrukt. Ach,wat zou het ook.'

'Wanneer heb je hem geschreven?' vroeg ik.

'Een paar dagen geleden. Een week geleden. Ze hadden een artikel over Hemingway. Misschien een jaar geleden. Misschien vijf jaar. Ik weet het niet meer. Dat artikel heb ik nog ergens. Ik had het uitgeknipt en onlangs op een avond vond ik het en ik maakte me er zo kwaad over dat ik ervoor ben gaan zitten en die brief heb geschreven. Er was een verslaggever naar Michigan geweest om te proberen de mensen op te scharrelen die voor Hemingways Upper Peninsula-verhalen model hadden gestaan. En toen heb ik ze eens geschreven hoe ik daarover dacht.'

'Lijkt me wat lang voor een ingezonden brief.'
'Ik heb ze nog langer, hoor.'
'Mag ik hem lezen?' vroeg ik.
'Och, het is gewoon wat gezeur van een maf oud wijf. De uitwas van de uitwas.' Ze liep abrupt naar de keuken om de fluitketel op te zetten en iets voor ons beiden te eten te maken, zodat ik alleen met de brief achterbleef. Hij was met een balpen geschreven. Eerst dacht ik dat hij niet in één avond geschreven kan zijn, maar stukje bij beetje over een periode van dagen, weken, of maanden, omdat de kleur van de inkt per bladzijde minstens een keer of twee wisselde. Toen bedacht ik dat ze de brief inderdaad in één sessie geschreven kon hebben – een reactie op een artikel van misschien vijf jaar oud – en dat de verschillende kleuren inkt alleen maar aangaven hoe diepgaand haar verwardheid was. Toch waren de zinnen zelf coherent en was de gedachtegang allesbehalve de uitwas van de uitwas in haar hoofd.

Aan de redactie van de *Times*
Er is een tijd geweest dat intelligente mensen literatuur gebruikten om na te denken. Die tijd loopt ten einde. Tijdens de decennia van de Koude Oorlog waren het in de Sovjet-Unie en de Oostbloklanden de serieuze schrijvers die uit de literatuur werden verbannen; nu, hier in Amerika, is het de literatuur die als serieuze invloed op onze levensopvatting wordt uitgebannen. De manier waarop literatuur nu op de cultuurpagina's van de verlichte dagbladen en door de vakgroepen Engels van de universiteiten doorgaans wordt gebruikt, is zo rampzalig in strijd met de doeleinden van het creatieve schrijven, en met de beloning die de literatuur een ontvankelijke lezer biedt, dat het beter zou zijn als de literatuur niet langer voor enig publiek doel werd gebruikt.

De cultuurjournalistiek van uw krant – hoe meer ervan is, hoe slechter de kwaliteit. Zodra je je begeeft in de ideologische simplificaties en het biografische minimalisme van de cultuurjournalistiek, gaat het wezen van het kunstwerk verloren. Uw cultuurjournalistiek is boulevardjournalistiek vermomd als belangstelling voor 'de schone kunsten', en alles wat erdoor wordt aangeraakt, wordt gereduceerd tot iets wat het niet is. Wie is die beroemdheid, wat is de prijs, wat is het schandaal? Welke zonde heeft de schrijver begaan, en niet tegen de eisen van de literaire esthetiek, maar tegen zijn of haar dochter, zoon, moeder, vader, echtgenoot, minnaar, vriend, uitgever of huisdier? Zonder ook maar het minste idee van wat er van nature zondig is aan de literaire verbeelding, houdt de cultuurjournalistiek zich eeuwig bezig met quasi-ethische kwesties: 'Heeft de schrijver wel het recht om blablabla?' Ze is hypergevoelig voor inbreuken op de persoonlijke levenssfeer waaraan de literatuur zich in de loop der millennia heeft schuldig gemaakt, terwijl ze een maniakale toewijding aan den dag legt bij het in druk onthullen, in niet-fictionele vorm, wiens privésfeer er door wie is geschonden en hoe. Het is treffend te zien hoeveel respect de cultuurjournalist heeft voor de grenzen van de privacy als het de roman betreft.

Hemingways vroege verhalen spelen in de Upper Peninsula van Michigan, en dus gaat uw cultuurjournalist naar de Upper Peninsula en spoort de namen op van de streekbewoners die model hebben gestaan voor de personages in die vroege verhalen. En wie schetst onze verbazing – zij of hun nakomelingen vinden dat Hemingway hun een slechte dienst heeft bewezen. Deze gevoelens, vaak ongegrond, kinderachtig of gewoon denkbeeldig, worden eerder serieus genomen dan de verhalen, omdat uw cultuurjournalisten er gemakkelijker over kunnen praten dan over de verhalen. De integriteit van de zegslieden van de journalist wordt nooit in twijfel getrokken – alleen de integriteit van de schrijver. De schrijver zit jaren achtereen te werken, geeft alles wat hij of zij heeft, denkt over iedere zin tweeënzestig keer na, maar werkt niettemin zonder enig primair literair besef, begrip of doel. Alles wat de schrijver opbouwt, uiterst zorgvuldig, frase na frase en detail na detail, is list en bedrog. De schrijver heeft geen literair motief. In het weergeven van de werkelijkheid is de schrijver absoluut niet geïnteresseerd. Dat wat de schrijver beweegt is altijd persoonlijk en meestal laag-bij-de-gronds.

En deze wetenschap mag ons een troost zijn, want het blijkt dat deze schrijvers niet alleen niet beter zijn dan wij, zoals zij pretenderen – ze zijn slechter dan wij. Die ontzagwekkende genieën!

De manier waarop serieuze fictie zich onttrekt aan parafrase en beschrijving – en derhalve *denkwerk* vereist – wordt door uw cultuurjournalist als bijzonder hinderlijk ervaren. Alleen haar veronderstelde bronnen moeten serieus worden genomen, alleen díe fictie, de fictie van de luie journalist. De originele aard van de verbeelding in die vroege verhalen van Hemingway (een verbeelding die met een handjevol bladzijden het korte verhaal en het Amerikaanse proza een gedaanteverwisseling deed ondergaan) is voor uw cultuurjournalist niet te bevatten, die met zijn eigen schrijverij onze eerlijke Engelse taal in wartaal verandert. Als je tegen een cultuurjournalist zou zeggen: 'Kijk alleen naar de binnenkant van het verhaal,' dan zou hij niets te zeggen hebben. Verbeelding? Er bestaat geen verbeelding. Literatuur? Er bestaat geen literatuur. Al de subtiele passages – en zelfs de minder subtiele – verdwijnen, en er zijn alleen nog die mensen die gekwetst zijn door wat Hemingway hun heeft aangedaan. Had Hemingway het recht...? Heeft welke schrijver dan ook het recht...? Cultureel sensatievandalisme gepresenteerd onder de dekmantel van de 'kunstredactie' van een verantwoordelijke krant.

Als ik de macht van een Stalin had, zou ik die niet verspillen aan het muilkorven van de scheppende schrijvers. Ik zou elke openbare bespreking van literatuur in kranten, tijdschriften en vakbladen verbieden. Ik zou elk onderwijs in literatuur aan elke lagere school, middelbare school, hogeschool en universiteit verbieden. Ik zou een verbod uitvaardigen op leesclubjes en gekwebbel over boeken op internet, en in de boekwinkels politiecontrole instellen om ervoor te zorgen dat geen verkoper ooit met een klant over een boek praat en dat de klanten het niet wagen met elkaar te praten. Ik zou de lezers met de boeken alleen willen laten, zodat ze zelfstandig kunnen denken wat ze ervan vinden. Ik zou dit gedurende zo veel eeuwen doen als nodig zijn om de maatschappij van uw verderfelijke onzin te ontgiften.

Amy Bellette

Had ik deze bladzijden gelezen zonder Amy te kennen, dan zou ik het betoog hebben genomen voor wat het was en de ontboezeming niet zonder enige instemming hebben gelezen, hoewel ik mijzelf buiten het bereik had geplaatst van wat Amy 'cultuurjournalistiek' noemde en er dus nooit aan hoefde te denken of erover te spreken zoals zij, wat geen geringe zegen was. Onder de omstandigheden leek de sleutel tot de bedoeling van de brief en het belang ervan voor mij echter te zitten in een tweetal zinnen in de tweede alinea, die ik herlas terwijl Amy in de keuken doorging met het bereiden van ons hapje van toast met jam en thee: 'Welke zonde heeft de schrijver begaan, en niet tegen de eisen van de literaire esthetiek, maar tegen zijn of haar dochter, zoon, moeder, vader, echtgenoot, minnaar, vriend, uitgever of huisdier?' Kon het zijn dat 'halfzuster' niet voorkwam in de lijst van degenen tegen wie gezondigd was omdat ze zich niet helemaal bewust was van wat haar verontwaardiging gaande maakte, of was het omdat ze het heel goed wist en haar eigen tekst regel voor regel controleerde om er zeker van te zijn dat 'halfzuster' er niet stiekem door de tumor in was gesmokkeld?

Ik had de indruk dat de brief aan de *Times* voornamelijk te maken had met Richard Kliman.

Toen ze de keuken uit kwam met ons maaltje op een dienblad, zei ik: 'En welk cijfer kreeg je van Manny voor deze kernachtige, bijtende zinnen?'

'Hij gaf me geen cijfer.'

'Waarom niet?'

'Omdat ik het niet geschreven heb.'

'Wie dan wel?'

'Hij.'

'Hij? En daarnet zei je dat dit de woorden waren van een maf oud wijf.'

'Dat was niet helemaal waar.'

'Hoezo dan?'

'Hij heeft de brief gedicteerd. Het zijn zíjn woorden. Hij zei: "Mensen die lezen, mensen die schrijven, met ons is het afgelopen, wij zijn schimmen die getuige zijn van het einde van het literaire tijdperk – schrijf op." En dat heb ik gedaan.'

Ik bleef tot lang na middernacht naar haar zitten luisteren. Ik zei bijna niets, hoorde veel, was bereid het meeste ervan te geloven en in staat het meeste ervan te begrijpen.

Voorzover ik het kon beoordelen was er geen moment een opzettelijke poging om te misleiden. Maar door het snelle spuien van een enorme voorraad informatie raakten de bijzonderheden van haar vele verhalen zo onderling verweven dat het zo nu en dan leek of ze helemaal in de macht van de tumor was. Of dat de tumor eenvoudigweg de obstakels slechtte die normaal door remming en conventie overeind werden gehouden. Of dat ze gewoon een doodzieke en eenzame vrouw was die de belangstelling van een man opzoog na zo veel jaren zonder te hebben gedaan, een vrouw die vijf decennia eerder vijf kostbare jaren met een briljante geliefde had geleefd wiens integriteit, die voor haar de sleutel was tot zijn majesteit als schrijver en als man, nu dreigde te worden gesloopt door de onbegrijpelijke 'rancune van een minderwaardig persoon' die zichzelf tot biograaf van de geliefde had gezalfd. Misschien betekende de woordenvloed niets anders dan dat haar lijden oud en diep was en dat zij hem al heel lang miste.

Het was vreemd te zien hoe een geest tegelijkertijd werd samengedrukt en uitgerekt. En soms schrikbarend de plank missloeg, zoals toen ze me na uren te hebben verteld vermoeid aankeek en me, misschien met meer humor dan ik kon bespeuren, vroeg: 'Ben ik weleens met je getrouwd geweest?'

Ik lachte en zei: 'Ik dacht het niet. Maar ik heb er weleens aan gedacht.'

'Dat wij zouden trouwen?'

'Ja, toen ik een jongen was, toen we elkaar voor het eerst bij de Lonoffs ontmoetten. Ik dacht dat het fantastisch zou zijn om met jou getrouwd te zijn. Je was een lust voor het oog.'

'Ja, dat was ik, hè?'

'Ja, je leek getemd en welgemanierd, maar je was duidelijk geen gewoon meisje.'

'Ik had geen idee waar ik mee bezig was.'

'Toen?'

'Toen, nu, altijd. Ik had geen idee welk risico ik liep met die man die zoveel ouder was dan ik. Maar hij was onweerstaanbaar. Hij wás iemand. Ik was zo trots op mezelf dat ik zijn liefde kon wekken. Hoe had ik dat gedaan? Ik was zo trots dat ik niet bang van hem was. En tegelijkertijd was ik doodsbang: doodsbang voor Hope en wat ze zou doen, en doodsbang voor wat ik haar aandeed. En ik had geen idee van de wond waarmee ik hém tekende. Ik had écht met jou moeten trouwen. Maar Hope ontbond het huwelijk en ik ging er met E.I. Lonoff vandoor. Te naïef om iets te begrijpen, in de veronderstelling dat ik een groot vrouwelijk risico nam, keerde ik terug naar mijn kindertijd, Nathan. In werkelijkheid heb ik die nooit verlaten. Ik zal sterven als een kind.'

Een kind, omdat ze met iemand leefde die zoveel ouder was? Omdat ze in zijn schaduw bleef en altijd in aanbidding naar hem opkeek? Waarom was deze zenuwslopende verbintenis, die veel van haar illusies de grond in moest hebben geboord, een kracht die haar in haar kindertijd had gehouden? 'Wat niet wil zeggen dat je kinderlijk was,' zei ik.

'Dat niet, nee.'

'Dan begrijp ik het niet, van dat kind zijn van jou.'

'Dan moet ik je dat uitleggen, nietwaar?'

En nu werd de legendarische biografie waarvan ik haar in 1956 had voorzien, vervangen door de echte biografie, die, hoewel minder opgeblazen door de morele betekenis die mijn eigen bedenksel toen voor mij had, in feitelijk opzicht aansloot op wat ik verzonnen had. Dat moest wel, want alles was gebeurd in hetzelfde ten dode opgeschreven werelddeel met een lid van dezelfde ten dode opgeschreven generatie van dezelfde ten dode opgeschreven vijand van het herrenvolk. Dat ik haar van datgene waarin ik haar had veranderd weer in haarzelf veranderde, gaf me niet het recht het lot uit te vlakken dat haar familie niet minder had getroffen dan het gezin Frank. Dat was een ramp waarvan de afmetingen door geen geest konden worden herschreven en door geen verbeelding ongedaan konden worden gemaakt, en waarvan de herinnering zelfs door de tumor niet kon worden verdrongen, tot die haar had gedood.

Zo hoorde ik dat Amy niet uit Nederland kwam, waar ik haar had verstopt in de afgesloten zolderverdieping boven een pakhuis aan een Amsterdamse gracht die later een martelaarsgedenkplaats zou worden, maar uit Noorwegen – uit Noorwegen, uit Zweden, uit New England, uit New York –, dat wil zeggen, nu nergens meer vandaan, net als zo veel andere joodse kinderen uit haar tijd in Europa geboren in plaats van in Amerika, die in de Tweede Wereldoorlog op wonderbaarlijke wijze aan de dood waren ontsnapt, hoewel hun jeugd samenviel met Hitlers volwassenheid. Zo hoorde ik van de omstandigheden van dat lijden waarvan de realiteit nooit ophoudt om behalve woede ook ongeloof te wekken. In de toehoorder. In de vertelster was geen vuur. En zeker geen ongeloof. Hoe dieper ze in haar ongeluk doordrong, hoe bedrieglijker zakelijk ze werd. Alsof al dit verlies ooit zijn greep op haar kon verliezen.

'Mijn grootmoeder kwam uit Litouwen. Aan mijn vaderskant kwamen ze uit Polen.'

'Hoe kwamen ze eigenlijk in Oslo terecht?'

'Mijn grootouders waren onderweg van Litouwen naar Amerika. Toen ze in Oslo kwamen, werden ze tegengehouden en mijn grootvader werd gedwongen daar te blijven. Amerikaanse ambtenaren hielden hem tegen en hij kreeg geen papieren. Mijn moeder en mijn oom werden in

Oslo geboren. Mijn vader was in Amerika geweest, bijna een jeugdavontuur. Hij was op de terugweg naar Polen toen de Eerste Wereldoorlog uitbrak. Hij was op dat moment in Engeland, en hij had geen zin om terug te gaan en gemobiliseerd te worden. Daarom besloot hij in Noorwegen te blijven, in 1915. Daar leerde hij mijn moeder kennen. Tot dan toe werden joden in Noorwegen niet toegelaten. Maar er was een bekende Noorse schrijver die zich inzette voor de joden en in 1905 werd het verbod opgeheven. Mijn ouders trouwden in 1915. We waren met ons vijven, vier broers en ik.'

'En iedereen bleef gespaard?' vroeg ik, de hoopvolle veronderstelling uitsprekend.

'Niet mijn moeder en niet mijn vader en niet mijn oudste broer.'

En dus vroeg ik: 'Wat gebeurde er?'

'In 1940, toen de Duitsers kwamen, deden ze niets. Alles leek normaal. Maar in oktober 1942 arresteerden ze alle joodse mannen van achttien en ouder.'

'De Duitsers of de Noren?'

'De Duitsers gaven het bevel, maar het waren de Noorse nazi's, de Quislings. Om vijf uur 's ochtends stonden ze voor de deur. Mijn moeder zei: "O, ik dacht dat jullie de ziekenauto waren. Ik heb net de dokter gebeld. Mijn man heeft een hartaanval gehad. Hij ligt in bed. Jullie mogen niet aan hem komen." En wij kinderen huilden.'

'Verzon ze dat verhaal?' vroeg ik.

'Ja. Mijn moeder was heel slim. Ze smeekte en ze soebatte en toen zeiden ze: "Oké, we komen om tien uur kijken of hij weg is." Toen belde ze de dokter en mijn vader werd naar het ziekenhuis gebracht. In het ziekenhuis plande hij zijn ontsnapping naar Zweden. Maar hij was bang dat, als ze erachter kwamen dat hij was ontsnapt, ze ons zouden komen halen. Dus wachtte hij nog bijna een maand, en op een ochtend belde het ziekenhuis ons om te zeggen dat de Gestapo er was. Er werd geschreeuwd, dat was zelfs door de telefoon te horen. We woonden niet ver van het ziekenhuis, dus holden mijn moeder en mijn broers en ik erheen. Ik was dertien. Mijn vader lag op een brancard. We smeekten hun om hem niet mee te nemen.'

'Was hij ziek?'

'Nee, hij was niet ziek. Maar dat had toch niets uitgemaakt. Ze namen hem mee. We gingen naar huis, en het was november, en we haalden warme kleren voor hem en gingen terug naar het nazihoofdkwartier. We probeerden te praten met mensen en we huilden, we vertelden dat hij ziek was, dat hij niets had om aan te trekken behalve zijn ziekenhuisschort, maar het mocht niet baten. We zeiden dat we naar huis gingen en morgen terug zouden komen, maar ze zeiden: "Jullie mogen niet naar huis, jullie zijn gearresteerd." Mijn moeder zei nee. Mijn moeder was sterk en zei: "Wij zijn Noren zoals iedereen en wij worden niet gearresteerd." Er ontstond een felle discussie, maar na een poosje lieten ze ons toch gaan. Buiten was het donker. Alles was verduisterd. Mijn moeder zei dat we niet naar huis konden – ze wist zeker dat als we naar huis gingen, ze ons de volgende morgen zouden komen halen.

En zo stonden we daar in die donkere straat, en op dat moment kwam er een luchtaanval. In de verwarring van de luchtaanval verdween een van mijn oudere broers, en mijn oudste broer, die pas getrouwd was, dook onder bij de familie van zijn vrouw. Toen waren mijn moeder, mijn twee jongere broers en ik nog over. Toen de luchtaanval voorbij was, zei ik tegen mijn moeder: "De vrouw in de bloemenwinkel is altijd aardig tegen mij. Ik weet dat ze geen nazisympathisante is." Mijn moeder zei dat ik haar moest bellen. We vonden een telefoon en ik belde haar en zei: "Mogen we bij u langskomen om een feestje te vieren?" Ze begreep het en zei ja. "Probeer voorzichtig te doen als jullie komen," zei ze. En dus gingen we daarheen en we mochten van haar blijven. Maar we mochten niet over de vloeren lopen – we moesten allemaal dicht tegen elkaar op de bank blijven zitten. Ze was bevriend met de buren aan de overkant van de hal, en de volgende morgen ging ze naar ze toe. Ze hadden een band met het verzet. Het waren niet-joodse Noren, hij was taxichauffeur en hij vertelde ons dat ze bezig waren alle joden op te pakken en weg te voeren. Die avond kwam hij terug met twee andere mannen, en ze namen mijn twee jongere broers mee, twaalf en elf jaar oud. Ze zeiden dat de rest moest wachten. Ze zouden terugkomen voor ons. Dat waren mijn moeder en ik. Maar toen ze terugkwamen, zeiden ze dat ze maar één van ons tegelijk konden meenemen. Ik zei tegen mijn moeder: "Als ik ga, kom jij dan ook?" "Natuurlijk," zei ze. "Ik laat je nooit in de steek." Achteraf hoorde ik dat ze later die avond in een taxi was meegenomen, door mannen met geweren. Verzetsstrijders die onderweg uit Oslo nog een tweede vrouw en een jongen meenamen, een moeder en haar zoon, die mijn moeder van naam kende. Oslo was een kleine gemeenschap. De meeste joden daar kenden elkaar. Hoe dan ook, ze reden uit Oslo weg en verdwenen voorgoed. Ondertussen hadden ze mij meegenomen en op de trein gezet. In de trein zat een naziofficier met een swastika-armband. Als die uitstapte, zeiden ze, zou hij me een knipoog geven en dan moest ik hem volgen. Ik wist zeker dat het een valstrik was. Dicht bij de Zweedse grens stapte hij uit, en ik ook, en toen nam een andere man het over en we begonnen te lopen. Door de bossen. We liepen en liepen. De man die je meeneemt kent de merktekens op de bomen. Het is een lange tocht, acht, negen kilometer. We liepen naar Zweden. Door de bossen naar het boerenland. En mijn broer die op de avond van de luchtaanval verdwenen was, die wachtte me op. Hij dacht dat hij zijn hele familie verloren had. Toen waren mijn twee jongere broers boven water gekomen en daarna ik. Maar dat was alles. We wachtten op mijn moeder en mijn getrouwde broer, maar tevergeefs.'

Toen ze uitgesproken was, zei ik: 'Nu begrijp ik het.'

'Ja? Wat begrijp je?'

'Zeggen dat je je hele leven in je kindertijd bent gebleven, zou voor de meeste mensen betekenen: ik ben onschuldig gebleven en het is allemaal mooi en aardig geweest. Als jij zegt dat je je hele leven in je kindertijd bent gebleven, betekent dat: ik ben in dit verschrikkelijke verhaal gebleven – mijn leven is een verschrikkelijk verhaal gebleven. Het betekent dat ik in mijn jeugd zo veel leed heb gehad dat ik er, op welke manier dan ook, altijd in ben gebleven.'

'Min of meer,' zei ze.

Hoewel ik erg laat in mijn hotel terug was, begon ik onmiddellijk met het vastleggen van alles wat ik me nog kon herinneren van Amy's verhaal over haar vlucht uit het bezette Noorwegen naar het neutrale Zweden en over haar jaren met Lonoff en over de roman die hij niet kon voltooien toen ze samen in Cambridge woonden, en daarna in Oslo, en toen weer in Cambridge, waar hij stierf. Drie, vier jaar geleden kon ik het grootste deel van haar monoloog nog dagenlang in mijn hoofd hebben bewaard – mijn geheugen was al sinds mijn vroege kinderjaren mijn steun en toeverlaat geweest; het was de zekerheid van iemand die beroepshalve altijd alles moest opschrijven. Maar nu, nog geen uur nadat ik bij Amy was weggegaan, moest ik geduldig wachten op mijn herinneringen, om naar mijn beste vermogen te reconstrueren wat ze me had toevertrouwd. In het begin ging het moeizaam, en ik voelde me hulpeloos en vroeg me af waarom ik iets bleef proberen waartoe ik kennelijk niet meer in staat was. Maar ik was te geprikkeld door haar en haar situatie om ervan af te zien en te gedisciplineerd om mezelf van deze taak te ontslaan, te afhankelijk van de kracht die mijn geest stuurde en mijn geest tot de mijne maakte. Om drie uur 's nachts had ik vijftien velletjes hotelbriefpapier tweezijdig volgeschreven met alles wat ik me te binnen kon brengen van Amy's lijdensweg, me onderwijl afvragend welke van deze verhalen ze aan Kliman had verteld en hoe die ze, vol van zijn eigen bedoelingen, zou vervormen, verdraaien, verminken, verkeerd uitleggen en verkeerd begrijpen, en ik vroeg me af wat ik kon doen om haar van hem te verlossen voordat hij haar zou gebruiken om van alles een schertsvertoning te maken. En ik vroeg me af welke verhalen ze zelf vervormd, verdraaid, verminkt, verkeerd uitgelegd en verkeerd begrepen had.

'Hij begon te schrijven alsof hij helemaal zichzelf niet meer was,' had ze me verteld. 'Vroeger ging het hem erom hoeveel hij kon weglaten. Nu was het hoeveel hij erin kon krijgen. Hij zag zijn bondige stijl als een hinderpaal, en toch stond het hem tegen wat hij nu aan het doen was. Hij zei: "Het is vervelend. Er komt geen eind aan. Het heeft geen vorm. Geen patroon." Ik zei: "Geen patroon dat jij kunt bepalen. Het bepaalt zelf zijn patroon." "En wanneer dan? Als ik dood ben?" Hij werd zo bitter en grievend – als mens en als schrijver, volslagen veranderd. Maar hij moest aan die omwenteling in zijn leven een bepaalde zin geven, en daarom schreef hij zijn roman en zat hij soms wekenlang vast, en dan zei hij: "Ik kan dit nooit publiceren. Hier zit geen mens op te wachten. Mijn kinderen haten me ook zo al genoeg." En al die tijd wist ik zeker dat het hem speet dat hij er met mij vandoor was gegaan. Hope had hem de deur gewezen om mij. Zijn kinderen hadden zich tegen hem gekeerd om mij. Ik had nooit moeten blijven. Maar hoe had ik weg moeten gaan nu ik had wat ik zo lang had gewild? Hij zei het zelfs tegen me, dat ik weg moest gaan. Maar ik kon het niet. Hij had het alleen nooit gered. En met mij redde hij het trouwens ook niet.'

De climax van de avond kwam met het verzoek dat Amy mij deed toen ik al bij de deur stond om weg te gaan. Ik had haar eerder om een envelop gevraagd, een briefenvelop, en daar had ik al mijn contante geld in gestopt, behalve wat ik nodig had voor een taxi terug naar mijn hotel. Ik dacht dat het zo gemakkelijker voor haar zou zijn om het geld aan te nemen. Ik gaf haar de envelop en zei: 'Neem dit van me aan. Over een paar dagen stuur ik je een cheque, en ik wil dat je die verzilvert.' Op de voorkant van de envelop had ik mijn adres en telefoonnummer in de Berkshires geschreven. 'Ik weet niet wat ik aan Kliman kan doen, maar ik ben in staat je financieel te helpen en dat wil ik graag doen. Manny Lonoff heeft me behandeld als een man toen ik nog maar een jongen was van wie er een paar korte verhalen waren gedrukt. Die uitnodiging bij hem thuis was duizendmaal zoveel waard als wat er in deze envelop zit.'

Ze bood niet de weerstand waarop ik was voorbereid, maar nam eenvoudig de envelop aan en begon toen, voor het eerst, te huilen. 'Nathan,' zei ze, 'wil jij Manny's biograaf niet worden?'

'Ach, Amy, ik zou niet weten waar ik moest beginnen. Ik ben geen biograaf. Ik ben een romanschrijver.'

'Maar is die verschrikkelijke Kliman dan wel een biograaf? Het is een bedrieger. Hij zal alles en iedereen door het slijk halen en dat verkopen als de waarheid. Hij wil Manny's integriteit om zeep helpen – en zelfs dat wil hij niet. Het is gewoon de methode, nu: de schrijver z'n doopceel lichten. Om de balans op te maken van alles wat hij maar mogelijk heeft misdaan. Reputaties kapotmaken, zo scoren die onbenullen hun zielige puntjes. De mensen gebruiken hun waarden en plichten en deugden en regels alleen maar als dekmantel, als camouflage voor het walgelijke slijm dat eronder zit. Is het vanwege hun kunnen dat iedereen zo gefascineerd wordt door hun fouten? Is het soms hypocrisie van hun kant dat ze gemaakt zijn van vlees en bloed? O, Nathan, ik had die vervloekte tumor en ik maakte beoordelingsfouten. Ik maakte fouten met hem die onvergeeflijk waren, zelfs mét de tumor. En nu kom ik niet meer van hem af. Nu komt Manny niet meer van hem af. Het zal niet zo zijn dat er eens een vrije en unieke verbeelding op de wereld is losgelaten die de naam droeg van E.I. Lonoff – maar alles zal worden bekeken door de bril van de incest. Daarmee zal hij al Manny's boeken afdoen, elk schitterend woord dat hij schreef, en dan zal niemand meer ook maar het flauwste idee hebben van wat die man allemaal was en hoe hard hij werkte en met wat een nauwgezet vakmanschap hij werkte en waarvoor hij werkte en waarom. In plaats daarvan zal hij van een man die rechtschapen was en plichtsgetrouw en die over een voorbeeldige zelfcontrole beschikte, een man die geen ander doel had dan sterke werken van de verbeelding te scheppen die de tijd zouden trotseren, niets anders maken dan een paria. Dat zal dan de som zijn van Manny's prestaties op aarde – datgene waarom hij nog wordt vermeld! Wordt verguisd! Dát zal al het andere verpletteren!'

'Dat' – de incest.

'Zal ik nog even blijven?' vroeg ik. 'Mag ik weer binnenkomen?' En we gingen terug naar haar werkkamer, waar ze opnieuw achter haar bureau ging zitten en me met stomheid sloeg door plompverloren te zeggen: 'Manny had een incestueuze affaire met zijn zuster.'

'Die hoe lang heeft geduurd?'
'Drie jaar.'
'Hoe hebben ze dat drie jaar verborgen weten te houden?'
'Dat weet ik niet. Met de slimheid die minnaars eigen is. Met veel geluk. Ze verborgen het met hetzelfde plezier als waarmee ze het deden. Van enige wroeging was geen sprake. Ik werd verliefd op hem – waarom zij dan niet? Ik was zijn studente, nog niet half zo oud als hij – hij liet het gebeuren. Nou, en dit liet hij ook gebeuren.'
Dus dat was het onderwerp van het boek dat hij niet schrijven kon en de reden waarom hij het niet schrijven kon en waarom hij zei dat hij het nooit zou kunnen publiceren. Zolang hij getrouwd was met Hope, zei Amy, had hij nooit iemand verteld dat hij een zuster had gehad, laat staan dat hij over hun onwettige puberlust ooit een woord had geschreven. Toen ze samen waren betrapt door een vriend van de familie en het schandaal aan hun buren in Roxbury was onthuld, werd Frieda door hun ouders in alle stilte afgevoerd om samen met hen een nieuw leven te beginnen in de moreel zuivere atmosfeer van het pionierende zionistische Palestina. Manny werd aangewezen als de schuldige partij, uitgemaakt voor duivel, de bederver van zijn oudere zuster die de familie te schande had gemaakt, en verwijderd – achtergelaten in Boston om als zeventienjarige voor zichzelf te gaan zorgen. Was hij bij Hope gebleven, dan zou hij zijn briljante, elliptische korte verhalen zijn blijven schrijven en nooit in de verste verte over het onthullen van de verborgen schande hebben gepiekerd. 'Maar toen hij opnieuw voor zijn familie een paria werd door met een jongere vrouw samen te leven,' legde Amy uit, 'toen Manny's discipline voor de tweede keer door chaos werd getroffen, viel alles in duigen. Toen hij door zijn familie in Boston werd achtergelaten, was hij

pas zeventien, platzak en een uitgestotene. Maar al was zijn verbanning meedogenloos, hij was sterk en wist zich te redden en maakte zichzelf tot alles wat een uitgestotene níet was. Maar de tweede keer, toen hij degene was die zijn gezin in de steek liet, was hij over de vijftig en kwam hij de klap niet meer te boven.'

'Nu is dit wat hij schreef over de tijd dat hij zeventien was,' zei ik, 'maar het is niet wat hij jou over zijn leven van toen heeft verteld.'

Mijn bewering wond haar op. 'Waarom zou ik tegen je liegen?'

'Ik vraag me alleen af of je niet in de war bent. Je vertelt me dat hij dit over zichzelf vertelde en dat je er al van wist voordat hij aan het boek begon.'

'Ik hoorde er pas van toen hij gek van dat boek begon te worden. Nee, daarvoor had ik er nooit iets van geweten. In zijn volwassen leven wist niemand het.'

'Maar dan begrijp ik niet waarom hij het je heeft verteld, waarom hij niet gewoon tegen je zei: "Ik word gek van dat boek omdat het iets is wat ik niet kan doorgronden. Ik word gek van dat boek omdat ik mezelf dwing iets te verbeelden wat ik me niet voor kan stellen." Hij probeerde iets te volbrengen wat hij niet aankon. Hij verbeeldde zich niet wat hij gedaan had, maar wat hij nooit zou kunnen. En hij was niet de eerste.'

'Ik weet wat hij tegen me zei, Nathan.'

'O ja? Beschrijf me dan eens de omstandigheden waaronder Manny jou verteld heeft dat het boek dat hij aan het schrijven was, in tegenstelling tot alles wat hij daarvoor had geschreven, helemaal aan zijn persoonlijke geschiedenis was ontleend. Noem me de tijd en de plaats. Vertel me hoe hij het zei.'

'Het is allemaal honderd jaar geleden gebeurd. Hoe kan ik die dingen nu dan nog weten?'

'Maar het was zijn grootste geheim, en als hij er al zo lang door werd gekweld – of zelfs als hij het al zo lang had verdrongen –, dan zou de verwoording ervan geleken hebben op Raskolnikovs bekentenis aan Sonja. Na al die jaren de familie-explosie te hebben gesmoord, zou zijn bekentenis onvergetelijk zijn geweest. Dus wil ik het weten. Ik wil weten hoe zijn bekentenis was.'

'Waarom val je me nu zo aan?'

'Amy, je wordt niet aangevallen, en zeker niet door mij. Luister nu eens,' en toen ik ditmaal ging zitten, installeerde ik me welbewust in Lonoffs luie stoel ('Wat! Ben jíj hier?') en sprak haar van daaruit toe. 'De bron voor Manny's incestverhaal was niet zijn eigen leven. Dat was onmogelijk. De bron was het leven van Nathaniel Hawthorne.'

'Wat?' zei ze luid, alsof ik haar ruw uit haar slaap had gewekt. 'Heb ik iets gemist? Wie heeft het opeens over Hawthorne?'

'Ik. En met reden.'

'Je brengt me hopeloos in verwarring.'

'Dat is niet mijn bedoeling. Luister naar me. Ik breng je niet in de war. Ik wil het je graag allemaal uitleggen.'

'Boft mijn tumor even.'

'Luister, alsjeblieft,' zei ik. 'Ik kan Manny's biografie niet schrijven, maar wel de biografie van dat boek. Jij kunt dat ook. En dat is wat we gaan doen. Je weet wat er omgaat in het hoofd van een schrijver. Hij zet alles in beweging. Hij laat alles schuiven en glijden. Hoe dat boek is ontstaan, is zo klaar als een klontje. Manny was zeer belezen in de levens van schrijvers, in het bijzonder die van de schrijvers uit New England, op wier terrein hij dertig jaar met Hope had gewoond. Als hij honderd jaar eerder in de Berkshires was geboren en getogen, zouden Hawthorne en Melville zijn buren zijn geweest. Hij bestudeerde hun werk. Hij las hun brieven zo vaak dat hij stukken ervan uit zijn hoofd kende. Natuurlijk wist hij wat Melville over zijn vriend Hawthorne had gezegd. Dat Hawthorne met een "groot geheim" had geleefd. En hij wist ook wat rebelse geleerden daaruit hadden opgemaakt, en uit andere opmerkingen, gemaakt door familie en vrienden, over Hawthornes zwijgzaamheid. Manny kende de sluwe, geleerde, onbewijsbare speculaties over Hawthorne en zijn zuster Elizabeth, en toen hij op zoek was naar een verhaal waarin hij zijn eigen onwaarschijnlijkheden kon samenvatten – waarin hij alle verrassende nieuwe emoties kon onderzoeken die van hem, zoals jij zegt, een man hadden gemaakt die helemaal zichzelf niet meer was – bediende hij zich van die speculaties over Hawthorne en zijn beeldschone, betoverende oudere zus. Voor deze volkomen onautobiografische schrijver, gezegend met zijn talent voor totale transformatie, was de keuze welhaast onvermijdelijk. Daarmee doorbrak hij zijn dilemma en kon hij het persoonlijke achter zich laten. Voor hem was fictie nooit een weergave van de werkelijkheid. Het was een herkauwen in verhalende vorm. Hij dacht: ik maak dit tot mijn realiteit.' Terwijl ik feitelijk in dezelfde geest dacht: ik maak deze realiteit tot de mijne, tot die van Amy, van Kliman, van iedereen. En in het daaropvolgende uur deed ik dat, in een schitterend steekhoudend betoog, tot ik er ten slotte ook zelf in geloofde.

4
Mijn brein

HIJ

Waarom zou een vrouw als jij op haar vijfentwintigste of vierentwintigste trouwen? In mijn tijd sprak het vanzelf dat je op je vierentwintigste of vijfentwintigste – of tweeëntwintigste – een kind had. Maar nu... vertel eens... Ik weet niets van wat jij weet. Ik ben een tijd weg geweest.

ZIJ

Nou, afgezien van het gebruikelijke verhaal, dat ik iemand tegenkwam op wie ik verliefd werd en die stapelverliefd werd op mij, en die... Hoe dan ook, afgezien van al dat gebruikelijke gedoe, deed ik het eigenlijk om precies de omgekeerde reden: omdat in mijn tijd niemand zoiets deed. Het mag dan zo zijn dat iedereen het deed toen jij zo oud was als ik, maar ik was van mijn collegegroep de enige, de enige in mijn vriendenkring die na Harvard naar New York was verhuisd die (*lachend*) – die trouwde op haar vijfentwintigste. Het leek ons wel een gek avontuur om samen aan te beginnen.

HIJ

(*Ietwat ongelovig*) Echt waar?

ZIJ

Echt waar. (*Opnieuw lachend*) Waarom zou ik erom liegen?

HIJ

Wat vonden je vrienden ervan dat je het deed?

ZIJ

Ze waren... Niemand was gechoqueerd. Ze hadden er vrede mee. Maar ik was de eerste die het deed. Je durven settelen. Ik ben graag ergens de eerste in.

HIJ

Maar je hebt geen kinderen.

ZIJ

Nee, nog niet. In elk geval niet nu. Ik denk dat we ons allebei nog wat meer willen bewijzen voor we daaraan beginnen.

HIJ

Als schrijvers.

ZIJ

Ja. Ja. Dat is mede waarom we de stad uit gaan. We gaan werken en nog eens werken.

HIJ

In plaats van?

ZIJ

In plaats van werken en hier zijn en opgesloten zitten in een flat in de binnenstad en elkaar voortdurend tegen het lijf lopen en voortdurend je vrienden zien. Ik ben de laatste tijd zo nerveus, ik kan niet stilzitten. Ik kan niet werken. Ik kan niets. Daarom denk ik, als we dat kunnen oplossen heb ik meer kans dat er iets uit mijn handen komt.

HIJ

Maar waarom heb je deze man gekozen om mee te trouwen? Is hij de meest opwindende man die je kon vinden? Je zei dat je een avontuur wilde beginnen. Ik heb hem ontmoet. Ik mag hem graag, hij is de laatste vierentwintig uur buitengewoon attent voor me geweest, maar ik zou toch denken dat Kliman voor wat meer avontuur had kunnen zorgen. Hij was op de universiteit je minnaar – klopt dat?

ZIJ

Ik zou onmogelijk met Richard Kliman getrouwd kunnen zijn. Hij is één brok energie. Hij is beter in andere rollen. Waarom Billy? Hij is intelligent, hij was interessant, we konden uren praten en nog verveelde hij me niet. Hij is aardig, en er schijnt het idee te bestaan dat iemand die aardig is niet interessant kan zijn. Ik weet natuurlijk wat hij allemaal niet is: hij is niet fel, hij is geen hemelbestormer, maar wat moet je met een hemelbestormer? Hij kan lief zijn, hij kan charmant zijn, en hij adoreert me. Hij adoreert me volkomen.

HIJ

Adoreer jij hem ook?

ZIJ

Ik hou heel veel van hem. Maar zijn adoratie is van een andere orde. Hij gaat een jaar lang in Massachusetts wonen omdat ik dat wil. Hij wil het niet. Ik denk niet dat ik dat voor hem zou doen.

HIJ

Maar jij hebt het geld. Natuurlijk doet hij het voor jou. Jullie leven samen van jouw geld, nietwaar?

ZIJ

(*Verrast door zijn botheid*) Hoe kom je dáárbij?

HIJ

Nou, jij hebt een verhaal in *The New Yorker* gepubliceerd, maar geen commercieel tijdschrift heeft nog iets van hem geplaatst. Wie betaalt er de huur? Jouw familie.

ZIJ

Maar het is nu mijn geld. Het komt van mijn familie, maar het is nu mijn geld.

HIJ

Hij leeft dus van jouw geld.

ZIJ

Dus jij wilt zeggen dat hij daarom met mij meegaat naar Massachusetts?

HIJ

Nee, nee. Ik wil zeggen dat hij een belangrijke verplichting aan je heeft.

ZIJ

Dat zou kunnen.

HIJ

Voel je je niet een beetje in het voordeel, omdat jij geld hebt en hij niet?

ZIJ

Een beetje wel, ja. Heel veel mannen zouden zich daar helemaal niet lekker bij voelen.

HIJ

En heel veel mannen juist wel.

ZIJ

Ja, heel veel mannen zouden het heerlijk vinden. (*Lachend*) En hij behoort tot geen van beide categorieën.

HIJ

Is er veel geld?

ZIJ

Geld is geen probleem.

HIJ

Jij boft toch maar.

ZIJ

(*Bijna verwonderd, alsof ze het zich telkens weer met verbazing realiseert*) Ja. Heel erg.

HIJ

Is het oliegeld?

ZIJ

Ja.

HIJ

Is je vader bevriend met de vader van George Bush?

ZIJ

Niet bevriend. Bush senior is iets ouder. Ze doen zaken met elkaar. (*Nadrukkelijk*) Ze zijn niet bevriend.

HIJ

Ze hebben op ze gestemd.

ZIJ

(*Lachend*) Als alleen de vrienden van Bush op hem hadden gestemd, zouden we er beter aan toe zijn. Denk je niet? Het is die wereld. Diezelfde wereld. Mijn vader en (*ze bekent*) ik, veronderstel ik, hebben dezelfde financiële belangen als Bush en zijn vader. Maar ze zijn niet bevriend – dat kan ik niet zeggen.

HIJ

Gaan ze niet met elkaar om?

ZIJ

Er zijn feestjes waar ze allebei heen gaan.

HIJ

De country club?

ZIJ

Ja. De Houston Country Club.

HIJ

Is dat de club voor de elite?

ZIJ

Ja. Voor de negentiende-eeuwse elite. De oude families van Houston. Er worden daar veel debutantenbals georganiseerd. Dan worden ze geshowd. Alles wit wat de klok slaat. En de rest danst, drinkt en kotst.

HIJ

Ging je als meisje bij die country club zwemmen?

ZIJ

Ik ging er 's zomers elke dag zwemmen en tennissen, behalve op maandag, want dan waren ze dicht. Mijn vriendin en ik hielpen de Australische tennisprof met ballen rapen als hij aan het lesgeven was. Ik was veertien. Mijn vriendin was twee jaar ouder en veel brutaler dan ik, en ze ging met hem naar bed. De hulpleraar was de leuke zoon van een clublid. Hij was captain van het tennisteam in Tulane. Ik ging niet met hem naar bed, maar voor de rest deden we alles. Een kouwe kikker. Ik vond er niets aan. Puberseks is iets afschuwelijks. Je snapt er niets van, en meestal weet je niet eens of je het wel goed doet, en het is niet eens fijn. Een keer moest ik overgeven, gelukkig over hem heen, toen hij zichzelf te diep in mijn keel bleef duwen.

HIJ

En je was nog maar een meisje.

ZIJ

Waren de meisjes in de jaren veertig dan anders?

HIJ

Heel anders. Louisa May Alcott zou zich op mijn highschool thuis hebben gevoeld. Ben je ook officieel geïntroduceerd? Ben jij een debutante geweest?

ZIJ

O, nu vraag je naar een van mijn smerige geheimpjes. (*Lacht hartelijk*) Ja, ja, ja. Ik ook. Het was vreselijk. Het was een kwelling van begin tot eind. Mijn moeder was er zo op gebrand. We hadden aan één stuk door ruzie. Mijn hele middelbareschooltijd lag ik met haar overhoop. Maar ik deed het voor haar. (*Lacht nu zachter – het scala van haar lach is aanzienlijk, nog een teken van hoe goed ze in haar vel zit*) En dat stelde ze op prijs. Heel beslist. Ik denk dat ik er goed aan heb gedaan. Toen ik ging studeren, zei mijn in Savanna geboren moeder tegen mij: 'En aardig zijn voor de meisjes uit het oosten, Jamie Hallie.'

HIJ

En sloot je je aan bij de andere debutantes op Harvard?

ZIJ

Op Harvard loop je niet met je debutantenverleden te koop.

HIJ

O nee?

ZIJ

Nee. Je praat er niet over. Je houdt je smerige geheimpje liever voor je. (*Beiden lachen*)

HIJ

Dus je zocht contact met de andere rijke meisjes op Harvard.

ZIJ

Met een paar, ja.

HIJ

En? Hoe ging dat?

ZIJ

Wat wil je graag weten?

HIJ

Ik weet van niets. Ik studeerde ergens anders in een andere tijd.

ZIJ

Ik weet eerlijk niet wat ik moet zeggen. Het waren mijn vriendinnen.

HIJ

Waren ze net als Billy: interessant en nooit saai?

ZIJ

Nee. Ze waren knap om te zien, heel goed gekleed, heel superieur. Dat vonden zij – wij – tenminste.

HIJ

Superieur aan wie?

ZIJ

Aan de peenharige, niet zo goed geklede meiden uit Wisconsin die uitblonken in de bètavakken. (*Lacht*)

HIJ

Waar blonk jij in uit? Hoe kreeg je het idee dat je schrijver wilde worden?

ZIJ

Al vroeg. Ik wist dat al op de middelbare school, denk ik. Ik was er altijd mee bezig.

HIJ

Kun je schrijven?

ZIJ

Ik hoop het. Ik heb altijd gedacht dat ik het kon. Ik heb er nog niet veel geluk mee gehad.

HIJ

Het verhaal in *The New Yorker*.

ZIJ

Dat was fantastisch. Ik dacht dat ik het had gemaakt, maar toen – (*wegwerpend gebaar met één hand*) poef...

HIJ

Hoe lang is dat geleden?

ZIJ

Dat is nu vijf jaar geleden. Een heerlijke tijd. Ik trouwde. *The New Yorker* publiceerde mijn eerste verhaal. Maar ik ben mijn zelfvertrouwen kwijt en ik kan me niet meer concentreren. Zoals je weet is concentratie alles, of bijna alles. En daardoor ben ik ten einde raad, zodat ik me nog minder kan concentreren en mijn zelfvertrouwen nog verder daalt. Ik heb het gevoel dat ik niet langer iemand ben die iets kan.

HIJ

En daarom praat je met mij.

ZIJ

Hoe rijm je dat met elkaar?

HIJ

Misschien heb je toch nog meer zelfvertrouwen dan je denkt. Je maakt niet de indruk van iemand die geen zelfvertrouwen heeft.

ZIJ

Ik heb nog wel zelfvertrouwen in de omgang met mannen. En met mensen in het algemeen. Maar steeds minder met mijn computer.

HIJ

En als je in mijn huis zit, tegenover het moeras, met alleen het hoge riet en de reiger als gezelschap wanneer je naar buiten kijkt...

ZIJ

Dat is ook juist de bedoeling. Dan heb ik geen mannen, en geen mensen, en geen feestjes, en dan kan ik me niet meer aan al die bronnen laven, en dan ben ik niet meer zo opgefokt, hopelijk, en niet meer zo prikkelbaar, hopelijk, en niet meer zo overstuur, hopelijk, en ik stel me voor...

HIJ

Drie keer 'hopelijk' klinkt niet fraai.

ZIJ

(*Ze lacht. Ze vraagt – schuchter, tot zijn verrassing*) O, nee? Wat moet ik dan zeggen?

HIJ

Je zou ook 'hoop ik' kunnen zeggen. Of desnoods 'als het meezit', of 'met een beetje geluk'. Vroeger, toen tienermeisjes zich nog niet keihard in de mond lieten neuken, werd er zorgvuldiger geformuleerd.

ZIJ

Niet doen. Je deed het gisteren ook al. Niet meer doen.

HIJ

Ik maak je er alleen maar op attent.

ZIJ

Best mogelijk. Maar niet meer doen. Als je wilt praten, dan praten we samen. Als ik ooit bij je kom met iets wat ik geschreven heb, wat ik je wil laten lezen, dan mag je mijn stijl corrigeren. Maar als we samen praten – dit is geen examen. Als ik ga denken dat ik examen moet doen, kan ik niet meer vrijuit praten. Dus alsjeblieft: niet meer doen. (*Stilte*) Maar goed, het idee is dat als ik mijn zelfvertrouwen niet meer uit mijn sociale leven kan halen, ik de daarvoor beschikbare energie in mijn werk kan steken, en dat het zelfvertrouwen dan volgt, hopelijk. Lach me niet uit alsjeblieft.

HIJ

Ik lach omdat jij, die je zo superieur aan die peenharige meiden uit Wisconsin voelt, jezelf niet hebt gecorrigeerd. Jezelf niet wilt corrigeren.

ZIJ

Omdat ik mijn hoofd had bij wat ik wil zeggen, en niet bij wat jij van mij zou vinden of bij hoe ik zeg wat ik zeg.

HIJ

Waarom denk je dat ik zo tegen je doe?

ZIJ

Om jóuw superioriteit te bewijzen?

HIJ

Met ‘hopelijk’? Wat stom van mij.

ZIJ

(*Lacht*) Wat stom van jou.

HIJ

Ik denk dat ik bang voor je ben.

ZIJ

(*Lange stilte*) En ik ben een beetje bang voor jou.

HIJ

Is het ooit bij je opgekomen dat ik bang voor je kon zijn?

ZIJ

Nee. Het kwam wel bij me op dat je van me zou kunnen genieten, dat je in mijn buurt zou willen zijn, maar niet dat je bang voor me kon zijn.

HIJ

Maar ik ben het wel.

ZIJ

Waarom?

HIJ

Waarom denk je? Jij bent de schrijver, hopelijk.

ZIJ

(*Lacht*) Maar jij ook. (*Stilte*) Het enige wat ik kan bedenken is dat ik jong ben en een vrouw en er goed uitzie. Maar ik blijf niet altijd jong en dan doet dat vrouw-zijn er niet meer zo toe, en het mooie uiterlijk – waarmee heeft dat eigenlijk iets te maken? Maar misschien zijn er nog andere redenen, die ik niet ken. Waarom denk jij?

HIJ

Ik heb nog geen kans gehad dat te ontdekken.

ZIJ

Als je nog andere redenen kunt bedenken, dan zou ik die graag van je horen. Maar als je het maar bij die drie wilt laten, hou dan je mond. En als je nog iets anders weet, zou je me een grote dienst bewijzen door het me te zeggen, dus ga je gang.

HIJ

Je straalt zelfvertrouwen uit. Zoals je daar zit met je armen gekruist boven je hoofd, terwijl je met je handen je haar omhooghoudt zodat ik kan zien dat je zo niet minder mooi bent. Die pose, dat ben jij helemaal. Je straalt zelfvertrouwen uit als je glimlacht. Je straalt zelfvertrouwen uit met je vorm, met je lichaam. Dat moet je toch zelfvertrouwen geven.

ZIJ

Dat doet het ook. Maar het geeft me geen zelfvertrouwen tegenover het moeras en de reiger. Dan zal ik mijn zelfvertrouwen híer moeten vinden. (*Ze houdt haar hoofd schuin*)

HIJ

In je brein in plaats van je borsten.

ZIJ

Ja.

HIJ

Geven je borsten je zelfvertrouwen?

ZIJ

Ja.

HIJ

Hoe komt dat?

ZIJ

Dat mijn borsten me zelfvertrouwen geven? Ik weet dat ik iets heb wat mensen mooi vinden, waar mensen jaloers op zijn, wat mensen zich wensen. Het vertrouwen hebben dat je gewenst bent – dat is zelfvertrouwen. Het vertrouwen dat je wordt goedgekeurd, gewaardeerd, begeerd. Als je dat weet, dan heb je zelfvertrouwen. Ik weet dat alles wat te maken heeft met deze...

HIJ

Je borsten.

ZIJ

Mijn borsten. Dat dat me goed afgaat.

HIJ

Je bent enig in je soort, Jamie. Van jou lopen er geen miljoen kopieën rond.

ZIJ

Je zoekt uit wat de mensen willen, je zoekt uit wat indruk op ze maakt, dan geef je ze dat, en zo krijg je wat je hebben wilt.

HIJ

En wat maakt indruk op mij? Wat wil ik? Of wil je geen indruk op mij maken?

ZIJ

O, ik wil heel graag indruk op je maken. Ik kijk naar je op. Je bent een groot mysterie, moet je weten. Je bent een bron van grote fascinatie.

HIJ

Waarom van fascinatie?

ZIJ

Omdat behalve die reiger voor je raam niemand iets van je weet. Iedereen die beroemd is, daar weet iedereen alles van – denkt men. Maar jij, jij hebt dingen geschreven die je beroemd maken bij een bepaalde groep mensen. Je bent geen Tom Cruise. (*Lacht*)

HIJ

Wie is Tom Cruise?

ZIJ

Dat is iemand die zo beroemd is dat jij niet eens weet wie hij is. Als je dag in, dag uit al die onzin over zo iemand in de bladen leest, dan weet je natuurlijk nog niets over hem, maar je kunt je verbeelden dat het wel zo is. Maar niemand kan zich verbeelden dat hij iets over jou weet.

HIJ

Ze denken dat ze alles weten telkens als ik een boek publiceer.

ZIJ

Dat zijn de idioten. Jij bent een mysterie.

HIJ

Jij wilt indruk maken op een mysterie.

ZIJ

Ja. Ja. Ik wil indruk op je maken. Wat maakt er indruk op je?

HIJ

Je borsten maken indruk op me.

ZIJ

Dat wist ik al.

HIJ

Alles aan je maakt indruk op me.

ZIJ

En wat nog meer?

HIJ

Je brein. Ik weet dat ik dat moet zeggen volgens de regels van 2004, maar aan die regels houd ik me niet.

ZIJ

Maar maakt mijn brein nu wel of niet indruk op je?

HIJ

Tot nu toe wel.

ZIJ

Verder nog iets?

HIJ

Je schoonheid. Je charme. Je gratie. Je onbevangenheid.

ZIJ

Daar heb je het.

HIJ

Billy heeft het.

ZIJ

Zo is het.

HIJ

Wat bedoel je als je zegt dat Billy je adoreert? Waaruit bestaat die adoratie?

ZIJ

Als we naar Texas gaan, wil hij zien waar ik als kind heb gespeeld. Hij wil op de schommel zitten waarop mijn kindermeisje me liet schommelen en de wip waarop ze ging zitten met mij aan de andere kant, toen ik vier was. Ik moet hem meenemen naar mijn oude school, Kinkaid, omdat hij het lokaal van de derde klas wil zien waar we boter hebben gekarnd en dat van de vierde waar we een proef met een petrischaal hebben gedaan. Ik ben met hem naar de bibliotheek geweest omdat ik lid van de bibliotheekclub was, een speciale club voor de beste leerlingen, en bij het raam keek hij uit over het weelderige park rond de school zoals een romantische dichter naar zijn gedroomde paradijs. Hij moest het grote speelveld zien waar ik op sportdag aan de steltloopwedstrijd had meegedaan toen ik in de vierde zat – het leek zo op een middeleeuws historiespel, met al die paars-gouden vlaggen die overal wapperden, dat ik in mijn opwinding struikelde en op mijn gezicht viel, drie meter van de startlijn, hoewel ik met mijn snelheid de gedoodverfde winnaar was. We moesten met de auto vanaf ons huis in River Oaks precies mijn route naar school volgen, zodat hij de gazons en de bomen en de struiken kon zien waar de chauffeur langs moest rijden om me naar Kinkaid te brengen, acht kilometer verderop. In Houston jogt hij uitsluitend over het pad dat ik gebruikte toen ik vijftien was. Het houdt nooit op bij Billy. Mijn mij-heid is zijn magnetische pool. Als ik droom dat ik seks heb, het soort droom dat iedereen weleens heeft, man of vrouw, is hij jaloers op mijn droom. Als ik naar de wc ga, is hij jaloers op de wc. Hij is jaloers op mijn tandenborstel. Hij is jaloers op mijn haarspeldje. Hij is jaloers op mijn ondergoed. Stukjes ondergoed van mij zitten in al zijn broekzakken. Die vind ik als ik zijn kleren naar de stomerij breng. Moet ik verdergaan of is dat genoeg?

HIJ

Dus adoratie wil zeggen dat hij niet alleen verliefd is op jou – hij is verliefd op je leven.

ZIJ

Ja, mijn levensgeschiedenis is een wonder voor hem. Rapsodische liefdesverklaringen, iets anders hoor ik niet. Als ik me aankleed of uitkleed heb ik het gevoel dat ik vlak achter een raam sta waar hij zijn gezicht tegenaan drukt.

HIJ

Door de rondingen niet minder gehypnotiseerd dan door de wip.

ZIJ

Als ik in de slaapkamer voor het licht sta, prijst hij mijn silhouet de hemel in. Als ik 's ochtends in mijn slipje in de keuken koffie sta te zetten en hij achter me komt staan en mijn borsten beetpakt en zijn tong in mijn oren steekt, citeert hij Keats: 'Er is een zucht voor ja en een zucht voor nee / en een zucht voor dit kan ik niet velen! / O, wat nu gedaan, is het hollen of staan? / O, laten we 't appeltje delen!'

HIJ

Nou, uit het hoofd een liefdesgedicht van Keats citeren, daarmee is Billy een zeldzaam lid van zijn generatie.

ZIJ

Zeker. Dat is hij ook. Hij citeert boekdelen Keats voor me.

HIJ

Citeert hij ook de brieven? Heeft hij je uit Keats' laatste brief geciteerd? Die schreef hij toen hij vijf jaar jonger was dan jij en zwaar ziek. Een paar maanden later was hij dood. 'Ik heb steeds het gevoel dat mijn echte leven voorbij is,' schreef hij, 'en dat ik nu een postuum bestaan leid.'

ZIJ

Nee, ik ken zijn brieven niet. En een postuum bestaan, daar zijn we nog niet aan toe.

HIJ

Vertel eens: hoe vindt het voorwerp van zo veel echtelijke adoratie de kracht om dit te doorstaan?

ZIJ

O (*vertederd lachend*), ik weet me te gedragen.

HIJ

Je krijgt zo veel seksuele aandacht. En toch ben je rusteloos en radeloos.

ZIJ

We hebben heel vaak seks. Maar seks is voor de ene partner niet altijd dezelfde bron van geweldige opwinding die het voor de andere is. In het begin vaak wel.

HIJ

Dat weet ik van vroeger.

ZIJ

Wanneer heb jij voor het laatst iets met een vrouw gehad?

HIJ

Toen jij een debutante was.

ZIJ

Is het moeilijk om zo lang niets met een vrouw te hebben gehad? Heb je al die tijd geen seks meer gehad?

HIJ

Nee.

ZIJ

Is dat moeilijk?

HIJ

Alles is op een gegeven moment moeilijk.

ZIJ

Maar ik bedoel bijzonder moeilijk. (*Hun stemmen klinken nu zacht, nauwelijks verstaanbaar wanneer er buiten een auto passeert*)

HIJ

Het is een van de dingen die bijzonder moeilijk zijn.

ZIJ

Waarom? Ik weet dat je buiten woont, ver van de bewoonde wereld, maar er moet... Je zei toch dat er een universiteit in de buurt is? Ik weet hoe oud je bent, maar er moeten daar toch meisjes zijn die je boeken lezen en het een hele eer zouden vinden. Waarom heb je besloten om ook dat op te geven, tegelijk met de stad?

HIJ

Ik heb besloten mezelf op te geven.

ZIJ

Wat bedoel je daarmee?

HIJ

Precies wat ik zeg.

ZIJ

Ik begrijp je niet.

HIJ

En dat zul je ook niet.

ZIJ

Niet als je het me niet vertelt, nee. Zou je ooit van gedachten kunnen veranderen over dat opgeven van dat andere?

HIJ

Daar ben ik mee bezig. Daarom ben ik nog hier.

ZIJ

Nou... Ik voel me gevleid. Als het echt jaren en jaren geleden is, dan voel ik me uiterst gevleid.

HIJ

Jamie. Jamie Logan. Jamie Hallie Logan. Spreek je ook vreemde talen, Jamie?

ZIJ

Niet goed.

HIJ

Je spreekt goed Engels. Je hebt een heel mooi Texaans accent.

ZIJ

(*Lacht*) Toen ik ging studeren heb ik erg mijn best gedaan om dat af te leren.

HIJ

Echt waar?

ZIJ

Echt waar.

HIJ

Ik had eerder gedacht dat je het had uitgebuit.

ZIJ

Het was hetzelfde als aan niemand vertellen dat ik debutante ben geweest. Of dat ik naar dezelfde country club ging als vader en zoon Bush.

HIJ

Maar het is er nog.

ZIJ

Goed, maar ik probeer zonder accent te praten. Behalve als ik iets zeg voor de grap. Toen ik naar Harvard ging was mijn 'jelui' nog intact, maar dat heb ik snel afgeleerd.

HIJ

Jammer.

ZIJ

Ach, ik kende niemand. Ik was pas achttien en ik kwam in Wigglesworth aan en iedereen keek naar me en ik zei: 'Hoi, jelui.' Ze dachten dat ik uit de rimboe kwam. Ik heb het nooit meer gezegd. Vergeleken met een hoop eerstejaars daar was ik heel naïef. Vergeleken met de jongelui die naar de voorbereidingsschool in Manhattan waren geweest, kwám ik ook uit de rimboe. Ik schrok me dood. Dat je het nu nog kunt horen, komt doordat ik vandaag uit mijn evenwicht ben. Als ik uit mijn evenwicht ben komt het eruit.

HIJ

Je weet alles precies. Je hebt overal een verklaring voor.

ZIJ

Nou, ik ken mezelf. Heel goed. Denk ik.

HIJ

Dat zijn drie dingen. Ik ken mezelf. Heel goed. Denk ik.

ZIJ

Weet je wie dat ook doet? Conrad.

HIJ

Tritsen.

ZIJ

Ja. Conrads tritsen. Is het jou ook opgevallen? (*Ze laat hem de paperback zien die uit het zicht onder een tijdschrift op het glazen blad van de salontafel heeft gelegen*) Ik heb *De schaduwgrens* gekocht. Jij had het er laatst over, dus ben ik naar Barnes and Noble gegaan om het te kopen. De passage die je me hebt voorgedragen, klopte precies. Je hebt een goed geheugen.

HIJ

Voor boeken, voor boeken. Je gaat wel erg snel.

ZIJ

Moet je dit horen. De tritsen, de dramatiek van de tritsen. Bladzij 35, hij heeft net zijn eerste commando gekregen en hij is in de wolken: 'Ik zweefde de trap af. Ik zweefde het officiële, imposante portaal uit. Ik vervolgde al zwevend mijn weg.' Bladzij 47, nog steeds in de wolken: 'Ik dacht aan mijn onbekende schip. Dat was mijn vermaak. Dat was mijn kwelling. Dat hield mij bezig.' Bladzij 53, een beschrijving van de zee: 'Een onmetelijkheid die geen indruk ontvangt, geen herinnering bewaart, en geen kerfstok van levens bijhoudt.' Hij doet het voortdurend, en vooral tegen het slot. Bladzij 131: 'Maar ik zal u vertellen, Kapitein Giles, hoe ik me voel. Ik voel me oud. En dat ben ik ook.' Bladzij 130: 'Hij zag eruit als een angstaanjagende, levensechte vogelverschrikker, opgericht op het achterdek van een schip dat een prooi was van de dood, om de meeuwen van de lijken weg te houden.' Bladzij 129: 'Zijn leven was hem een geschenk – dit harde, gevaarlijke leven – en hij maakte zich grote zorgen om zichzelf.' Bladzij 125: 'Meneer Burns wrong zich de handen en riep plotseling uit' Dan één: 'Hoe krijgen we het schip in de haven, meneer, zonder bemanning?' Volgende alinea, twee: 'En ik kon het hem niet vertellen.' Volgende alinea, drie: 'Welnu – het lukte ons toch, zo'n veertig uur later.' Dan weer van voor af aan. Nog steeds bladzij 125: 'Ik zal nooit die laatste nacht vergeten, donker, veel wind en veel sterren. Ik stuurde.' De alinea gaat verder. Dan begint de volgende alinea: 'En ik stuurde...'

HIJ

(*Alles is een flirt, inclusief het citeren van Conrad*) Lees het me helemaal voor.

ZIJ

'En ik stuurde, te moe om bang te zijn, te moe om samenhangend te denken. Nu eens juichte ik inwendig van verbeten vreugde, dan weer zonk de moed mij in de schoenen bij de gedachte aan dat vooronder aan het andere eind van het donkere dek, vol mannen geveld door de koorts – sommigen stervende. Door mijn schuld. Maar dat terzijde. Voor wroeging was er nu geen tijd. Ik moest sturen.' Ik zou nog wel verder kunnen lezen. (*Legt het boek neer*) Ik lees je graag voor. Billy wil nooit dat ik hem voorlees.

HIJ

Sturen. Ik moest sturen. Heb je nog meer van Conrad gelezen?

ZIJ

Ja, vroeger. Tamelijk veel.

HIJ

Wat vond je het beste?

ZIJ

Heb je ooit een verhaal gelezen met de titel 'Jeugd'? Echt prachtig.

HIJ

'Tyfoon'?

ZIJ

Geweldig.

HIJ

Toen je nog in Texas woonde en in je bikini bij het zwembad van de country club lag met al die andere dochters van oliemiljonairs, las je toen ook?

ZIJ

Grappig dat je dat vraagt.

HIJ

Was jij de enige die las?

ZIJ

Ja, inderdaad. Weet je, toen ik jonger was, echt jong, werd het op den duur lachwekkend. Op een dag werd ik betrapt, en het was zo gênant dat ik ermee ophield. Ik verstopte mijn boek in het blad *Seventeen* zodat niemand kon zien wat ik las. Maar daar hield ik op een gegeven moment mee op. De gêne als ik gesnapt werd was zoveel groter dan als ik gewoon het boek had gelezen, dus daar hield ik mee op.

HIJ

Welke boeken verstopte je graag in *Seventeen*?

ZIJ

Op het moment dat ik betrapt werd, was ik dertien en las ik *Lady Chatterley's Lover* verpakt in *Seventeen*. Ze lachten me uit, maar als ze er zelf in begonnen waren, zouden ze hebben ontdekt dat het veel gewaagder was dan *Seventeen*.

HIJ

Hoe vond je *Lady Chatterley's Lover*?

ZIJ

Ik hou veel van Lawrence. *Lady Chatterley's Lover* was niet mijn lievelingsboek. Ik moet je helaas teleurstellen, maar ik snapte nog lang niet alles op die leeftijd. Ik las *Anna Karenina* toen ik vijftien was. Dat heb ik gelukkig later herlezen. Ik las altijd boeken waar ik nog niet aan toe was. (*Lachend*) Maar het heeft me geen kwaad gedaan. Ja, een goeie vraag, wat las ik toen ik veertien was? Hardy. Toen las ik Hardy.

HIJ

Welke boeken?

ZIJ

Ik herinner me *Tess of the D'Urbervilles*. Ik herinner me... Wat is dat andere boek ook weer? 't Is gek. Niet *Jude the Obscure*. Hoe heet dat andere boek?

HIJ

Bedoel je dat boek waar de *reddler* in voorkomt? Niet *Far from the Madding Crowd*.

ZIJ

Ja. *Far from the Madding Crowd*.

HIJ

Er is ook dat boek waar de *reddler* in voorkomt, de *reddleman*, die roodaarde verkoopt. Hoe heet dat ook weer? En die heldin, de tragische heldin. O, mijn geheugen. (*Maar ze hoort zijn driewoordige klacht niet. Ze is te druk bezig zich haar veertiende jaar te herinneren. En met wat een gemak.*)

ZIJ

Wuthering Heights. Ik heb genoten van *Wuthering Heights*. Ik was toen iets jonger, ik denk twaalf of dertien. Ik had eerst *Jane Eyre* gelezen.

HIJ

En nu mannen.

ZIJ

(*Ietwat geeuwend, heel familiair nu*) Is dit een sollicitatiegesprek?

HIJ

Ja, dit is een sollicitatiegesprek.

ZIJ

Naar wat voor baan solliciteer ik?

HIJ

Naar de baan waarvoor je de echtgenoot verlaat die je adoreert en intrekt bij de man die je kunt voorlezen.

ZIJ

Nou – volgens mij ben je krankzinnig.

HIJ

Inderdaad, maar wat dan nog? Ik ben krankzinnig omdat ik hier ben. Ik ben krankzinnig omdat ik in New York ben. Mijn reden om naar New York te komen was krankzinnig. Dat ik hier met jou zit te praten is krankzinnig. Dat ik hier zit en je niet kan verlaten is krankzinnig. Ik kan je vandaag niet verlaten, ik kon je gisteren niet verlaten, dus vraag ik je om je jonge echtgenoot te verlaten en een postuum bestaan te komen leiden met een man van eenenzeventig. Laten we verdergaan. Laten we verdergaan met dit sollicitatiegesprek. Laten we het hebben over mannen.

ZIJ

(*Zacht nu, bijna als in trance*) Wat wil je weten?

HIJ

(*Even zacht*) Ik wil sterven van jaloezie. Vertel me alles over de mannen die je hebt gehad. Je hebt me verteld van de jongen van het tennisteam van Tulane die in de zomer van je veertiende levensjaar zijn pik zo diep in je keel duwde dat je hem helemaal hebt ondergekotst. Maar al was dat al moeilijk genoeg te verwerken, toch schijn ik nog meer te willen horen. Vertel me alles.

ZIJ

Goed, ik begin met de eerste. Mijn eerste minnaar. Hij was mijn leraar. Op de middelbare school. Het was in mijn laatste jaar. Hij was vierentwintig.
En hij was – hij heeft me verleid.

HIJ

Hoe oud was je toen?

ZIJ

Het was drie jaar later. Ik was zeventien.

HIJ

Niets te melden tussen je veertiende en zeventiende?

ZIJ

Jawel, nog meer puberale ongelukjes.

HIJ

Allemaal ongelukjes? Niets opwindends?

ZIJ

Soms wel. Zoals toen een volwassen man op de oude, saaie Houston Country Club mijn T-shirt omhoogtrok en aan mijn tepels begon te zuigen. Ik was met stomheid geslagen. Ik vertelde het aan niemand. Ik wachtte tot hij terug zou komen en het weer zou doen. Maar hij moet van zichzelf geschrokken zijn, want toen ik hem weer zag deed hij alsof er nooit iets tussen ons was gebeurd. Het was een vriend van mijn oudere zus. Begin dertig was hij. Hij had zich net verloofd met de mooiste vriendin van mijn zus. Ik huilde tranen met tuiten. Ik dacht dat hij niet meer terugkwam omdat er iets mis met me was.

HIJ

Hoe oud was je toen?

ZIJ

Dat was eerder. Ik was dertien.

HIJ

Ga verder. Je leraar.

ZIJ

Hij was helemaal zichzelf. Hij probeerde geen indruk op je te maken. (*Lachend*) Maar hij was dan ook geen middelbare scholier meer. Hij was ouder. Dat was al indrukwekkend genoeg.

HIJ

In jouw ogen veel ouder, dunkt me. Wat vind jij: is vierentwintig in de ogen van een meisje van zeventien ouder dan eenenzeventig in de ogen van een vrouw van dertig? Is dertig in de ogen van een meisje van dertien ouder dan eenenzeventig in de ogen van een vrouw van dertig? Vroeg of laat moeten we daar toch een antwoord op vinden.

ZIJ

(*Lange stilte*) Ja, die leraar was in mijn ogen veel ouder. Hij kwam uit Maine. Maine leek me een andere wereld. Een wonderbaarlijke wereld. Hij kwam niet uit Texas en hij had geen geld. Daarom gaf hij les. Voor hem was leraar zijn een roeping. Hij had na zijn studie twee jaar Onderwijs voor Amerika gedaan. Waar je niets mee verdient.

HIJ

Wat is Onderwijs voor Amerika?

ZIJ

Mijn hemel, jij loopt écht jaren achter. Dat is een programma waarbij studenten na hun afstuderen twee jaar vrijwilligerswerk doen op de ergste probleemscholen van Amerika, in wat officieel 'kansarme'...

HIJ

Dat 'kansarme' zit je dwars.

ZIJ

(*Lacht hartelijk*) Ik hou niet van dat woord.

HIJ

Waarom niet?

ZIJ

Kans-arm. Wat betekent dat nu eigenlijk? Of je hebt kansen, of je hebt ze niet. Als je kansarm bent, heb je gewoon geen kansen. Dan ben je dus kansloos.

HIJ

Je had zelf zo veel kansen. Misschien onevenredig veel.

ZIJ

Oké. Moet ik nu boeten omdat ik Louisa May Alcott niet ben? Omdat ik mijn jonge tennisleraar heb gepijpt toen ik veertien was, of omdat ik me liet opwinden door die man die aan mijn tepels zoog toen ik dertien was?

HIJ

Ik vroeg je alleen maar of dat misschien de reden is waarom dat woord je dwarszit.

ZIJ

Ik vind het gewoon zwak taalgebruik. Net als 'hopelijk'.

HIJ

Je charmeert deze man dood. Je martelt hem en charmeert hem tegelijkertijd.

ZIJ

Doordat ik je over mijn eerste liefde vertel? Wil je dat ik je dood charmeer?

HIJ

Ja.

ZIJ

Een mooie dood. Hoe dan ook, dat is Onderwijs voor Amerika dus: een binnenlandse tegenhanger van het Vredeskorps. Dus hij had dat gedaan, die jonge idealist, maar hij moest nog wat studieleningen aflossen, en hij wilde niet stoppen met lesgeven om te gaan bankieren, dus ging hij naar een rijke school in Houston waar je een behoorlijk salaris verdiende. Dat is het enige wat hij daar deed – hij had helemaal niets met dat wereldje daar. Hij was er niet van onder de indruk. In feite walgde hij ervan. Op het parkeerterrein stonden de BMW's van de leerlingen, en dan had je de auto's van de docenten, de Honda's en dergelijke, en dan die van hem – een of andere roestbak van twaalf jaar oud met een kenteken van Maine en een touw om het achterportier mee dicht te maken omdat de greep ontbrak. Helemaal zichzelf – ik had zo iemand nog nooit ontmoet. Hij lapte het hele kastenstelsel van Kinkaid aan zijn laars. Hij was mijn geschiedenisleraar. Wij waren de enige klas op school die les kreeg in hedendaagse geschiedenis.

HIJ

Hoe begon het?

ZIJ

Hoe het begon? Ik ging gewoon naar zijn werkkamer voor mijn wekelijkse bespreking. Hij opende voor mij een ideeënwereld waarvan ik niet wist dat die bestond. Ik ging naar hem toe en dan praatten we en praatten we, en ik was helemaal weg van hem, en ondanks mijn vroege ervaringen waar jij zo onthutst over bent – en waar, of je het weet of niet, tegenwoordig bijna geen mens meer van opkijkt – was ik nog een meisje, gewoon nog een meisje, en ik had geen idee dat er seksualiteit in het spel was. (*Glim-*

lacht) Maar hij wist het. Het was heerlijk. En dat was dus de eerste.

HIJ

Hoe lang heeft het geduurd?

ZIJ

Het hele jaar. Toen ik ging studeren, waren we van plan bij elkaar te blijven. En toen het niet doorging, was ik er kapot van. In mijn eerste semester aan de universiteit deed ik niets anders dan huilen. Maar ik was geen dertien meer. Ditmaal zat ik niet bij de pakken neer. Ik maakte kennis met die meisjes en met hun jongens en ik kwam er weer bovenop. Ik vermaakte me best. Ja, ik ging studeren en hij belde me niet meer terug en ik vermaakte me best.

HIJ

Die jonge idealist had vast een nieuw vriendinnetje van zeventien.

ZIJ

Jij mag hem natuurlijk evenmin als die tennisser.

HIJ

Dat lijkt me geen moeilijke conclusie voor een meisje dat na de kleuterschool via de twaalf klassen van Kinkaid ging studeren.

ZIJ

Een jaar later, toen ik er eindelijk overheen was, schreef hij me een brief. Hij zei dat hij het gedaan had omdat hij dacht dat dat het beste voor mij was, en hij zo in verwarring was... Maar waarschijnlijk heb je gelijk.

HIJ

Ik geloof niet dat ik hiertegen kan.

ZIJ

Waarom niet? (*Een lichte lach*) En dit was er pas één.

HIJ

Dit waren er pas drie. Maar ik weet genoeg. Je was al heel vroeg aantrekkelijk.

ZIJ

Vind je dat gek?

HIJ

Nee, ik vind het ondraaglijk.

ZIJ

Waarom?

HIJ

O, Jamie.

ZIJ

Wil je het niet zeggen?

HIJ

Wat zeggen?

ZIJ

Waarom je het ondraaglijk vindt.

HIJ

Omdat ik stapelverliefd op je ben.

ZIJ

O... Ik wilde het alleen even horen.

HIJ

(*Lange stilte, pijnlijk, meer voor hem dan voor haar; bij haar overheerst de nieuwsgierigheid*) Ziezo. Hiermee besluit ik het sollicitatiegesprek voor de betrekking van vrouw-die-haar-man-verlaat-voor-de-veel-veel-oudere-man. U hoort van ons.

ZIJ

Bel je me op?

HIJ

Ik bel je op en vertel je hoe je het gedaan hebt.

ZIJ

Oké.

HIJ

Ben je beschikbaar?

ZIJ

Als de betrekking me wordt aangeboden, zal ik moeten bekijken of ik mijn leven wel of niet zo zal kunnen inrichten dat ik die naar behoren kan vervullen.
En dan hoor jíj van míj.

HIJ

Dat is niet eerlijk. Zo verlies ik mijn gezag.

ZIJ

Hoe voelt dat?

HIJ

Toen ik binnenkwam had ik zo veel gezag. Nu ik wegga heb ik niets meer.

ZIJ

Voelt dat goed?

HIJ

Een man die gedesoriënteerd is door alles wat hij eens zo goed heeft gekend, is nu bovendien een verloren man. Ik ga.

ZIJ

Het wordt nooit beter voor jou alleen met mij.

HIJ

Het kan niet beter worden.

ZIJ

Hoe beter het wordt, hoe slechter het wordt.

HIJ

Zo is het, ja.

(Hij staat op en gaat weg. Buiten, op de stoep van haar flatgebouw, kijkend naar de kerk aan de overkant, schiet hem iets te binnen: The Return of the Native, *de titel van de roman van Hardy waar de* reddleman *een rol in speelt. Heeft hij een goed geheugen voor boeken? Nee, zelfs niet voor boeken. Pas nu herinnert hij zich de naam van de tragische heldin waar hij maar niet op kon komen: Eustacia Vye. Hij maakt nog geen aanstalten om de straat op te gaan, maar onderdrukt met veel moeite de aandrang om zich om te draaien en weer aan te bellen en tegen haar te*

zeggen: 'The Return of the Native, *Eustacia Vye,' om op die manier weer boven met haar alleen te kunnen zijn. Ze hebben elkaar nooit gekust, hij heeft haar nooit aangeraakt, niets van dit alles: dit is zijn laatste liefdesscène. Zijn geheugen heeft hem maar één keer in de steek gelaten. Maar één keer, tijdens dat hele gesprek. Twee keer: toen ze hem vroeg hoe lang hij alleen was geweest. Of had ze hem dat de vorige dag gevraagd? Of helemaal nooit? Goed, ze hoefde niet meer van zijn vergeetachtigheid te weten dan ze tot dusver had gezien. Ze hebben elkaar dus niet gekust en hij heeft haar niet aangeraakt – en wat dan nog? Neemt hij dat zwaar op? Wat dan nog? Zijn laatste liefdesscène? Het zij zo. Het is niet erg. De spijt komt later.)*

5
Onbezonnen momenten

Ik werd wakker van de telefoon. Ik was op bed in slaap gevallen, nog gekleed en met mijn geannoteerde exemplaar van *De schaduwgrens* naast me. Ik dacht: Amy, Jamie, Billy, Rob, maar verzuimde Kliman toe te voegen aan het lijstje van mensen die een reden konden hebben om me in mijn hotel te bellen. Na tot bijna vijf uur 's ochtends te hebben zitten schrijven, voelde ik me als iemand die de afgelopen nacht te veel gedronken heeft. En ik had gedroomd, herinnerde ik me nu, een klein droompje, fris van kinderlijk optimisme. Ik heb mijn moeder aan de telefoon. 'Mam, wil je iets voor me doen?' Ze lacht om mijn naïviteit. 'Lieverd, voor jou doe ik alles. Wat wil je, schat?' vraagt ze. 'Mag ik incest met je plegen?' 'Maar Nathan,' zegt ze, 'ik ben een rottend oud lijk. Ik lig in het graf.' 'Toch wil ik incest met je plegen. Je bent mijn moeder. Mijn enige moeder.' 'Zoals je wilt, schat.' Dan staat ze voor me, en ze is geen lijk in een graf meer. Haar aanwezigheid windt me op. Ze is de slanke, mooie, levendige brunette van drieëntwintig met wie mijn vader trouwde, ze heeft de lichtheid van een jong meisje en die zachte stem die nooit streng klinkt, terwijl ik zo oud ben als ik nu ben – en ik degene ben die voor altijd in de grond ligt. Ze neemt me bij de hand alsof ik nog steeds een jongetje ben met de meest onschuldige bedoelingen, we verlaten de begraafplaats om naar mijn slaapkamer te gaan, en de droom eindigt ermee dat mijn begeerte sterker wordt en de kamer met grote kale ramen baadt in het licht. De laatste, triomfantelijke woorden die ze spreekt, zijn: 'Lieve jongen, lieve jongen – geboorte! geboorte! geboorte!' Was er ooit een moeder zo lief en teder?

'Hoi,' zei Kliman, 'zal ik hier beneden wachten?' 'Waarop?' 'Lunch.' 'Waar heb je het over?' 'Vandaag. Om twaalf uur. U zei dat u vandaag om twaalf uur met mij zou gaan lunchen.' 'Dat heb ik helemaal niet gezegd.' 'Zeker wel, meneer Zuckerman. U wilde dat ik u zou vertellen van de herdenkingsdienst voor George Plimpton.' 'Is George Plimpton dan dood?' 'Jazeker. Daar hebben we over gepraat.' 'Is George gestorven? Wanneer dan?' 'Net een jaar geleden.' 'Hoe oud was hij dan?' 'Hij was zesenzeventig. Hij kreeg een fatale hartaanval in zijn slaap.' 'En wanneer heb je mij dat verteld?' 'Over de telefoon,' zei Kliman.

Nodeloos te vermelden dat ik me dat telefoongesprek absoluut niet herinnerde. Maar ik kon zoiets toch onmogelijk vergeten zijn – en de dood van George evenmin. Ik had George Plimpton leren kennen in de late jaren vijftig toen ik na mijn afzwaaien uit militaire dienst voor het eerst in New York kwam wonen, voor zeventig dollar per maand, in een ondergronds tweekamerappartement, en in zijn nieuwe literaire tijdschrift de verhalen begon te publiceren die ik in mijn diensttijd 's nachts had geschreven; tot dan toe waren ze overal geweigerd. Ik was vierentwintig toen George me uitnodigde om te komen lunchen en kennis te maken met de andere redacteuren van de *Paris Review*, jonge mannen van achter in de twintig en even in de dertig, voor het grootste deel, net als hij, afkomstig uit rijke, conservatieve families die hun zoons naar exclusieve voorbereidingsscholen hadden gestuurd en vervolgens naar Harvard, dat in die jaren kort na de oorlog, evenals in de decennia ervoor, voornamelijk een bolwerk was van onderwijs aan de telgen van de maatschappelijke elite. Daar hadden ze elkaar allemaal leren kennen, als ze elkaar al niet eerder hadden ontmoet, 's zomers op de tennisbanen of de zeilclubs van Newport, Southampton of Edgartown. Mijn bekendheid met hun wereld of de wereld van hun directe voorouders was uitsluitend ontleend aan de boeken van Henry James en Edith Wharton die ik als student aan de Universiteit van Chicago had gelezen, boeken die ik had leren bewonderen, maar die voor mij evenveel met het leven in Amerika van doen hadden als *The Pilgrim's Progress* of *Paradise Lost*. Voordat ik George en zijn collega's leerde kennen had ik geen idee hoe zulke mensen eruitzagen of spraken, behalve door te luisteren naar Franklin D. Roosevelt op de radio en het bioscoopnieuws als kind – en voor dat kind, de zoon van een joodse chiropodist die zich door avondstudie had opgewerkt, was FDR geen vertegenwoordiger van enige kaste of klasse, maar een politicus en staatsman die enig was in zijn soort, een democratische held die door de meerderheid van de Amerikaanse joden, inclusief mijn talrijke familieleden, als een zegen en een geschenk werd beschouwd. George' merkwaardige manier van praten had mij een komische overdrijving van die van een dandy kunnen toeschijnen, misschien zelfs volstrekt lachwekkend, indien de spreker een minder openhartig, begaafd, intelligent en aangenaam jongmens was geweest, doordrenkt als het was van de verengelste uitspraak en intonatie van de welgestelde protestantse notabelen die de bevolking van Boston en New York hadden geregeerd, toen mijn arme voorouders nog door rabbijnen werden geregeerd in de getto's van Oost-Europa. George verschafte mij mijn eerste indruk van maatschapelijke bevoorrechting en de enorme voordelen die daaraan verbonden waren – hij hoefde schijnbaar niets te ontvluchten, geen fout te verbergen of onrecht te trotseren of gebrek te compenseren of zwakheid te overwinnen of hindernis te omzeilen, terwijl hij integendeel alles leek te hebben geleerd en moeiteloos voor alles scheen open te staan. Ik had nooit gedacht iets te kunnen bereiken zonder het grenzeloze doorzettingsvermogen waarin mijn hardwerkende familie mij ijverig had getraind; maar George wist waarschijnlijk al vanaf het prille begin waarvoor hij automatisch in de wieg was gelegd.

Op feestjes in zijn comfortabele appartement in East Seventy-second Street ontmoette ik vrijwel alle andere jonge schrijvers in New York, plus een aantal beroemde, gevestigde namen, en staarde ik verlangend naar de ledematen van de prachtige jonge vrouwen die hij om zich heen had: Amerikaanse debutantes, Europese modellen en prinsessen wier families sinds het Verdrag van Versailles als ballingen in Parijs woonden. In die beginperiode had ik meer contact met een paar minder prominente medewerkers van het tijdschrift, die met hun schrijfproblemen en liefdesperikelen een onderstroom van ontbering deden vermoeden waar ik meer voeling mee had, mensen zoals ik, voor wie Moeizaam de naam van een god was. Toch was ik aanwezig in Stillmans aftandse sportschool aan Eighth Avenue om me te verbazen over de moed waarmee hij die middag zijn drie korte maar hevige rondes bokste tegen de regerende kampioen in het halfzwaargewicht, Archie Moore, een knokpartijtje dat hem een bloederige gebroken neus opleverde en materiaal voor een verslag in *Sports Illustrated*. Ook was ik te gast in het appartement van een vriend aan Central Park South, waar George voor de eerste keer trouwde, in de jaren zestig, en tijdens verschillende zomers zat ik met zo'n honderd anderen op het donkere, brede strand van Water Mill op Long Island als George ons daar ter gelegenheid van Onafhankelijkheidsdag op zijn kwistige vuurwerkshow trakteerde, waarbij hij zich als een jeugdige waaghals bleef gedragen, terwijl hij tegelijkertijd de interesses najoeg van een speelse, galante, zeer weetgierige man van de wereld, een journalist, redacteur en bij tijd en wijle film- en televisieacteur. Het was weinig meer dan een jaar geleden (en, zo realiseerde ik me nu, maar enkele weken voor zijn dood) dat George me had gebeld en me op formele toon, bijna als hadden we elkaar nooit ontmoet, en toch, zoals zijn aard was, zo warm als hadden we de vorige avond nog samen gegeten – en we hadden elkaar toen al minstens in geen tien jaar gezien – vroeg of ik zin had naar New York te komen om een inleidend praatje te houden op een benefietgala voor de *Paris Review*. Ik kon me dat telefoongesprek nog heel goed herinneren, niet alleen vanwege de hartelijke gevoelens van weerskanten, maar ook omdat het me ertoe bracht de daaropvolgende twee weken 's avonds zijn befaamde werken van 'participerende journalistiek' te herlezen – de boeken waarin hij het mysterie van zijn betoverde leven onderuithaalde door van zijn tegenslagen en mislukkingen als stuntelende amateursportman in confrontaties met de machtige profs verslag te doen – en de verschillende bundels van kortere stukken, waarin hij schreef als zichzelf, als de hoffelijke, geestige gentleman met het savoir-faire en het aristocratische voorkomen die hem in de ogen van hen die hem kenden allesbehalve tot een stuntel maakten.

In die stukken zijn het zijn charme (zoals wanneer hij vertelt dat hij met zijn dochtertje van negen naar een footballwedstrijd van Harvard tegen Yale gaat kijken, of de dichteres Marianne Moore meeneemt naar het Yankee Stadium), zijn lyrische gave (zoals blijkt uit zijn beeldende hymne aan het vuurwerk), zijn diepe respect voor zijn ouders (zoals blijkt uit zijn lofrede op zijn vader) die getuigen van het kunnen van een elegante essayist die het op zijn sloffen wint van de minder bevoorrechte George Plimpton die hij voor de sportboeken verzonnen had, waarin hij, door zijn onbeholpenheid herhaaldelijk gecast in de rol van maagdelijk onschuldig slachtoffer, geen middel schuwt om de schijn van vernedering te scheppen en heel even het masochistische genoegen te smaken van smadelijk te worden overklast. In zijn parodie op Truman Capote waarin die over zijn facelift schrijft in de stijl van Ernest Hemingway, deed hij niet onder voor Mark Twain in diens vernietigende satire op James Fenimore Cooper; in feite was hij als waarnemer van andermans dwaas gedrag, meer nog dan dat van hemzelf, op zijn subtiele best. Ja, ik herinnerde me de hartelijke gevoelens tijdens ons telefoongesprek die avond een jaar geleden en het genoegen dat ik daarna had beleefd aan het herlezen van zijn boeken, maar van een telefonische lunchafspraak met Kliman om over George' dood te praten, herinnerde ik me niets.

Dat George dood was, geloofde ik trouwens niet. De gedachte was buitensporig in alle opzichten waarin George dat niet was, en niet te rijmen met zijn robuuste betrokkenheid bij de 'grote verscheidenheid des levens' – een uitdrukking die hij gebruikte toen hij zich voorstelde een Afrikaanse riviervogel te zijn die alles met vleugels en klauwen en hoeven en veren en schubben en huid wat door het ruisende water werd aangetrokken op zijn gemakje bekeek. Kliman had vast iets anders over George Plimpton bedoeld te zeggen, want als iemand mij had gevraagd: 'Wie van je tijdgenoten zal als laatste sterven? Wie van je tijdgenoten loopt de minste kans te sterven? Wie van je tijdgenoten zal niet alleen niet sterven, maar bovendien met humor, precisie en bescheidenheid verslag doen van zijn geamuseerde verbazing over het feit dat het hem gelukt is het eeuwige leven te verwerven?', dan zou mijn enig mogelijke antwoord 'George Plimpton' zijn geweest. Evenals de vierennegentig jaar oude graaf in *A Farewell to Arms* met wie Frederic Henry een partijtje biljart – en tegen wie Frederic Henry bij hun afscheid zegt: 'Ik hoop dat u eeuwig zult leven', waarop hij antwoordt: 'Dat doe ik al' – was George Plimpton al vanaf zijn geboorte onderweg naar het eeuwige leven. George was net zomin van plan dood te gaan als, zeg maar, Tom Sawyer; zijn niet-doodgaan was een aanname die niet los te zien was van zijn krachtmetingen met de grootste sportlui van zijn tijd. Ik werp tegen de New York Yankees, ik loop met de bal voor de Detroit Lions, ik sta in de ring met Archie Moore om met gezag te kunnen rapporteren hoe het is om alles te overleven wat beter is dan jij en wat jou wil vermorzelen.

Er zat meer achter die boeken, natuurlijk, en George had mij nooit zo welwillend zijn oor geleend als die avond, vele jaren geleden, toen ik onder het eten met hem over zijn verborgen drijfveren was begonnen. Het was de kwestie van maatschappelijke klasse die mij de eigenlijke inspiratie leek van zijn bijzondere manier om over sport te schrijven, waarbij hij zich behoedzaam in situaties waagt waarin hij speelt dat hij van de voordelen van zijn klasse is beroofd (behalve van zijn aristocratische manieren, die hij in een wereld waar goede manieren met wantrouwen, zoal geen vijandschap, worden bezien, welbewust aanwendt vanwege hun komische misplaatstheid). 'Mij' is zijn uit zelfspot geboren dubbelganger – de werkende journalist –, ontlast van de bevoorrechte George die hij onontkoombaar was, die hij meesterlijk was en met zo veel plezier. Het leed geen twijfel dat zijn bevoorrechte positie – als belichaamd in wat hij bescheiden aanduidde als zijn 'kosmopolitische Oostkust-accent', maar dat eerder het accent was van de uitstervende klasse der Oostkust-elite – hem tot mikpunt maakte van de grappen van de beroepssporters met wie hij als amateur in het strijdperk trad. Maar in *Paper Lion* en *Out of My League* pobeerde hij niet te doen wat de eerste verbazingwekkend opmerkzame 'participerende journalist' van de nieuwe tijd – die andere George met een beschaafd accent, wie geen klassenverschil, hoe flagrant of gering ook, dat hij waar dan ook zag, ontging – zo zorgvuldig beschrijft in *Aan de grond in Parijs en Londen*. Net als Orwell probeerde Plimpton goed naar zijn onderwerp te kijken en simpelweg te beschrijven wat hij zag en hoe het werkte, om het zo voor de lezer begrijpelijk te maken. Maar hij pakte niet zoals Orwell de laagste baantjes aan in de smerige, smoorhete restaurantkeukens van Parijs, om in die hectische varkensstallen tot slaaf te worden gedegradeerd en een praktijkles in armoede te volgen, en evenmin trachtte hij, zoals Orwell vervolgens deed toen hij als zwerver door Engeland ging trekken, te ervaren hoe het was om volslagen aan de grond te zitten. In plaats daarvan betrad hij een wereld die niet minder glamoureus was dan de zijne, de wereld van de heersende klasse van Amerika's allesoverheersende volkscultuur, de wereld van de professionele sportbeoefening. *Aan de grond in de Major League-honkbalcompetitie. Aan de grond in de NFL-American Footballcompetitie. Aan de grond in de NBA-basketbalcompetitie.* Door zichzelf in verlegenheid te brengen, zijn waardigheid te grabbel te gooien en te koketteren met zijn tekortkomingen tegenover de profs, slaagde George er juist in zijn charme te maximaliseren in plaats van andersom, een truc waar ik hem om bewonderde en die de hoofdreden was dat ik van zijn boeken genoot. Die boeken, aangeprezen als verhalen van een slungelige amateur die het opneemt tegen de ongenaakbare professional, gingen in werkelijkheid over een goed-gecoördineerde, voortreffelijk toegeruste sportman die krachtens geboorte tot Amerika's oudste elite behoorde en die speelde een kluns van een sportman te zijn naast de majestueus toegeruste vertegenwoordigers van Amerika's nieuwste elite, de supersterren van de sport. In *Out of My League* gaat de laconieke meester van de zelfbeheersing zelfs zover dat hij de batboy van de Yankees benijdde om zijn onverstoorbaarheid; in *Paper Lion* doet hij het voorkomen of hij amper wist hoe hij een bal moest vasthouden toen hij voor de Detroit Lions als quarterback fungeerde, al kan ik me nog goed de potjes *touch football* herinneren op het gazon bij een van zijn beste vrienden, waarin George spiraalballen wierp van een precisie waarmee elke speler in welke klasse dan ook dik tevreden zou zijn geweest. Hemingway vergiste zich toen hij George' avonturen met beroepssporters als 'de donkere kant van de maan van Walter Mitty' betitelde. Het was de lichte kant van het geboren zijn als George Plimpton, die de unieke prestatie leverde om een uiterst plezierige roeping te maken van het verlaten van zijn oude wereld van glamoureuze bevoorrechting om plaatsvervangend deel te nemen aan de nieuwe wereld van glamoureuze bevoorrechting, de enige wereld die mogelijk de zijne kon evenaren wat betreft het aanzien dat hij eens genoot. Daarin school George' ware brille: in zijn vermogen om de scrimmagelijn van het klassenverschil te overschrijden en zichzelf tot wat hij noemde 'een mikpunt van spot' te maken, zonder, zoals George Orwell, die zich amper in leven kon houden tussen 'het uitschot' als een verachtelijke bordenwasser in Parijs en een hongerige, straatarme zwerver in Londen, een slopend, ellendig bestaan te leiden – en, in dodelijke ernst, een declassé te worden. George ontsnapte aan zijn glamour zonder zijn glamour te verliezen en wist die alleen nog maar te vergroten in autobiografische boeken die schijnbaar door een zucht tot zelfkleinering waren ingegeven. Toen hij de ring in stapte met Archie Moore bracht hij simpelweg het noblesse oblige in praktijk in zijn meest uitgelezen vorm – een vorm, bovendien, die hij zelf had uitgevonden. Als mensen tegen zichzelf zeggen: 'Ik wil gelukkig zijn', kunnen ze evengoed zeggen: 'Ik wil George Plimpton zijn': je presteert, je bent productief, en dat alles met plezier en met gemak.

Niemand ging zo losjes en amicaal om met de machtigen en geslaagden en beroemden der aarde, niemand hield zo van de opwinding van daden en woorden, voor niemand was het lijden dat sterfelijkheid heet zo ver van zijn bed, niemand had zo veel bewonderaars, niemand had zo veel kwaliteiten, niemand kon met zo veel gemak met wie dan ook converseren... En zo ging ik maar door, in het geloof dat George' meest directe ervaring met sterven zijn simulatie ervan zou zijn in een artikel voor *Sports Illustrated*.

Ik stond op van het bed, pakte mijn taakschrift van het bureau waaraan ik het grootste deel van de nacht had zitten schrijven, en begon erin terug te bladeren, op zoek naar een notitie over een afspraak met Kliman, terwijl ik hem tegelijkertijd meedeelde: 'Ik kan niet met je gaan lunchen.'

'Maar ik heb het. Ik heb het bij me. U mag het zien.'

'Wat mag ik zien?'

'De eerste helft van de roman. Lonoffs manuscript.'

'Ben ik niet in geïnteresseerd.'

'Maar u hebt me zelf gevraagd of ik het mee wilde nemen.'

'Dat heb ik niet. Goeiendag.'

Het hotelbriefpapier, dubbelzijdig beschreven met herinneringen aan mijn avond bij Amy en de bladzijden dialoog van *Hij en zij* – al het schrijfwerk dat ik verricht had tussen mijn terugkeer van Amy en het moment dat ik geheel gekleed in slaap was gevallen en van mijn moeder had gedroomd – lag nog op het bureau. In de vijf minuten voordat Kliman opnieuw belde, zag ik kans in mijn aantekeningen op te zoeken wat ik tegen Amy over Kliman en de biografie had gezegd. Ik had haar ingeprent dat Lonoff zich voor zijn roman niet door zijn eigen leven had laten inspireren, maar door een uiterst dubieuze literatuurhistorische speculatie over het leven van Nathaniel Hawthorne. Ik had haar wat geld gegeven... Ik las terug wat ik gezegd en gedaan had, maar het was me niet direct duidelijk wat ik er eigenlijk mee had bedoeld, als ik er al iets mee had bedoeld.

Toen Kliman me belde uit de lobby vroeg ik me af of hij niet degene geweest kon zijn die mij en mijn recensent elf jaar terug die doodsbedreigingen had gestuurd. Dat hij dat toen had gedaan was hoogst onwaarschijnlijk – maar stel dat het waar was? Stel dat de kwalijke grap van een eerstejaarsstudent met een onbedwingbare neiging tot kattenkwaad had bepaald hoe en waar ik de laatste tien jaar had gewoond? Lachwekkend, als het waar was, en een ogenblik lang was ik er ondanks mezelf van overtuigd dát het waar was, juist omdat het zo absurd leek. De bespottelijkheid van dat besluit om buiten de stad te gaan wonen en er nooit meer terug te keren – al even bespottelijk als mijn geloof dat Richard Kliman degene was die me tot dat besluit had gedreven.

'Ik kom over een paar minuten naar beneden,' zei ik tegen hem, 'en dan gaan we lunchen.' En ik zal al je ambities dwarsbomen. Ik maak je kapot.

Ik dacht dit omdat ik niet anders kon. Ik kon er niet over praten, ik kon er niet over schrijven – voordat ik uit Manhattan naar huis vertrok moest ik Kliman bedwingen, dat was wel het minste. Kliman bedwingen was mijn laatste verplichting aan de literatuur.

Hoe kon George nu dood zijn? Die vraag bleef me bezighouden. Dat George een jaar geleden gestorven was, maakte alles absurd. Hoe had dat hém nu kunnen gebeuren? En hoe was het mogelijk dat mij was overkomen wat mij de afgelopen elf jaar was overkomen? Dat ik George nooit meer zou zien – nooit iemand meer zou zien! Had ik dit gedaan vanwege dat? Of dat vanwege dit? Had ik mijn leven ingesteld op die toevallige gebeurtenis, op die persoon of dat belachelijk onbeduidende voorval? Hoe bizar leek het me nu, en dat alles omdat, zonder dat ik het wist, George Plimpton gestorven was. Plotseling kon ik mijn manier van leven niet meer rechtvaardigen, en George was mijn – hoe heette dat ook weer? Het antoniem van dubbelganger. Plotseling stond George Plimpton voor alles wat ik vergooid had door mezelf zo krachtdadig te verwijderen en de wijk te nemen naar Lonoffs berg om daar asiel te zoeken van de grote verscheidenheid des levens. 'Het is onze tijd,' zei George tegen mij, en in zijn merkwaardige stem klonk zijn energieke vertrouwen door. 'Het is onze mensheid. Daar horen we nu eenmaal bij.'

Kliman nam me mee naar een koffieshop even verderop op Sixth Avenue, en meteen nadat we besteld hadden begon hij over George' herdenkingsdienst. Ik die gewend was mijn dagelijkse bezigheden systematisch in te delen en elk uur te besteden zoals ik wilde, zat nu – in kleren waar ik bijna dertig uur niet uit was geweest en, zo bedacht ik nu, met een luier in mijn plastic onderbroek die ik sinds de avond ervoor niet verschoond had – aan de lunch tegenover een onvoorspelbare kracht die eropuit was mij te overheersen. Was het niet daarom dat ik al de volle laag kreeg nog voor ik sinaasappelsap had gekregen: om me te laten voelen dat ik, in weerwil van mijn waarschuwingen en dreigementen, zijn gelijke niet was, laat staan zijn meerdere, en dat ik geen greep op hem had en hij aan geen beperking gebonden was? Ik dacht: de joden blijven ze maar maken. Eddie Cantor. Jerry Lewis. Abbie Hoffman. Lenny Bruce. De jood op z'n energiekst, niet in staat tot een kalme relatie met wie of wat ook. Ik zou hebben gedacht dat dit type in zijn generatie vrijwel niet meer voorkwam en dat de milde, redelijke Billy Davidoff nu eerder de norm was – en dat, voorzover ik wist, Kliman echt de laatste der onruststokers en schoffeerders was. Ik had al lang geen contact meer gehad met iemand als hij. Ik had met een hoop dingen al lang geen contact meer gehad, en niet alleen met de weerstand van levende wezens, maar ook met de noodzaak eindeloos de rol van mijzelf te spelen, of om fantasievoorstellingen van de schrijver die door de meest naïeve lezers uit zijn fictie zijn afgeleid te weerleggen, een onvruchtbaar en eentonig werk waaraan ik me ook had onttrokken. Want ook ik was vroeger een soort schoffeerder geweest. Ik was de schoffeerder die door George Plimpton voor het eerst was gepubliceerd toen niemand anders daartoe bereid was. Maar zo is het niet meer, dacht ik. Nee, wat je ziet is niet George in de ring tegen Archie Moore in de sportschool van Stillman in 1959, maar mij in de ring van een onbekend Manhattan met dit van vuisten als mokers voorziene jongmens in 2004.

'Het was ongeveer een jaar geleden, in november,' zei Kliman. 'In Saint John the Divine. Enorme kerk en tjokvol – geen plaats onbezet. Tweeduizend man. Misschien wel meer. Het begint met een gospelgroep. George had ze ergens gezien en prachtig gevonden, dus die waren van de partij. Leider een boomlange knappe zwarte kerel, staat te kicken op de pracht en praal, en met dat ze beginnen te zingen, begint hij te schreeuwen: "Het is feest! Het is feest!", en ik dacht: o jezus, daar heb je 't weer, er gaat iemand dood en het is feest. "Het is feest! Iedereen zegt dat het feest is. Zeg tegen je buurman dat het feest is!" Dus beginnen alle blanken met hun hoofd te knikken tegen de maat van de muziek in, en ik zeg u, het ziet er niet best uit voor George. Dan houdt de dominee zijn prevelement en komen een voor een de sprekers aan de beurt. Eerst komt George' zuster vertellen van het museum dat hij van zijn kamer maakte in het huis op Long Island, waar hij al zijn dierenvellen en dode vogels bewaarde, en hoe verknocht hij als jongen aan al die dingen was, en haar voordracht is verbluffend. Ze is volkomen emotieloos, heeft die vreemde, totale afwezigheid van vreemdheid die alleen de zuiverste volbloed blanke Angelsaksisch-protestante Amerikanen van het eerste uur overtuigend kunnen brengen. Dan komt er een figuur uit Texas die Victor Emanuel heet, waarschijnlijk een jaar of vijftig, misschien iets ouder, een vogelkenner, hij en George dikke vrienden vanwege hun grote belangstelling voor vogels. Kende alle vogels. Die knakker vertelt heel gewoon over het vogelen met George en de vogelexcursies die ze samen ondernamen, en dat wordt allemaal gezegd in het huis des Heren – al zijn de enigen die het nog over de Here hebben de dominee en de gospelzangers. Op dat punt doet iedereen er het zwijgen toe, man, alsof het *hún* zaak niet is. Zij *zíjn* er toevallig alleen maar. Dan Norman Mailer. Overweldigend. Ik had Norman Mailer nog nooit in het echt gezien. Die man is nu tachtig, heeft twee versleten knieën, loopt met twee stokken, kan zonder hulp haast geen stap meer zetten, maar hij wil niet de preekstoel op geholpen worden, wil zelfs geen stok gebruiken. Klimt helemaal alleen die hoge preekstoel op. Iedereen duimen bij elke tree. Daar is de conquistador en het drama kan beginnen. Götterdämmerung. Hij overziet zijn gehoor. Kijkt via het schip van de kerk uit over Amsterdam Avenue en over de Verenigde

Staten naar de Stille Oceaan. Doet me denken aan pater Mapple in *Moby Dick*. Ik dacht dat hij zou beginnen met "Scheepsmaten!" en een preek zou afsteken over de les die Jonas ons leert. Maar nee, ook hij praat heel eenvoudig over George. Dit is niet meer Mailer de querulant, maar toch draagt elk woord nog zijn stempel. Hij praat over een vriendschap met George die pas de laatste jaren tot bloei kwam – vertelt ons hoe zij beiden samen met hun vrouwen door het land hadden gereisd om een toneelstuk op te voeren dat ze samen geschreven hadden, en hoe innig bevriend de twee echtparen waren geraakt, en ik denk: nou, het heeft lang geduurd, Amerika, maar daar op die preekstoel staat Norman Mailer als echtgenoot de lof van het huwelijk te zingen. Fundamentalistische fatsoensrakkers, jullie hebben je evenknie gevonden.'

Hij was niet te stuiten. Wat er tot dusver tussen ons had plaatsgevonden wilde hij uitwissen met een grootse voordracht die tot doel had mij te onderwerpen, en dat lukte hem nog ook: hoe flamboyanter Klimans vertoon van zelfkickerij werd, hoe kleiner ik mezelf – ondanks mezelf – ging voelen. Mailer zoekt geen ruzie meer en kan amper meer lopen. Amy is niet mooi meer en niet meer in het bezit van haar hele brein. Ik beschik niet meer over al mijn mentale functies, mijn viriliteit en mijn continentie. George Plimpton leeft niet meer. E.I. Lonoff heeft zijn grote geheim niet meer, als hij het ooit heeft gehad. Voor ons allemaal geldt het 'niet meer', terwijl de verhitte geest van Richard Kliman gelooft dat zijn hart, zijn knieën, zijn hersenen, zijn prostaat, zijn blaaskringspier, dat alles aan hem onverwoestbaar is en dat hij, en hij alleen, niet van zijn cellen afhankelijk is. Dit geloven is geen hemelbestormende prestatie voor mensen van achtentwintig, zeker niet als ze weten dat de grootheid hen wenkt. Voor hen geldt niet het 'niet meer', het verlies van vermogens, het verlies van beheersing, het gênante verlies van zichzelf, het getekend zijn door gemis en het ten prooi zijn aan de rebellie van het lichaam tegen de ouderdom; voor hen geldt het 'nog niet', en ze weten nog niet hoe snel het allemaal kan verkeren.

Er stond een gehavend diplomatenkoffertje bij zijn voeten waarin ik de helft van Lonoffs manuscript vermoedde. Misschien ook nog de foto's die Amy hem onder invloed van haar tumor had gegeven. Nee, Amy uit deze knoop bevrijden zou niet eenvoudig zijn. Op Kliman inpraten om hem van zijn voornemen af te brengen had geen zin. Hij zou zich er alleen nog maar belangrijker door gaan voelen. Ik vroeg me af of een advocaat misschien nut zou hebben, of een combinatie van beide – hem dreigen met een kort geding en hem dan afkopen. Of misschien kon ik hem chanteren. Misschien, zo bedacht ik opeens, was Jamie niet op de vlucht voor Bin Laden – misschien was ze wel op de vlucht voor hem.

ZIJ

Richard, ik ben getrouwd.

HIJ

Dat weet ik. Met Billy moet je trouwen en met mij moet je neuken. Je vertelt me voortdurend waarom. 'Hij is zo lekker dik. Hij is zo lekker dik van onderen. En de eikel is zo prachtig. Dit is precies wat ik lekker vind.'

ZIJ

Laat me met rust. Je moet me met rust laten. Het moet nu uit zijn.

HIJ

Wil je niet meer komen? Wil je dat heftige gevoel niet meer? Nooit meer?

ZIJ

We gaan hier niet meer over discussiëren. Op die manier praten we niet meer met elkaar.

HIJ

Wil je nu komen, op dit moment?

ZIJ

Nee. Hou op. Het is afgelopen. Als je nog één keer zo tegen me praat, praat ik nooit meer met je.

HIJ

Ik praat nu tegen je. Ik wil dat je die prachtige eikel in je mond neemt.

ZIJ

Sodemieter op, jij. Maak dat je wegkomt.

HIJ

Bij de brute minnaar kom je klaar en bij de gedweeë minnaar niet.

ZIJ

Dat is geen punt van discussie. Ik ben Billy's vrouw. En niet de jouwe. Billy is mijn man. Tussen jou en mij is het uit. Wat je verder ook zegt.

HIJ

Geef nou toe.

ZIJ

Nee, jij moet toegeven. Ga weg.

HIJ

Zo werkt het toch niet tussen ons.

ZIJ

Zo werkt het nu.

HIJ

Je wilt dolgraag toegeven.

ZIJ

Hou je kop. Hou op. Hou op.

HIJ

Ik dacht dat je zo welbespraakt was. En dat ben je ook, als we onze spelletjes doen. Je zegt van die dekselse dingen als we spelen dat jij de callgirl bent en ik je klant. En je maakt van die heerlijke geluiden als we spelen dat Jamie met geweld wordt genomen. Is dat nu alles wat je kunt zeggen: 'Hou je kop' en 'hou op'?

ZIJ

Ik zeg je dat het afgelopen is, en dat is het dus. Ga weg.

HIJ

Ik ga niet weg.

ZIJ

Dan ga ík.

HIJ

Waarheen?

ZIJ

Weg.

HIJ

Kom nou, schatje. Je hebt het mooiste kutje van de hele wereld. Laten we weer rare spelletjes gaan doen. En weer dekselse dingetjes zeggen.

ZIJ

Maak dat je wegkomt. Nu meteen. Straks komt Billy thuis. Verdwijn. Verdwijn uit mijn huis of ik bel de politie.

HIJ

Wacht maar tot de politie je ziet, in dat topje en dat broekje. Die gaan ook nooit meer weg. Je hebt het mooiste kutje en de laagste instincten.

ZIJ

Ik kan zeggen wat ik wil en jij gaat maar door over mijn kut? Je probeert iemand iets duidelijk te maken en hij hoort je niet eens.

HIJ

Ik word hier zo geil van.

ZIJ

En ik word woest. Ik ga nu de deur uit.

HIJ

Luister nou.

ZIJ

Nee!
(*Maar hij geeft het niet op, dus zij vlucht*)

Mensen in de koffieshop hadden gemakkelijk kunnen denken dat Kliman mijn zoon was, gezien de manier waarop ik hem door liet draven op zijn zelfingenomen en overheersende manier, en ook doordat hij mij op strategische momenten aanraakte – mijn arm, mijn hand, mijn schouder – om zijn verhaal kracht bij te zetten.

'Niemand stelde je die dag teleur,' zei hij. 'Het interessantst van allemaal was een journalist die McDonell heette. Die zei zoiets van: "Ik heb me heilig voorgenomen om vrolijk te zijn, want dat is de enige manier waarop ik mezelf hier staande kan houden." Vertelde veel illustratieve verhalen over George. Sprak echt uit liefde. Ik bedoel niet dat de anderen niet uit liefde spraken, maar bij McDonell voelde je een intense mannelijke genegenheid. En bewondering. En begrip voor wat George was. Ik geloof dat hij degene was die dat verhaal vertelde over George en zijn T-shirt, al kan het ook die vogelfiguur zijn geweest. Hoe dan ook, ze gingen samen een vogel zoeken in Arizona. Ze trokken tegen de schemering de woestijn in, want dat is de tijd waarop die vogel zich laat zien. Maar ze konden hem niet vinden. Opeens trok George zijn T-shirt uit en gooide het hoog in de lucht. Er doken meteen vleermuizen op af, die het bleven volgen tot aan de grond. Dus gooide George het keer op keer in de lucht, zo hoog hij kon. En er zwermden steeds meer vleermuizen omheen, en George riep: "Ze denken dat het een gigantische nachtvlinder is!" Het deed me denken aan *Henderson the Rain King*, aan het slot, als Henderson uit het vliegtuig stapt in Labrador of Newfoundland, dat weet ik niet meer precies, en hij op die ijskap begint rond te dansen met al zijn Afrikaanse regenkoning-uitbundigheid, met dat zeldzame soort uitbundigheid van de bevoorrechte rijke oude Oostkust-elite dat je nog bij één op de duizend tegenkomt. En dat was George' triomf. Het was wat George wás. De uitbundige

Oostkust-aristocraat. Ik wou dat ik me meer kon herinneren van wat die prachtkerel zei, want hij sloeg de spijker op zijn kop. Maar toen begon dat verdomde zingen weer. "Prijs de Heer met blijde galmen!", en telkens als ik "prijs de Heer" hoorde, zei ik binnensmonds: "Die is hier niet, en dat weet iedereen behalve jij. Als hij ergens zou zijn, dan zeker niet hier." In die zanggroep had je negerinnen in alle soorten en maten. Die met de enorme memmen, en de kleine, kalende, knoestige die wel honderd jaar oud lijken, en de slanke, lange, mooie meisjes, soms wat schuw, aan wie je nog kunt zien wat een angst er in de velden heerste als de meester om zijn verzetje kwam. En de dikke zelfverzekerde en de dikke kwaaie en een stuk of wat slanke negers die ook meezongen; en ik moest maar steeds aan de slavernij denken, meneer Zuckerman. Ik geloof niet dat ik ooit in het bijzijn van negers zoveel aan de slavernij heb gedacht. Omdat ze voor een zo blank gezelschap optraden, deed het me denken aan een minstreelgroep. Ik zag de laatste restjes slavernij daar in die christelijkheid. Achter hen aan het hoofd van de apsis hing een gouden kruis dat groot genoeg was om er King Kong aan te hangen. En ik moet u zeggen: de twee dingen die ik het meest haat in Amerika zijn de slavernij en het kruis, vooral de manier waarop die twee met elkaar verweven waren en de slavenhouders het bezitten van negers rechtvaardigden met wat God hun vertelde in hun Heilige Schrift. Maar dat even terzijde, dat ik de pest heb aan dat gelul. De sprekers waren weer aan de beurt. Negen in totaal.'

Het eten was gearriveerd en hij pauzeerde even om de helft van zijn koffie op te drinken, maar ik bleef zwijgen, vastbesloten geen vragen te stellen en gewoon af te wachten wat hij nu weer zou verzinnen om me in te peperen dat hij een achtentwintigjarige literaire gigant was en dat ik hem ruim baan moest geven.

'U vraagt zich af hoe ik George heb leren kennen,' zei hij. 'Ik ontmoette hem toen hij naar Harvard kwam voor een feest bij de *Lampoon*. Hij danste op een tafel met mijn vriendin. Zij was het meest sexy, dus koos hij haar uit. Hij was geweldig. Hield een geweldige toespraak. George Plimpton was een groot man. Ze zeiden dat hij zelfs met zwier wist te sterven. Gelul, natuurlijk. Hij kreeg gewoon geen kans om terug vechten. Hij was een knokker. Als het overdag was gebeurd, had hij nog een kans gehad. Maar 's nachts, in zijn slaap? Gewoon overrompeld.'

Ik herinnerde me toen dat George in een van zijn boeken zijn literaire vrienden had geïnterviewd over wat hij hun 'doodsfantasieën' noemde. Toen ik weer thuis was, ontdekte ik in mijn bibliotheek dat het boek in kwestie *Shadow Box* was, dat begint met zijn beschrijving van zijn avontuur in de ring met Archie Moore in 1959 en eindigt in 1974 in Zaïre, waar George naartoe was gegaan om het titelgevecht in het zwaargewicht tussen Muhammad Ali en George Foreman voor *Sports Illustrated* te verslaan. Plimpton was vijftig toen *Shadow Box* in 1977 werd gepubliceerd, en waarschijnlijk ergens achter in de veertig toen hij de research ervoor deed en het schreef, dus moest het wel een geinige opdracht zijn geweest om andere schrijvers te vragen hoe ze zich voorstelden aan hun einde te komen – scenario's die, zoals hij ze weergeeft, onveranderlijk komisch, of dramatisch of bizar waren. De columnist Art Buchwald vertelde hem dat hij 'graag dood zou vallen op het centre court van Wimbledon tijdens de finale van het herenenkelspel – als hij drieënnegentig was'. In de bar van het Intercontinental Hotel in Kinshasa vertelde een jonge Engelse die zichzelf als een 'freelance dichteres' beschreef aan George dat 'het fantastisch zou zijn om te worden geëlektrocuteerd terwijl je basgitaar speelt in een rockband'. Mailer was ook in Kinshasa om over het titelgevecht te schrijven, en hij scheen het liefst ten prooi te willen vallen aan een dier – te land aan een leeuw, ter zee aan een walvis. Wat George betreft, die ambieerde een dood in het Yankee Stadium, 'nu eens als een slagman geveld door een bal tegen het hoofd door een schurk van een werper met een baard, dan weer als een verrevelder die in botsing komt met de gedenktekens die vroeger achter in het middenveld stonden'.

Grappig en ongebruikelijk, zo wilden George en zijn vrienden graag sterven – vroeger, voordat ze geloofden dat het ooit zover zou komen, toen sterven gewoon nog iets was waarover je grappen kon maken. 'O ja, er is ook nog zoiets als de dood!' Maar de dood van George Plimpton was noch grappig, noch ongebruikelijk. En het was ook geen fantasie. Hij stierf niet in honkbaltenue in het Yankee Stadium, maar in pyjama in zijn slaap. Hij stierf zoals wij allemaal: als een oprechte amateur.

Ik kon hem niet uitstaan, met zijn buitensporige jongensenergie en zelfvoldane zelfverzekerdheid en het behagen dat hij schiep in zijn rol van bewonderaar en verteller. Die verpletterende directheid van hem – ook George had daar beslist niet tegen gekund. Maar als ik van plan was al het mogelijke te doen om te verhinderen dat Kliman die biografie van Lonoff ging schrijven, dan zou ik de bij vlagen sterke neiging om in mijn auto te stappen en naar de Berkshires terug te rijden de kop in moeten drukken. Ik zou moeten afwachten wat hij hierna zou verzinnen om zijn belang te dienen. Omdat ik de laatste jaren vrijwel vergeten was hoe ik vijandschap rechtstreeks het hoofd moest bieden, hield ik mezelf voor de sluwheid van mijn tegenstander niet te onderschatten omdat hij zich voordeed als een onstuitbare spraakwaterval.

Na een tweede kop koffie zei hij opeens: 'Lonoff en zijn zus maakt alles wel anders, nietwaar?'

Jamie had hem dus verteld dat ze het aan mij had verteld. Weer een verontrustend kantje van Jamie. Wat te denken van Jamie als informatiekanaal tussen Kliman en mij? Als er al iets van te denken viel. 'Het is onzin,' zei ik.

Hij bukte zich en gaf een klap tegen de zijkant van zijn koffertje.

'Een roman is geen bewijs,' zei ik, 'een roman is een roman,' en ik ging door met eten.

Met een glimlach bukte hij zich opnieuw, en nu deed hij het koffertje open, haalde er een smalle manilla envelop uit, maakte hem open en schudde de inhoud ervan uit op de tafel, tussen de borden en kopjes. We zaten voor het raam van de koffieshop en konden de mensen op straat voorbij zien lopen. Op het moment dat ik opkeek, liep iedereen in een mobieltje te praten. Waarom leken die dingen de belichaming te zijn van alles wat ik ontvluchten moest? Ze waren het onvermijdelijke product van de voortschrijdende techniek, maar toch kon ik aan de hoeveelheid ervan afmeten hoever ik van de gemeenschap van mijn tijdgenoten was afgedwaald. Ik hoor hier niet meer thuis, dacht ik. Mijn lidmaatschap is verlopen. Wegwezen.

Ik pakte de foto's op. Het waren vier verbleekte kiekjes van een lange, magere Lonoff en een lang, mager meisje dat volgens Kliman zijn halfzuster Frieda was. Op één ervan stonden ze op het trottoir voor een onopvallend houten huis in een straat die zo te zien blaakte in de zon. Frieda droeg een dunne witte jurk en had haar haar in lange, dikke vlechten. Lonoff leunde op haar schouder en deed net of hij werd bevangen door de hitte, en Frieda lachte breed, een meisje met brede kaken, dat de grote tanden liet zien die haar een stoer boerenuiterlijk gaven. Hij was een knappe jongen met donker, hoog opgekamd haar en iets in zijn magere gezicht waarmee hij voor een jonge woestijnbewoner had kunnen doorgaan, half moslim, half jood. Op een andere foto keek het tweetal van een picknickdeken op naar iets onduidelijks op een bord waarnaar Lonoff wees. Op een derde foto waren ze ettelijke jaren ouder. Lonoff hield een arm hoog in de lucht en Frieda, die dikker was geworden, speelde dat ze een hondje was en bedelde met haar pootjes. Lonoff keek streng, terwijl hij haar commandeerde. Op de vierde foto moest zij twintig zijn geweest en niet langer de gewillige dienares van de grillen van haar halfbroer, maar een grote, gezette jonge vrouw met een strak gezicht; Lonoff daarentegen, toen zeventien, zag er etherisch uit en onbereikbaar voor de verleiding van iets anders dan de onschuldige muze van zijn vroegste werk. Je kon staande houden dat de foto's niets ongewoons lieten zien, behalve aan iemand met Klimans verhitte fantasie, en dat je er redelijkerwijs hoogstens uit af kon leiden dat halfzus en halfbroer samen plezier hadden, aan elkaar verknocht waren, elkaar leken te begrijpen, en in het eerste kwart van de twintigste eeuw soms samen werden gefotografeerd door een ouder of buurman of vriend.

'Die kiekjes,' zei ik, 'die kiekjes zeggen niets.'

'In de roman,' zei hij, 'zegt Lonoff dat Frieda de aanstichtster was.'

'Er bestaan geen Lonoff en geen Frieda in een roman.'

'Bespaar me dat college over de ondoordringbare grens tussen fictie en werkelijkheid. Dit is iets wat Lonoff heeft doorgemaakt. Dit is een getourmenteerde bekentenis, vermomd als roman.'

'Als het geen roman is, vermomd als getourmenteerde bekentenis.'

'Waarom ging hij dan kapot aan het schrijven ervan?'

'Omdat schrijvers aan schrijven kapot kunnen gaan. Het primaat van het verbeelde leven kan dat teweegbrengen, en meer.'

'Ik heb u de foto's laten zien,' zei hij, alsof ik een stel schunnige plaatjes had bekeken, 'en nu toon ik u het manuscript, en dan moet u me nog eens vertellen dat schrijven over een mogelijkheid die géén werkelijkheid was de drijfveer is geweest van dit boek.'

'Luister, Kliman, je doet je werk slecht. Dit nieuws telt toch nauwelijks als een verrassing voor een literator als jij.'

Hij haalde het manuscript uit zijn koffertje en legde het op tafel, boven op de foto's: tussen de twee- en driehonderd bladzijden, bijeengehouden door een dik elastiek.

Wat een ramp. Dit roekeloze, drammerige, schaamteloze, opportunistische jongmens, wiens opvatting van fictie volkomen tegengesteld was aan die van Lonoff, in het bezit van het eerste deel van een roman die Lonoff nooit had voltooid, die hij als mislukt beschouwde en die hij waarschijnlijk nooit zou hebben gepubliceerd als hij lang genoeg had geleefd om hem af te maken.

'Heeft Amy Bellette je dit gegeven? Of heb je het gewoon meegenomen?' vroeg ik. 'Heb je het onder de neus van die arme vrouw vandaan gestolen?'

Als antwoord schoof hij het alleen maar naar me toe. 'Het is een fotokopie. Die heb ik speciaal voor u laten maken.'

Hij bleef proberen mij aan zijn kant te krijgen. Ik zou hem van nut kunnen zijn. Alleen al dat hij kon zeggen dat hij mij een kopie had gegeven zou hem van nut kunnen zijn. Ik vroeg me af hoe zwak hij dacht dat ik was, en vervolgens hoe zwak ik daarginds, alleen in mijn boshut, geworden was. Waarom zat ik hier eigenlijk aan deze tafel? Niets van wat er volgens hem tussen ons had plaatsgevonden, had in werkelijkheid plaatsgevonden, het telefoongesprek, de lunchafspraak, mijn verzoek om zijn verhaal over George Plimptons herdenkingsdienst te horen, mijn verzoek om het manuscript van Lonoff te zien. Ik herinnerde me nu precies wat er wél was gebeurd. *Je stinkt ouwe man, je ruikt naar de dood.* En ik stonk weer, de lucht die opsteeg uit mijn schoot had veel weg van de lucht die ik in de gangen van het pand waar Amy woonde was tegengekomen – en ondertussen zat degene die me deze beledigingen had toegeschreeuwd kalmpjes zijn sandwich te verorberen, nog geen meter vanwaar ik de mijne at. Dat ik deze ontmoeting had laten gebeuren, gaf me het gevoel dat ik al even kwetsbaar was als Amy, poreus, verwaterd, zwakker van geest dan ik ooit voor mogelijk had gehouden.

En Kliman wist dat. Kliman had dat gevoed. Kliman had mijn toestand direct goed getaxeerd: wie had gedacht dat Nathan Zuckerman het niet meer trok? Toch is het zo; hij is kaduuk, een klein, eenzaam mannetje, een uitgeputte vluchteling uit de grofbesnaarde wereld, door impotentie ontkracht en er slechter aan toe dan ooit in zijn leven. Gun hem geen rust, blijf op hem in rammen, zo krijg je die ouwe aftandse lul er wel onder. Lees Ibsens *Bouwmeester Solness* er nog maar eens op na, Zuckerman: maak plaats voor de jeugd!

Ik zag hem boven me uittorenen, klaar om me de genadeslag te geven. En opeens zag ik hem niet meer als mens, maar als deur. Waar Kliman zit, zie ik een zware houten deur. Wat heeft dat te betekenen? Een deur tot wat? Een deur tussen wat? Duidelijkheid en verwarring? Dat zou kunnen. Ik weet nooit of hij de waarheid spreekt of dat ik iets vergeten ben of dat hij maar iets verzint. Een deur tussen duidelijkheid en verwarring, een deur tussen Amy en Jamie, een deur naar de dood van George Plimpton, een deur die vlak voor mijn neus open- en dichtgaat. Is hij nog meer dan dat? Ik weet alleen van de deur.

'Met uw officiële zegen,' zei hij tegen me, 'zou ik veel voor Lonoff kunnen doen.'

Ik lachte hem uit. 'Je hebt je niet ontzien een doodzieke vrouw met een hersentumor te bestelen. Je hebt haar dit manuscript afhandig gemaakt, op wat voor manier dan ook.'

'Absoluut niet.'

'Natuurlijk wel. Ze zou je nooit alleen maar de eerste helft hebben gegeven. Als ze je het boek had willen geven, had ze je wel alles gegeven. Je hebt gestolen wat je te pakken kon krijgen. De andere helft lag niet in het zicht, of ergens in het appartement waar je er niet bij kon. Natuurlijk heb je het gestolen – wie geeft iemand nu een halve roman? En nu,' zei ik, voordat hij kon antwoorden, 'nu wil je ook nog misbruik maken van zo iemand als ik?'

Onversaagd zei hij: 'U hebt niets te vrezen. U hebt een hoop boeken geschreven. U hebt aan avonturen geen gebrek gehad. En u kunt ook meedogenloos zijn.'

'Dat kan ik,' zei ik, in de hoop dat het nog zo was.

'George sprak altijd met veel bewondering over u, meneer Zuckerman. Hij bewonderde de geestkracht die voedsel gaf aan het talent. Ik deel die bewondering.'

Zo onbewogen als ik kon zei ik: 'Goed. Blijf dan uit haar buurt en zoek op geen enkele manier meer contact met mij.' Ik legde wat geld op tafel om voor de maaltijd te betalen en liep naar de deur.

In een paar tellen had Kliman zijn spullen gepakt en kwam hij me achterna. 'Dit is censuur. U, zelf een schrijver, probeert een andere schrijver het publiceren te beletten.'

'Dat ik je niet help met het publiceren van dat foute boek heeft niets met beletten te maken. Integendeel, door in mijn hol te kruipen en te creperen, geef ik je de vrije hand.'

'Maar het is geen fout boek. Amy heeft de incest zelf toegegeven. Ik heb het in eerste instantie van háár.'

'Amy Bellette is de helft van haar hersens kwijt.'

'Maar nog niet toen ik haar sprak. Dat was vóór de behandeling. Ze was toen nog niet geopereerd. De tumor was nog niet eens ontdekt.'

'Maar hij was er al wel, of niet? Niet ontdekt, weliswaar, maar hij vrat al wel aan haar brein. Haar *brein*, Kliman. Ze viel flauw en ze braakte en ze werd gek van de hoofdpijn en gek van de angst en ze wist niet meer wat ze zei, tegen *wie dan ook*. Op dat moment was ze écht niet goed bij haar hoofd.'

'Maar het is *zonneklaar* dat het zo is gegaan.'

'Uitsluitend voor jou zonneklaar.'

'Dit geloof ik gewoon niet!' riep hij, naast me lopend, en mij het verbijsterde gezicht van zijn razernij tonend. Hij was niet langer in een stemming om van mijn vernedering te genieten, en dus liet hij zijn dekking tegen mijn oordeel zakken en maakte de rancuneuze schooier onder de arrogante dwingeland uiteindelijk zijn entree – tenzij ook dat een list van hem was en ik van begin tot eind alleen maar goed was geweest om Piet Snot voor hem te spelen. 'En u, nota bene! Die man had een penis, meneer Zuckerman! Door zijn penis waren ze meer dan drie jaar misdadigers in hun wereld. Toen kwam het schandaal, en daar heeft hij zich veertig jaar lang voor verstopt. Ten slotte heeft hij toen dit boek geschreven. Dit boek dat zijn meesterwerk is! Kunst geboren uit een gekweld geweten! De esthetiek die het wint van de schande! Híj besefte dat niet – daar was hij te bang en ellendig voor. En Amy was te bang van zijn ellende om het te beseffen. Maar hoe kunt ú nou bang zijn? U die weet wat mensen onverzadigbaar maakt! U die alles weet van de schreeuwende honger naar meer! Hier rekent een groot schrijver af met de misdaad die hem elke dag van zijn leven heeft geïntimideerd. Lonoffs uiteindelijke worsteling met zijn onreinheid. Zijn lang uitgestelde poging om het weerzinwekkende een plaats te geven. Daar weet u alles van. Het weerzinwekkende een plaats geven! Dat is uw wapenfeit, meneer Zuckerman. Welnu, dit is het zijne. Zijn poging om deze last af te wentelen is te heroïsch om nu te negeren. Het zelfportret dat hij tekent is niet flatteus, neemt u dat van mij aan. De jongen die na veertig jaar slapen ontwaakt! Het is Lonoffs *Rode letter*. Het is *Lolita* zonder Quilty en de stomme grappen. Het is wat Thomas Mann geschreven zou hebben als hij iemand anders dan Thomas Mann was geweest. Luister naar me, alstublieft! Hélp me, alstublieft! U kunt die incest toch niet blijven ontkennen? Dat u ervoor wegloopt is zinloos en siert u niet! Uw vijandschap tegen mij maakt u blind voor de waarheid! En die is simpelweg als volgt: dat hij zijn veilige thuis met Hope op moest geven en met Amy Bellette door zijn hel moest gaan om het lijden van de jonge Lonoff uit zijn gevangenschap te kunnen bevrijden. Ik smeek u: lees het verbluffende resultaat!'

Hij bevond zich nu voor mij, snel achteruitlopend, en duwde de fotokopie van het manuscript tegen mijn borst. Ik stond ter plekke stil, met mijn handen langs mijn lichaam en mijn mond dicht. Ik had hem vanaf het begin op mijn zwijgen moeten onthalen. Ik had – bedacht ik voor de honderdste keer – nooit van huis moeten gaan. De jaren dat ik weg was geweest, de vesting die ik had gebouwd tegen de indringers die door mijn werk werden aangetrokken, de gepantserde lagen van wantrouwen – en toch stond ik hier en keek ik in die prachtige ogen, met hun fanatieke grijze schittering. Een literaire gek. De zoveelste. Zoals ik, zoals Lonoff, zoals al die mensen wier hevigste hartstocht zich richt op een boek. Waarom kon de zachtaardige Billy Davidoff niet degene zijn geweest die Lonoffs biografie wilde schrijven? Waarom kon de door en door respectloze, vurige Kliman niet de zachtaardige Billy zijn, en de zachtaardige Billy de door en door respectloze, vurige Kliman, en waarom kon Jamie Logan, in plaats van de hunne, niet de mijne zijn? Waarom moest ik prostaatkanker krijgen? Waarom moest ik die doodsbedreigingen krijgen? Waarom moest het verval van mijn krachten zo snel en meedogenloos zijn? Ach, kon ik wat was maar echt veranderen in wat niet was, en niet alleen maar op papier!

Opeens bereikte zijn ergernis het hoogtepunt, maar in plaats van het manuscript naar mijn hoofd te smijten – wat ik zonder meer verwachtte en waarom ik intuïtief mijn armen hief om mijn gezicht te beschermen – liet hij het op de stoep vallen, op het New Yorkse trottoir, vlak voor mijn voeten, waarna hij het verkeer in vluchtte, pijlsnel tussen de stromen auto's door, en kon ik alleen nog hopen dat die de uitzinnige would-bebiograaf aan flarden zouden rijden.

Nadat ik me in mijn hotel van mijn met urine doorweekte ondergoed had ontdaan en me aan de wastafel gewassen had, belde ik Amy. Ik wilde weten hoe Kliman aan zijn manuscript was gekomen. Ik had het bij me in de kamer. Ik had het opgeraapt en meegenomen. Ik had gewacht tot Kliman uit het zicht verdwenen was en het toen van het trottoir gegrist. Wat had ik anders kunnen doen? Ik had geen zin om het te lezen. Ik kon me niet langer inlaten met die waanzin. Ik had genoeg waanzin beleefd toen ik nog jong was en helder van geest en een stuk slimmer en veerkrachtiger dan nu. Ik wilde niet weten wat Lonoff had gemaakt van zichzelf en zijn zuster en hun grote ongeluk, of blijven betogen wat ik nog steeds geloofde: dat dit grote ongeluk nooit had plaatsgehad. Hoezeer de man me ook had geboeid toen ik zelf pas begon – en zelfs al had ik nog pas al zijn boeken gekocht, exemplaren van boeken die ik al tientallen jaren bezat –, ik wilde van het manuscript af en helemaal verlost zijn van Richard Kliman en van alles aan hem wat ik niet kon beoordelen en wat vreemd was aan alles wat ik serieus nam. Ook al leek zijn krachtdadige optreden op de een of andere manier gespeeld, een roekeloze, walgelijke, kwajongensachtige stunt van een leeghoofd die diepgang en eerbied voor de literatuur pretendeert, leek hij niet minder mijn nemesis dan die van Lonoff. Ik voorzag alleen maar nederlagen als ik zou blijven botsen met het streven van deze bedrieger en de vitaliteit en ambitie en koppigheid en woede waardoor het werd gevoed. Als ik Amy gesproken had en gezorgd had dat ze dat manuscript weer terugkreeg, zou ik Jamie en Billy bellen en zeggen dat de ruil van de baan was. En dan zou ik New York verlaten zonder terug te gaan naar de uroloog. Ik beschikte niet over de geestkracht die Kliman zo bewonderde, althans niet voor verdere ingrepen. De uroloog kon er niets aan veranderen, evenmin als ikzelf. Ik mocht dan in de loop van vier decennia veel prestige hebben verworven door het ene boek na het andere te schrijven, het eind van mijn werkzaamheid was nu bereikt. En ook het eind van mijn weerbaarheid, zoals ik ervaren had toen ik me alleen nog maar beschermen kon door te verdwijnen. Ik kon dat jongmens niet tegenhouden, zelfs niet door Amy mee te nemen naar de Berkshires of door een wachtpost voor haar deur te zetten.

Ook kon ik niet verhinderen dat hij, als hij klaar was met Lonoff, zijn vurige aandacht zou richten op mij. Als ik eenmaal dood was, wie kon dan mijn levensverhaal tegen Richard Kliman beschermen? Was Lonoff niet zijn literaire springplank naar mij? En waaruit zou dan mijn 'incest' bestaan? Waarin zou ik als voorbeeld voor het menselijk ras zijn tekortgeschoten? Mijn grote, onwelvoeglijke geheim. Er was er vast wel een. En vast wel meer dan één. Verbazingwekkend, trouwens, dat je kunnen en je prestaties, voorzover daarvan sprake is, hun bekroning vinden in het vonnis van de biografische inquisitie. De man die de woorden naar zijn hand zette, de man die zijn hele leven de verhalen verzon, wordt na zijn dood herdacht, als hij al herdacht wordt, om een verhaal dat verzonnen is over hem, waarin zijn heimelijke soort van verdorvenheid wordt onthuld en beschreven met compromisloze openhartigheid, duidelijkheid en zelfverzekerdheid, met diepe bezorgdheid om de meest gevoelige morele kwesties, en met een niet geringe dosis welbehagen.

Dus straks was ik aan de beurt. Waarom had het zo lang geduurd voor ik besefte wat zo voor de hand lag? Tenzij ik het altijd al had beseft.

Bij Amy werd niet opgenomen. Ik belde Jamie en Billy en kreeg al na één belsignaal het antwoordapparaat. Ik zei: 'Met Nathan Zuckerman. Ik bel vanuit mijn hotel. Het nummer...'

Jamie nam zelf op. Ik had de verbinding moeten verbreken. Ik had niet moeten bellen. Ik had zus moeten doen en niet zo moeten doen, en nu deed ik het toch. Eenmaal geprikkeld door haar stem was ik de controle over mijn gedachten kwijt. En in plaats van te proberen mezelf te bevrijden van de rampzalige misvatting dat ik iets aan mijn toestand kon veranderen – de toestand van onveranderlijk veranderd te zijn – deed ik het tegenovergestelde en liet ik mijn gedachten niet uitgaan van wat ik was, maar van wat ik niet was: iemand die nog in staat was een aanval op het leven te doen.

'Ik zou je graag willen spreken,' zei ik.

'Ja.'

'Ik zou je graag hier willen spreken.'

Tijdens de stilte die volgde, onderdrukte ik zo goed ik

kon de belachelijke woorden die het verleden me wilde laten zeggen.

‘Ik denk niet dat ik dat kan doen,’ zei ze.

‘Ik had gehoopt van wel,’ zei ik.

‘Het is een interessant idee, meneer Zuckerman, maar nee.’

Wat kon ik, een uitgerangeerde ‘niet meer’-figuur met noch het zelfvertrouwen voor de verleiding, noch het vermogen tot de daad, zeggen om haar te doen wankelen? Het enige wat ik nog had waren de instincten: het wensen, het verlangen, het hebben. En het dwaze versterken van mijn besluit om in actie te komen. Eindelijk, actie!

‘Kom naar mijn hotel,’ zei ik.

‘Ik ben helemaal van mijn à propos,’ zei ze. ‘Ik had dit telefoontje totaal niet verwacht.’

‘Ik evenmin.’

‘Waarom doet u het dan?’

‘Er is iets in me gevaren sinds we elkaar bij jou thuis hebben ontmoet.’

‘Maar het is iets wat ik helaas niet kan beantwoorden.’

‘Kom alsjeblieft.’

‘Hou alstublieft op. Ik ben toch al zo gauw van streek. Denkt u dat ik strijdlustig ben? Opvliegende Jamie? Ik ben een strijdlustige zenuwpees. Denkt u dat Richard Kliman mijn minnaar is? Denkt u dat nog steeds? Het moet u zo langzamerhand toch wel duidelijk zijn dat ik seksueel niets met hem te maken wil hebben. U hebt een vrouw verzonnen die ik niet ben. Begrijpt u niet wat een verademing het was toen ik Billy leerde kennen en er niet voortdurend iemand liep te tieren als ik niet al zijn wensen vervulde?’

Wat kon ik zeggen om haar te verlokken? Wat waren de woorden waarvoor ze misschien gevoelig zou zijn?

‘Ben je alleen?’ vroeg ik.

‘Nee.’

'Wie is er bij je?'

'Richard. Hij is in de andere kamer. Hij heeft me verteld wat hij met u heeft beleefd. Dat is alles wat we hier doen. Hij praat. Ik luister. Meer niet. De rest zit alleen in uw hoofd. Wat een gewond mens bent u, om iets anders te denken.'

'Kom alsjeblieft, Jamie.' Van alle middelen die de taal bood waren dat de meest betekenisvolle woorden die ik kon vinden.

'Ik ben niet goed wijs,' zei ze, 'dus hou alstublieft op.'

Ik zag mezelf, hoorde mezelf, was niet van zelfspot en zelfverachting gespeend en walgde van mijn desperate toestand, maar jaren geleden was mijn seksuele omgang met vrouwen door mijn prostaatoperatie zo abrupt afgebroken dat ik mezelf er nu, met Jamie, niet van kon weerhouden te doen alsof het niet was gebeurd en te handelen uit naam van een ego dat ik niet langer bezat.

'Ik belde je op,' zei ik, 'om iets heel anders te zeggen. Ik was dit helemaal niet van plan. Ik dacht dat ik mezelf van dit alles had bevrijd.'

'Kan dat dan?' Het klonk alsof ze het niet aan mij vroeg, maar aan zichzelf.

'Kom, Jamie. Ik heb het gevoel dat jij me iets kunt leren waarvoor het voor mij te laat is.'

'Dat verbeeldt u zich maar. Het is allemaal maar verbeelding. Nee, ik kan niet komen, meneer Zuckerman.' En toen, om aardig te zijn, of alleen maar om zich ervan af te maken, of misschien zelfs omdat ze het half en half meende, voegde ze eraan toe: 'Een andere keer,' alsof ik net als zij nog alle tijd had om rustig mijn kans af te wachten.

En zo ontvluchtte ik de krachten die ooit mijn eigen kracht hadden ondersteund en op de proef gesteld en mijn geestdrift gewekt en mijn hartstocht en mijn weerbaarheid en mijn behoefte om alles, belangrijk of niet, ter harte te nemen en alles belangrijk te maken. Ik ging niet als vanouds de confrontatie aan, maar ontvluchtte Lonoffs manuscript en al de emotie die het had gewekt, en al de emotie die het nog op gíng wekken, toen ik Klimans kanttekeningen tegenkwam en daarin de dodelijke fantasieloosheid en vulgariteit aantrof die alles op een volkomen stupide manier terugvoert op zijn bron. Ik voelde me niet in staat ze aan te vechten, wilde me er niet in verdiepen en gooide – als betrof het een werk van een schrijver die me nooit iets gezegd had – het manuscript ongelezen in de prullenmand van het hotel, haalde mijn auto op en was even na het donker thuis. Wie vluchten moet, maakt inderhaast een keuze van wat hij mee zal nemen, en ik besloot niet alleen het manuscript van Lonoff achter te laten maar ook de zes boeken van Lonoff die ik bij Strand had gekocht. Met de set die ik thuis had staan en die ik vijftig jaar geleden had gekocht, kon ik de rest van mijn leven nog wel toe.

Het New Yorkse avontuur had niet veel meer dan een week geduurd. Er is geen wereldser plek ter wereld dan New York, vol met mensen met mobieltjes die naar restaurants gaan, affaires hebben, naar banen solliciteren, kranten lezen, zich druk maken over de politiek, en ik had gedacht dat ik daar weer terug kon komen, er als vanouds kon gaan wonen, er alles kon hervatten waarvan ik had besloten afstand te doen – de liefde, de begeerte, ruzies, beroepsconflicten, de hele smerige erfenis van het verleden – en in plaats daarvan was ik er, als in een versneld afgespeelde oude film, in een oogwenk doorheen gehold en weer op mijn oude plek teruggekeerd. Alles wat er was gebeurd, was dat er bijna iets was gebeurd, en toch had ik het gevoel dat ik iets reusachtigs had beleefd. Ik had in werkelijkheid niets ondernomen, had er een paar dagen gewoon maar gestaan, zwaar gefrustreerd, murw gebeukt door het genadeloze treffen tussen de mensen van niet meer en van nog niet. Dat was al vernederend genoeg.

Nu was ik terug op de plek waar ik nooit met iemand in botsing hoefde te komen of iets hoefde te begeren of iemand hoefde te zijn, of mensen van dit of dat hoefde te overtuigen en proberen een rol te spelen in het drama van mijn tijd. Kliman zou met al zijn botte intensiteit zijn jacht op Lonoffs geheim vervolgen, en Amy Bellette zou evenmin in staat zijn hem tegen te houden als ze als kind was geweest om de moord op haar moeder, haar vader en haar broer te verhinderen, of om de tumor te remmen waaraan ze ging sterven. Ik zou haar nog diezelfde dag een cheque sturen en nog een op de eerste van elke maand, maar ze zou binnen een jaar toch al dood zijn. Kliman zou doorzetten en zich misschien een paar maanden literair breed maken door het overbodige exposé te schrijven waarin Lonoffs beweerde misstap als de sleutel tot alles zou worden onthuld. Hij zou misschien zelfs Jamie van Billy af kunnen pikken, als ze verward, misleid of verveeld genoeg was om haar toevlucht te zoeken tot zijn hinderlijk gesnoef. En op een dag zou ook ik, net als Amy, net als Lonoff en net als Plimpton, net als iedereen op de begraafplaats die de loop geëindigd had, sterven, maar niet voordat ik aan mijn bureau bij het raam was gaan zitten en in het grijze licht van een novemberochtend, uitkijkend over een besneeuwde weg op het stille, door windvlagen gerimpelde water van het moeras dat al dichtvroor aan de rand van het knekelveld van pluimloos riet, vanuit dat veilige toevluchtsoord, met New York en zijn bewoners sinds lang uit het zicht – en voordat mijn afnemend geheugen het helemaal af liet weten – de slotscène van *Hij en zij* had geschreven:

HIJ

Billy blijft waarschijnlijk nog een uur of twee weg. Zou je naar mijn hotel willen komen? Ik zit in het Hilton. Kamer 1418.

ZIJ

(*Lichtjes lachend*) Toen je bij haar wegging, zei je dat het je te veel pijn deed en je haar niet meer wilde zien.

HIJ

Nu wil ik haar graag zien.

ZIJ

Wat is er veranderd?

HIJ

De mate van wanhoop is veranderd. Ik ben nu nog wanhopiger. Jij ook?

ZIJ

Ik... Ik... Ik voel nu minder. Waarom ben je nu wanhopiger?

HIJ

Vraag aan de wanhoop waarom hij nog wanhopiger is.

ZIJ

Ik moet je iets bekennen. Ik denk dat ik weet waarom jij nog wanhopiger bent. En ik denk niet dat het iets oplost als ik naar je hotelkamer kom. Ik heb Richard hier. Hij kwam naar me toe en vertelde me over jullie gesprek. Ik moet je zeggen dat je volgens mij een grote vergissing begaat. Richard probeert gewoon zijn werk te doen, zoals jij het jouwe doet. Hij is totaal van de kaart. En jij bent kennelijk ook totaal van de kaart. Je belt op en inviteert iets in je leven wat je niet inviteren wilt...

HIJ

Ik inviteer je op mijn hotelkamer. Om bij me te komen, hier op mijn hotelkamer. Kliman is je minnaar.

ZIJ

Nee.

HIJ

Jawel.

ZIJ

(*Nadrukkelijk*) Nee.

HIJ

Je hebt het pas nog zelf gezegd.

ZIJ

Niet waar. Je hebt het ofwel verkeerd begrepen, ofwel verkeerd verstaan. Je hebt het echt mis.

HIJ

Dus liegen kun je ook. Oké, mij best. Ik ben blij dat je kunt liegen.

ZIJ

Waarom denk je dat ik lieg? Bedoel je dat ik nu zijn minnares moet zijn omdat ik het op de universiteit ook was?

HIJ

Ik zei dat ik jaloers was op je minnaar. Ik dacht dat hij je minnaar was. Maar jij zegt dat hij het niet is.

ZIJ

Nee, dat is hij ook niet.

HIJ

Dan is het dus iemand anders. Ik weet niet of dat slechter of beter is.

ZIJ

Ik praat liever niet over mijn minnaar. Jij wilt mijn minnaar zijn – is dat wat je bedoelt?

HIJ

Ja.

ZIJ

Je wilt dat ik nu naar je toe kom. Het is zes uur. Dan zou ik er om halfzeven zijn. Ik kan nog om negen uur met wat boodschappen thuiskomen en zeggen dat ik gewinkeld heb. Ik zou dan wat boodschappen moeten doen, of jij kunt het voor me doen – dan hebben we nog een paar minuten extra samen.

HIJ

Wanneer kom je?

ZIJ

Ik zit even te rekenen. Jij kunt nu de boodschappen gaan doen. Ik werk Richard de deur uit. Ik neem een taxi. Dan kan ik om halfzeven bij jou zijn. En ik moet om halfnegen weg. We hebben dan twee uur samen. Lijkt dat je iets?

HIJ

Ja.

ZIJ

En dan?

HIJ

Dan hebben we twee uur samen.

ZIJ

Ik ben vandaag geestelijk gestoord, weet je. (*Lachend*) Je maakt misbruik van een geestelijk gestoorde vrouw.

HIJ

Ik pluk de vruchten van de verkiezingen.

ZIJ

(*Lachend*) Ja, dat doe je.

HIJ

Ze hebben Ohio gestolen – ik steel jou.

ZIJ

Ik kan vandaag wel wat sterk medicijn gebruiken.

HIJ

Vroeger verkocht ik sterk medicijn huis-aan-huis.

ZIJ

Dit alles doet me denken aan de bayous.

HIJ

Wat bedoel je?

ZIJ

De bayous in Houston. Daar kwamen we via het land van iemand anders en dan vonden we ergens een touwschommel en sprongen we erin. Zwemmen in dat geheimzinnige water met de kleur van chocolademelk, vol dode oude bomen, waar je je hand in het water niet kon zien, zo troebel was het, en waar het mos aan de bomen hing en het water de kleur van modder had – ik weet niet meer hoe ik het klaarspeelde, maar wel dat het iets was wat mijn ouders beslist niet goed hadden gevonden. De eerste keer nam mijn oudere zusje me mee. Zij was de waaghals, niet ik. Zij was het die helemaal gek werd van mijn moeders zorg om de schone schijn. Zij was degene op wie zelfs mijn strenge vader geen greep had, laat staan mijn moeder. Ik ben later met Billy getrouwd. Zijn grootste gebrek was dat hij een jood was.

HIJ

Dat is ook mijn grootste gebrek.

ZIJ

O ja?

HIJ

Kom, Jamie. Kom bij me.

ZIJ

(*Luchtig, snel*) Oké. Waar zit je ook weer?

HIJ

Het Hilton. Kamer 1418.

ZIJ

Waar is het Hilton? Ik ken geen hotels in New York.

HIJ

Het Hilton ligt aan Sixth Avenue, tussen Fifty-third en Fifty-fourth. Tegenover het gebouw van CBS. Schuin tegenover het Warwick Hotel.

ZIJ

Dat kolossale hotel dat niet bijzonder mooi is.

HIJ

Precies. Ik dacht dat ik hier maar een dag of wat zou zijn. Ik kwam hier voor een zieke vriendin.

ZIJ

Ik heb gehoord van je zieke vriendin. Daar zullen we het niet over hebben.

HIJ

Wat heeft Kliman je over haar verteld? Weet je wat hij aan het doen is met een vrouw die ten dode opgeschreven is door een tumor in haar hoofd?

ZIJ

Hij probeert achter haar geschiedenis te komen. En niet eens haar geschiedenis. De geschiedenis van iemand van wie ze hield, wiens werk in de vergetelheid is geraakt en wiens naam is verdwenen. Kijk, Richard is helaas zijn eigen slechte pers. Maar daar moet je doorheen kunnen kijken. Hier is een energieke, gedreven, toegewijde, geïnteresseerde man die zich heeft gestort op die inmiddels volkomen onbekende schrijver die niemand meer leest. Hij is gegrepen door die schrijver, enthousiast, hij denkt dat hij een geheim van die man op het spoor is dat interessant en verhelderend kan zijn en niet alleen scandaleus. Zeker, hij heeft dat krankzinnig roofzuchtige van de biografische drift. Zeker, hij gaat door roeien en ruiten om te krijgen wat hij hebben wil. Zeker, hij deinst nergens voor terug. Maar als het hem ernst is, waarom dan niet? Hij probeert die man zijn rechtmatige plaats in de Amerikaanse literatuur terug te geven, en daar heeft hij haar hulp bij nodig – om een verhaal te vertellen waar niemand schade van ondervindt. Niemand. De mensen om wie het gaat zijn al jaren en jaren dood.

HIJ

Hij heeft drie nog levende kinderen. En die dan? Hoe zou jij het vinden om dit over je vader te weten te komen?

ZIJ

Toen hij zeventien was, had hij een verhouding met zijn halfzuster – hij was jonger, hij was veertien toen het begon. Hem trof dus in elk geval geen schuld, hij was de jongste van de twee. Dat is geen schande.

HIJ

Je bent erg ruimdenkend. Denk je dat je vader en moeder ook zo ruimdenkend zullen zijn als ze lezen over Lonoffs jeugd?

ZIJ

Mijn vader en moeder hebben dinsdag op George Bush gestemd. Dus het antwoord is nee. (*Lachend*) Als jij je werk door hen liet keuren, zou je nooit iets publiceren dat volgens hen door de beugel kon. Dan zou er nooit een boek van je zijn uitgegeven, vriend.

HIJ

En jij? Zou jij het je vader vergeven als je dit over hem te weten kwam?

ZIJ

Het zou niet gemakkelijk zijn.

HIJ

Heb je een tante?

ZIJ

Ik heb geen tante. Maar ik heb een broer. Ik heb geen kinderen. Maar als ik ze had, dan zou ik niet willen dat mijn kinderen wisten dat dat tussen mijn broer en mij was gebeurd. Maar ik vind dat er dingen zijn die belangrijker zijn dan...

HIJ

Alsjeblieft. Niet de kunst.

ZIJ

Waarvoor heb jij je leven dan opgegeven?

HIJ

Ik wist niet dat ik het opgaf. Ik deed wat ik deed en ik wist het niet. Begrijp je wat de kranten hiermee gaan doen? Begrijp je wat de recensenten hiermee gaan doen? Dit heeft niets te maken met kunst en nog minder met waarheid of zelfs maar met het begrijpen van de zonde. Het heeft te maken met prikkeling. Als Lonoff nog leefde, zou het hem spijten dat hij ooit een woord geschreven had.

ZIJ

Hij is dood. Hij krijgt nergens spijt van.

HIJ

Hij zal alleen maar belasterd worden. En zonder geldige reden, kwaadwillig belasterd door de fatsoensrakkers, door de feministische feeksen, door het misselijkmakende, arrogante literaire gajes. Een hoop recensenten, zelf keurige mensen, zullen het als een zware seksuele misdaad zien. Waarom lach je nu?

ZIJ

Je meewarige toon. Denk jij dat ik er zonder het werk van die 'feministische feeksen' ook maar over zou piekeren over twintig minuten naar jouw hotelkamer te komen? Denk jij dat een meisje met mijn opvoeding zoiets ooit van haar leven had gedurfd? Jij plukt dus de vruchten van de verkiezingen én de feministen. Van George Bush én Betty Friedan. (*Opeens met een stoere tongval, als een snol in een film*) Hoor 'ns, wil je nou dat ik naar je toe kom – is dat wat je wilt? Of wil je liever over Richard Kliman praten door de telefoon?

HIJ

Ik geloof je niet. Ik geloof niet wat je over Richard Kliman vertelt. Dat is het enige wat ik wil zeggen.

ZIJ

Oké, Oké. Maakt dat wat uit voor onze twee uurtjes samen? Je kunt me geloven of niet, en als je me niet gelooft en je wilt niet dat ik kom, mij best. Als je me niet gelooft en je wilt toch dat ik kom, mij best. Als je me gelooft en je wilt dat ik kom, mij ook best. Zeg maar wat je wilt.

HIJ

Zijn jullie allemaal zo zelfverzekerd tegenwoordig, jullie jonge vrouwen van dertig, of komt er aan die voorstelling eens een eind?

ZIJ

Geen van beide.

HIJ

Dus zijn het alleen maar de vrouwen van dertig met literaire ambities?

ZIJ

Nee.

HIJ

Zijn het de dertigjarige vrouwen die als dochters van Texaanse oliebaronnen zijn opgegroeid?

ZIJ

Nee, ík ben het. Je hebt het tegen míj.

HIJ

Ik aanbid je.

ZIJ

Je kent me niet.

HIJ

Ik aanbid je.

ZIJ

Je voelt je waanzinnig tot me aangetrokken.

HIJ

Ik aanbid je.

ZIJ

Je aanbidt me niet. Dat kan niet. Dat is onmogelijk. Die woorden betekenen niets. Volgens mij ben jij iemand die op een avontuurtje uit was, maar het zelf niet besefte. Jij die elke ervaring elf jaar lang hebt afgewezen, die jezelf hebt afgesloten van alles behalve van het schrijven en denken – jij die je leven zo angstvallig voor de buitenwereld hebt afgeschermd, jij had geen idee. Pas toen je weer in de grote stad terug was, kwam je tot de ontdekking dat je weer wilde leven en dat je dat alleen maar kon bereiken via dit onberedeneerde, onbezonnen... Kortom, je viel ten prooi aan een volkomen redeloze drift. Ik praat nu tegen een nagenoeg onmenselijk gedisciplineerd, redelijk persoon die elk gevoel voor verhoudingen kwijt is en bezig is aan een onmogelijk verhaal van onredelijke verlangens. Maar zo gaat het als je wilt leven, nietwaar? Als je voor jezelf een leven wilt máken. Je weet dat je redelijkheid zich elk moment weer kan doen gelden – en als dat gebeurt, is het uit met het leven en de onzekerheid die het leven ís. Ieders lot: onzekerheid. De enige andere reden waarom je denkt dat je mij aanbidt is dat je op dit ogenblik een schrijver bent zonder boek. Begin maar eens aan een nieuw boek, dan zullen we zien of je Jamie Logan nog zo vurig aanbidt. Maar hoe dan ook, ik kom eraan.

HIJ

Dat je naar mijn hotel wilt komen, zegt me dat je waarschijnlijk zelf diep in de problemen zit. Onbezonnen momenten. Dit is het jouwe.

ZIJ

Onbezonnen momenten die leiden tot onbezonnen ontmoetingen. Onbezonnen momenten die leiden tot levensgevaarlijke keuzes. Daar kun je me maar beter niet al te krachtig aan herinneren.

HIJ

Ik weet zeker dat je jezelf daar onderweg in de taxi wel aan zult herinneren.

ZIJ

Tja, ik zei al dat je gebruikmaakt van de verkiezingsuitslag. Ja, je hebt dus gelijk.

HIJ

Je passeert Conrads schaduwgrens, eerst van de kindsheid naar de volwassenheid, dan van de volwassenheid naar iets anders.

ZIJ

Naar de waanzin. Ik ben er zo.

HIJ

Goed. Haast je. Naar de waanzin. Uit met die kleren en in de bayou. (*Hij legt de hoorn op de haak*) In het chocoladekleurige water vol dode oude bomen.

(*En zo, met nog maar een ogenblik van waanzin zijnerzijds – een ogenblik van waanzinnige opwinding – smijt hij alles in zijn koffer – op het ongelezen manuscript en de tweedehands gekochte boeken van Lonoff na – en gaat er zo snel als hij kan vandoor. Hij moet wel [zoals hij graag zegt]. Hij desintegreert. Zij is onderweg en hij vertrekt. Voorgoed.*)